BIBLIOTECA INDIANA
Publicaciones del Centro de Estudios Indianos

Universidad de Navarra
Editorial Iberoamericana

Dirección: Ignacio Arellano y Celsa Carmen García Valdés.
Secretario ejecutivo: Juan Manuel Escudero.
Coordinadora: Pilar Latasa.

Biblioteca Indiana, 29

LOS CUENTOS
DEL PREDICADOR

Historias y ficciones para la reforma
de costumbres en la Nueva España

MANUEL PÉREZ

Universidad de Navarra – Iberoamericana – Vervuert
Bonilla Artigas Editores

2011

Libro impreso con el apoyo del Programa de Mejoramiento del Profesorado:
promep/103.5/10/4412 (UASLP-PTC-292)

ISBN 978-84-8489-580-0 (Iberoamericana)
ISBN 978-3-86527-624-7 (Vervuert)
ISBN 978-607-7588-42-9 (Bonilla Artigas)

Depósito Legal: M-26247-2011

Diseño de la serie: Ignacio Arellano y Juan Manuel Escudero

Cubierta: *Urna funeraria, Bom Jesus*, Goa

Impreso en España

Este libro está impreso íntegramente en papel ecológico sin cloro.

ÍNDICE

INTRODUCCIÓN

El oficio de predicador podía ser tan exigente y sujeto a tantos riesgos en la España de los siglos XVI y XVII, que el célebre obispo de Tuy, Francisco Terrones del Caño, llegó a decir no sin humor en la *Instrucción de predicadores* que escribió para su sobrino en 1605: «Grande bobería y falta de juicio es ser predicador, si no es por amor de Dios desnudo solamente»[1]; y bien puede ser entendido así, sólo por amor a Dios o al arte, aunque eso sería olvidar que la predicación fue también en esos años fuente de gran prestigio, de prebendas y de beneficios y, por supuesto, ocasión también de ganar la gloria eterna, si se era lo suficientemente virtuoso como cristiano y como orador. Ciertamente los predicadores estaban sujetos a severas exigencias de muy diversa índole: de los preceptistas y maestros de retórica, la propia que se imponía el buen predicador o la del auditorio, con frecuencia despiadada, lo que hacía sin duda difícil el camino aunque quizás por eso mismo seductor, pues se trataba en última instancia de un oficio político, intelectual y para algunos francamente fascinante.

En México nada de esto fue distinto excepto la circunstancia de mundo nuevo, de escenario recién llegado a la cultura europea, arrastrado con una violencia comparable sólo a la voluntad pedagógica que vendría más tarde pues, como en toda la América hispana, justo después de la conquista militar se emprendió en la Nueva España la «con-

---

[1] Terrones, *Instrucción de predicadores*, p. 40. La *Instrucción* no sería impresa sino hasta 1617 con el título: *Arte o instrucción, y breve tratado, que dize las partes que a de tener el predicador Evangelico: como à de componer el sermón; que cosas à de tratar en el, y en que manera las à de decir.*

quista espiritual», como definió Robert Ricard el trabajo evangelizador de los frailes misioneros[2]. Sin embargo, convendría reconocer que dicha conquista puede muy bien ser considerada algo más que una mera justificación ideológica de aquella, como a veces se ha pretendido, pues vale tener en cuenta, por ejemplo, el bien conocido hecho de que predicadores o religiosos notables se manifestaron en repetidas ocasiones contra el uso de la fuerza militar sobre los pueblos sojuzgados, como Bartolomé de las Casas cuya paradigmática defensa, apoyado en Cicerón y san Agustín, proponía que si la causa superior de la conquista era la propagación del Evangelio, entonces uno sólo sería el modo de evangelizar: con la palabra persuadiendo y el ejemplo de una vida virtuosa, y en ningún caso mediante la coerción armada[3]. Claro que no fue excepcional este amparo que Las Casas esgrimió en favor de un método pacífico y coherente de difundir el Evangelio, pues defensores de la capacidad de los pueblos americanos para ser educados más que sometidos surgieron aquí y allá, con particularidades pero coincidiendo en lo esencial.

Es cierto que cualquier educación religiosa implica sus propias y muy variadas formas de sometimiento; sin embargo, ello no significa razón suficiente para olvidar los matices en aras de instituir una sola lectura de la predicación cristiana en América, como mera cómplice de la explotación, a menos que se decida aceptar una descripción parcial de los complejos acontecimientos que significaron la creación de los fundamentos de la cultura novohispana. Para Don P. Abbot, por ejemplo, la obra de José de Acosta representa la oportunidad de ilustrar el rostro autoritario y racista de la predicación religiosa en tierras americanas pues, cincuenta años después de aquella defensa de fray Bartolomé, Acosta habría afirmado que los indios eran del todo inferiores a los europeos, y que por esto no podían ser objeto de persuasión retórica sino sólo de la mera enseñanza del catecismo y nada más[4].

En lo general eso es más o menos cierto, Acosta consideraba que a los indios no se les podía proponer «conocimientos más altos, sino que en todo momento es preciso darles leche como a pequeñuelos en

---

[2] Ricard, 1947.
[3] Las Casas, 1942. El título de la obra es elocuente al respecto: *Del único modo de atraer a todos los pueblos a la verdadera religión.*
[4] Abbot, 1996, p. 4.

Cristo», y aun es posible leer en *De procuranda indorum salute* afirmaciones escandalosas de desprecio contra los indios que por alguna extraña razón Abbot no utiliza como argumentos de su tesis, como la siguiente:

> Pero el pueblo indio, aunque con sus más y sus menos, en conjunto, sin embargo, está muy lejos de cualquier sinceridad; es totalmente ruin y servil, de ingenio romo, de escaso juicio, muy inconstante y escurridizo; desleales en su comportamiento, sólo ceden ante el miedo y la fuerza; apenas tienen sentido del honor, y del pudor, casi ninguno[5].

Sin embargo, sólo en apariencia estas afirmaciones ilustran un prejuicio galopante, como cree Abbot, porque no presentan la opinión del autor sino que la obra sigue la lógica de la *disputatio*, consistente en exponer en primera persona sucesivas posiciones encontradas. El nombre del capítulo segundo en que esta afirmación se encuentra debería ser clave para su lectura: «Razón por la que a muchos les parece difícil y poco útil la predicación entre los indios».

La disputa como forma expositiva era un procedimiento propio de juristas —y este texto de Acosta es ante todo un alegato de corte jurídico— que implicaba un razonamiento dialógico cercano al debate, en el cual se planteaba primero el problema, se ofrecían a continuación las razones en favor de una determinada solución y luego las razones en contra, siempre en primera persona, dejando para el final la opinión personal del autor que en esos casos se erigía en juez de lo juzgado[6]. En este sentido, la conclusión de Acosta, y por tanto su verdadera posición, sobre la utilidad y dificultad de la predicación a los pueblos americanos es la siguiente: «Pienso que no hay que dar oídos a los que echan a los indios una culpa de la que ellos [los españoles] deberían responsabilizarse y arrepentirse, hablando siempre mal de su ingenio y condición; a los que sostenemos lo contrario, nos llaman inexpertos, ignorantes y novatos». Es cierto que Acosta concede que los indios pueden ser considerados gente ruda, sin embargo también considera que «los obstáculos principales para la predicación del Evangelio a los indios derivan más bien de los españoles» como reza el título del capí-

---

[5] Acosta, *De procuranda indorum salute*, p. 91.
[6] De eso modo procede, por ejemplo, Juan Solórzano Pereira en su célebre *Disputatio de indiarum iure* (traducido como *Política indiana*), de 1647.

tulo once del libro primero, y considera incluso que «no es lícito hacer la guerra a los bárbaros por causa de la infidelidad aun contumaz»[7], lo que viene a ser una afirmación sumamente beligerante frente a quienes se proponían el dominio a cualquier precio.

Por ello parece prudente considerar que los usos selectivos de afirmaciones aparentemente escandalosas por parte de predicadores católicos en América, como hace Abbot, no hacen sino confirmar la conveniencia de leer los textos de acuerdo a los criterios y preceptos de la época, pues una consideración prejuiciada de la oratoria sagrada resulta fácil al tratarse de un arte antiguo y desprestigiado, hijo de la olvidada retórica. Sin embargo, la predicación estuvo lejos de ser sólo instrumento de sometimiento; más bien fue un elemento fundamental del complejo proceso de diseño y estabilidad de la sociedad novohispana, donde tuvo sin duda importantes funciones: se puede hablar, por ejemplo, de una función cultural (en un sentido estético y en otro antropológico) y de una función política en tanto instrumento de adoctrinamiento, pacificación y, en épocas avanzadas de la Colonia, de reforma de costumbres.

Cabe decir, no obstante, que aunque estas funciones de la oratoria sagrada sean ya más o menos reconocidas, para algunos estudiosos las diferencias entre la dimensión cultural y la política no siempre aparecen claras, pues una descripción apresurada de la cultura, en términos antropológicos, podría llevar a una reducción de la misma a un simple sistema de control susceptible de ser reproducido por la educación, lo que la haría transitar hacia la función política, como hace Anne Cruz siguiendo a Clifford Geertz[8], en cuyo planteamiento sin duda podría caber la participación de la predicación en la creación de tales controles, tal vez aportando la interiorización de la culpa y el anhelo de virtud[9]. Vale la pena

---

[7] Acosta, *De procuranda indorum salute*, pp. 17 y 159. No se trata de una posición aislada esta de Acosta sino cuestión de debate de largo aliento donde estaba en juego, como se sabe, la dignidad humana y cristiana de los indios. Por ejemplo, Francisco de Vitoria en su *De indis* (1532) ya defendía que los indios «son verdaderos vasallos del Emperador, como si fuesen naturales de Sevilla» (citado por Gallegos Rocafull, p. 26).

[8] Geertz, 1973 (citado por Cruz, 1992, pp. IX-XV).

[9] Un interesante estudio sobre la función cultural de la culpa en la Nueva España, sin las reducciones que plantea Cruz, es el de Estela Roselló, para quien

recordar, sin embargo, que el tejido cultural no es obra de un solo teje-
dor, que la cultura no es de ningún modo una entidad autónoma o absolutamente manipulable, pues aunque deba concederse que en el caso
americano hubo una imposición de contenidos culturales, no se trató en
absoluto de una recepción pasiva del universo católico español al nuevo
y variopinto concurso que nacía en tierra de explotación y utopías.

Es cierto que muchos aspectos de la predicación de la época pueden verse como parte de una maquinación perversa sin otro fin que la
lucha ideológica e incluso la manipulación, por ejemplo ¿de qué otra
manera podría entenderse esta afirmación que Anne Cruz entresaca
del jesuita portugués Vieira, donde éste defiende el misterio como
garantía de poder?

> No hay más propia señal de acabarse un Imperio, y una Monarquía, que
> romperse la cortina de sus misterios, y los velos de sus secretos. Los
> Reinos, y las Monarquías susténtanse más de lo misterioso, que de lo ver-
> dadero, y si se manifiestan sus misterios, mal se defienden sus verdades. La
> opinión es la vida de los Imperios, el secreto es el alma de la opinión[10].

Como se ve, no parece haber defensa posible, la última afirmación
de Vieira resulta contundente y, de nuevo, aparentemente clara, pero
hay que ver que es también irónica pues devela en sí misma un secreto:
la importancia del secreto; y además tiene la osadía de difundir tan
valiosa información, pues está escrita en un manual de oratoria que el
célebre predicador publicó en 1660, que fue generosamente leído y
cuyo título anuncia una voluntad poco conservadora: *Aprovechar deleitando. Nueva idea de púlpito christiano-politica*. No obstante, lo que aquí
Cruz olvida es que Vieira no fue precisamente el más monárquico de
los predicadores, como no lo fueron en general los miembros de la
Compañía de Jesús que por regla obedecían más al Papa y a su General
que a cualquier corona, aunque fuese la española; y, más importante,
olvida también citar una afirmación anterior que aclararía el sentido en
que aquello había sido dicho:

entre la culpa y el perdón se creó la posibilidad de la «negociación» que permitió
solucionar en buena medida las enormes contradicciones en medio de las cuales se
constituyó la cultura y aun la política novohispana (Roselló, 2006).

[10] Vieira, *Aprovechar deleitando*, p. 149.

La señal siempre ha de tener alguna proposición con lo que significa [...]
Aquel velo del Templo era la cortina que cubría el *Sancto Sanctorum*, donde
estavan escondidos los misterios, y secretos de aquella Ley; vedados a
todos, y solo al Sumo Sacerdote permitidos: por eso tenía grande propor-
ción romperse el velo del Templo, para significar, que se acababa la
Sinagoga[11].

El velo se rompe cuando se consuma la Redención, de donde se
desprende la función liberadora que la verdad tenía para Vieira, como
había afirmado unas páginas antes en el mismo libro: «Declarar verdades que otros dejan de decir, gran mérito. Quien tal hace, merece ser
amado especialmente»[12].

Podría decirse, por tanto, que considerar con base en citas sin contexto que la predicación fue simple y llanamente instrumento al servicio de la ideología dominante sería, aunque no parezca, una interpretación fácil, pues fácil es encontrar afirmaciones autoritarias en una
época y en una situación en que iba el destino de un proyecto de
expansión cultural de enorme envergadura. Pero no todos los predicadores fueron meros agentes pacificadores o de propaganda, la sinceri-
dad sin duda era posible, y de hecho no en pocas ocasiones llevaría a
religiosos a enfrentar el poder civil en condiciones de inferioridad,
sufriendo valientemente las consecuencias que muchas veces incluye-
ron el destierro, la cárcel o aun la muerte. Terrones del Caño describe
muy bien esta situación cuando afirma: «tiene el predicador, del perro,
que, si entran ladrones en casa, y no ladra, ahórcale el amo, y con razón;
y si ladra, danle los ladrones de estocadas o apedréanle y vanse de esta
manera. Si reñimos a los viciosos o poderosos, apedréanos, cobramos
enemigos, no medramos y aun suelen desterrarnos»[13] y, efectivamente,
a muchísimos predicadores engulló el mar de la ira de algún príncipe o
de sus privados.

Esto pudo verse con frecuencia en los muchos conflictos de religiosos contra el poder civil, sobre todo cuando aquéllos suponían entre
sus deberes defender los derechos del pueblo; en estos casos, a veces, la
única arma con que contaban los eclesiásticos era un sermón, como

[11] Vieira, *Aprovechar deleitando*, p. 149.
[12] Vieira, *Aprovechar deleitando*, p. 70
[13] Terrones, *Instrucción de predicadores*, p. 36.

ilustra Ricard sobre un gran pleito de Zumárraga con un miembro de la Real Audiencia particularmente perverso con los indios quien, al ser reconvenido por los religiosos, detuvo y torturó a un fraile por delitos al parecer inventados; ante ello, «por unanimidad se tomó la resolución de enviar a México [desde Tlaxcala] a un religioso que predicara en San Francisco, conjurando a los Oidores a que respetaran la justicia, y proclamando ante los fieles todos, delante de Dios, que los frailes no eran culpables de los crímenes que se les imputaban»[14]. Sin lugar a dudas, como dijo el obispo Terrones, la predicación podía ser una actividad de gran riesgo e ingratos frutos.

Para cerrar el tema, pongamos por ejemplo otra cita del propio Vieira, acabado de traer aquí como reo acusado del autoritarismo más perverso. Con ocasión de la llegada a la ciudad de Bahía del Marqués de Montalbán, nuevo Virrey de Brasil, el aguerrido jesuita se queja en su sermón de la falta de justicia para castigar a los que cometen abusos, y se queja también amargamente de la codicia de los portugueses (justamente frente a una autoridad portuguesa): «Perde-se o Brasil, Senhor (digamo-lo em uma palavra). Porque alguns ministros de sua Majestade não vêm cá buscar o nosso bem, vêm cá buscar nossos bens», y va describiendo los abusos que se han venido realizando por parte principalmente de los ricos portugueses en Brasil, para concluir: «Muito deu em seu tempo Pernambuco; muito deu e dá hoje a Baía, e nada se logra; porque o que se tira do Brasil, tira-se do Brasil; o Brasil o dá, Portugal o leva»[15]. Por sermones como este se granjeó muchos enemigos, los suficientes y suficientemente poderosos para ser conducido preso a

---

[14] Ricard, 1947, p. 450. Fueron muchos los casos en que religiosos se atrevieron a denunciar tanto la corrupción social como la de funcionarios públicos, situación que al parecer se mantuvo durante todo el período virreinal en la Nueva España. En el siglo XVII serían justamente jesuitas quienes protagonizarían encuentros de este tipo, como dice Pilar Gonzalbo: «no faltaron ocasiones en que los jesuitas atacaron directamente a los representantes del gobierno virreinal y aun al mismo sistema político y administrativo», citando como prueba un sermón del jesuita poblano Juan de San Miguel que a mediados del siglo XVII logró la ira del obispo Juan de Palafox (Gonzalbo, 1989, p. 158).

[15] «no vienen a buscar nuestro bien, sino nuestros bienes» dice el jesuita: «Sermão da visitação de Nossa Senhora. Pregado no Hospital da Missericórdia da Baia, na ocasião em que chegou áquela cidade o Marquês de Montalvão, Vice-rei do Brasil» (Vieira, 1954, vol. X, p. 104).

Portugal y tener que defender allá su causa. No fueron estos, por supuesto, casos excepcionales, porque sermones políticamente incorrectos abundaron en esos años y el tiempo no los ha podido ocultar, aun cuando difícilmente eran llevados a las prensas; afortunadamente algunos se han conservado manuscritos en archivos conventuales o en los de la Inquisición de la Ciudad de México.

Con todo, la predicación no fue sólo un hecho religioso o político pues, como se adelantó, desarrolló también una importante función cultural. Para observarla conviene recordar que en el siglo XVII la oratoria sagrada, como la vida religiosa misma, no se circunscribía a la mera actividad espiritual sino que, como institución al fin mundana (y la más letrada), participaba activamente en el cultivo de las artes. Se ha llegado incluso a afirmar que por estos años la predicación fue también un acontecimiento de carácter social y literario, cercano a la comedia y observante riguroso de las antiguas artes retóricas pues, como bien dice Félix Herrero, «ningún escritor podía estar mejor preparado para manejar la escritura con tanta destreza como estos frailes, profesionales y virtuosos de la palabra "snobs" del intelecto, que como diría Ortega, con sus ejercicios y bizantinismos de escuela, se pasaron la Edad Media afilando la mente de Occidente»[16]; además, la mayoría de los predicadores de corte o catedral eran también catedráticos de artes en alguna universidad, de modo que alternarían el púlpito con la cátedra y serían, por tanto, buenos conocedores tanto de la doctrina como de la práctica retóricas. Por ello, los sermones serían acontecimientos de importancia cultural y estética para todos los estratos en la ya urbana sociedad novohispana del siglo XVII, como lo fueron en cualquier ciudad española de la época. Miguel Herrero García llega a decir, tal vez exagerando un poco, que «el sermón y la comedia eran entonces los únicos centros de reunión de la sociedad culta y los únicos cauces de la literatura oral»[17].

Y sí, realmente los sermones fueron en estos años mucho más que ocasión de ejercer o sufrir la persuasión evangélica o moralizante, pues daban lugar también para la celebración, el comentario o el chisme, al punto en que la preocupación por el público se convertiría en asunto

---

[16] F. Herrero, 1998, t. II, p. 21.
[17] M. Herrero, 1942, p. 18.

de común interés para predicadores y poetas, dramaturgos o narradores, como sale a luz en una divertida polémica estudiada por Luis López Santos donde es posible ver cómo dos jesuitas pelean por el éxito de su predicación, como podría hacerlo cualquier par de comediantes, es decir compiten por un éxito medido en aplausos. José de Ormaza, después de publicar su *Censura de la elocuencia* en 1648 con el pseudónimo «Gonzalo Pérez de Ledesma»[18], donde asume la defensa de la novedad de los efectistas conceptos predicables frente a la predicación de corte tradicional, es interpelado por su colega y crítico Valentín de Céspedes quien con genio satírico, fino e ilustrativo escribió, también con pseudónimo («Lic. Juan de la Enzina»), su «Trece por docena. *Censura censurae* [...]»[19]. Ante la afirmación de Ormaza de que sólo los mediocres son capaces de concertar la admiración popular: «los aplausos que suele dar el vulgo a los de la secta de los lugarones», Céspedes reta: «¿Qué Iglesias han reventado con tu auditorio? ¿Qué multitud ha arrastrado tu presumida elocuencia? ¿Hay alguno que haya oído tu nombre ni sepa si existes en el mundo?»[20].

Esta emotiva contienda revela, entre otras cosas, los altos niveles de sofisticación de la predicación y el posible alejamiento de sus propósitos fundamentales, además de que retrata la elocuencia religiosa de los siglos XVI y XVII como un escenario propicio no sólo para las más duras disputas religiosas o incluso políticas, sino también para la vanidosa competencia personal. Porque no parece que esta polémica haya sido excepcional, por el contrario se puede suponer que ilustra muy bien uno de los muchos tipos de conflictos cultivados entre predicadores pues, siendo la predicación una labor de hombres versados en la elocuencia, extraño fuera que la debilidad humana asociada a la habilidad retórica no deviniera en ocasiones para la disputa.

---

[18] Impreso en Zaragoza, a costa de Matías de Lizau, con el título *Censura de la eloquencia para calificar sus obras y señaladamente las del púlpito.*

[19] Manuscrito inédito dedicado a «D. Pérez Gonzálo, Canónigo de dignidad». Valentín de Céspedes era nieto del Brocense, creció entre los muchos libros del abuelo en Salamanca de donde obtendría una regular cultura que le permitiría escribir sobre temas varios y en diversos géneros, frecuentando la costumbre de hacerlo con pseudónimo; Ignacio Arellano cita una de sus comedias (*Las glorias del mejor siglo*) que firma como Pedro del Peso (ver Arellano, 2007).

[20] López Santos, 1946, p. 364.

Por lo demás, esta pugna es parte de aquella mencionada que tenía lugar entre predicadores tradicionalistas y modernos (o ejemplarizantes y conceptistas), es decir, entre quienes buscaban seguir probando sus afirmaciones y moviendo los afectos con pruebas inductivas, y quienes preferían las pruebas deductivas consistentes en un razonamiento agudo y sentencioso. José de Ormaza era un joven partidario de la nueva elocuencia cuya novedad eran los conceptos[21], mientras que Céspedes, un hombre mayor («ya venerable» dice López Santos), defendía la tradicional argumentación inductiva hecha con base en autoridades y ejemplos. Para Ormaza «Todo lo llena la razón», y Céspedes se burla de lo lindo: «con punticos de mucho garbo, adornados de unos conceptos picados y picantes, que concluyen pronto, y dan en la nuca del orador, con estilo muy conciso y misterioso, de estos unos, y otro, no sólo sin revolcarse, pero sin detenerse»[22].

Con todo, estas polémicas «estilísticas» eran en realidad artificiales, pues cada uno de los estilos defendidos por estos vehementes predicadores podían perfectamente coexistir —como habían coexistido siempre la argumentación inductiva y la deductiva— sólo que encaminados a diferentes tipos de auditorio: el sublime estilo de los sermones conceptuosos sin duda no podría predicarse entre campesinos, del mismo modo en que un sermón rebosante de fabulillas haría tal vez arrugar la nariz a los miembros de un público cortesano o clerical; no obstante, durante los años de mayor florecimiento de la predicación cristiana en la Nueva España, es decir los siglos XVI y XVII, es posible encontrar estas y otras ocasiones de disputa que no hicieron sino continuar otras que tenían lugar en Europa, muchas de ellas por las mismas causas, lo que sin duda fue motor para el desarrollo de la elocuencia, de los estudios retóricos y de la propia evolución social y cultural del virreinato.

---

[21] El uso probatorio del concepto consistía en la demostración de una proposición moral por el artificio de un razonamiento conciso; es decir, una alegoría, un símbolo o una figura usada con agudeza, de modo que se trataba de una de las formas de la prueba deductiva de reciente proposición y desarrollo en el siglo XVII: «La semejanza es origen de una inmensidad conceptuosa, tercer principio de agudeza sin límite, porque de ella manan los símiles conceptuosos y disímiles, metáforas, alegorías, metamorfosis, apodos y otras innumerables diferencias de sutileza», había dicho Gracián (*Agudeza y arte de ingenio*, t. II, p. 377).

[22] López Santos, 1946, p. 358.

En este florido contexto se impone la necesidad de estudios puntuales de la oratoria sagrada mexicana, que vayan más allá de consideraciones generales y, a la vez, que partan de descripciones y valoraciones de textos concretos. Así, de los muchos temas que se podrían ofrecer para este estudio (los principios estilísticos, la estructura de los sermones o su dimensión religiosa, entre otros) es el examen de los propósitos persuasivos que la mueven lo que permitiría una lectura que a la postre sea capaz de involucrar los demás aspectos, pues en un sermón, como en cualquier pieza oratoria, resulta central la causa que se defiende, de la cual depende en gran medida la estructura, el estilo y, en suma, la disposición retórica del discurso en su conjunto. Además, a partir del estudio de tales propósitos persuasivos se puede comprender también la articulación del sermón con el cumplimiento de diversas funciones religiosas, sociales, culturales y aun políticas, pues dicha causa o propósito no se limitaba en la oratoria sagrada a lo doctrinal o eclesiástico sino que, como se ha visto, trascendía con frecuencia lo exclusivamente religioso. En este sentido, uno de los elementos del sermón donde el propósito persuasivo resulta más evidente y, por tanto, puede permitir su estudio de un modo privilegiado, es sin duda el referido al lugar de las pruebas, es decir la *argumentatio*, que consiste fundamentalmente en la defensa y sustento de las afirmaciones de la causa mediante razonamientos o comparaciones, es decir mediante pruebas deductivas o inductivas.

La segunda de estas dos clases de pruebas (es decir, la referida a las inducciones retóricas o paradigmas, conocidas en la retórica latina como *exempla*) fue de singular importancia en la predicación de corte popular, pues en ella era preferible prescindir de las argumentaciones deductivas complejas, dada la baja calidad del auditorio, lo que haría de las comparaciones ejemplares los mayores instrumentos tanto para la ilustración de la doctrina como para el embellecimiento del discurso en las piezas oratorias de estilo humilde. Por ello es que a partir de los temas de los ejemplos insertos en los sermones populares del siglo XVII novohispano es posible deducir los principales propósitos de la reforma de costumbres a la que orientaban su persuasión; asimismo, en la disposición argumental de los ejemplos al interior del sermón se pueden encontrar los modos en que cumplían dicha función retórica, como pruebas de una argumentación mayor; finalmente, del rastreo de las fuentes usadas por el predicador para encontrar los relatos adecuados a su causa, se puede determinar la inserción de esta práctica argumentativa en la rica tradición ejemplar, vigorosa desde la Edad Media en Europa, siglos antes en oriente, así como en la Antigüedad grecolatina había sido base para el desarrollo de la ficción moral y para el conocimiento del pasado, pues como se sabe la historia tenía también ya entre griegos y romanos un valor moral, ejemplarizante.

Gracias a la independencia que el ejemplo ha mostrado a lo largo de su historia (lo mismo en Occidente que en Oriente, en discursos orales o en textos escritos, subordinado al relato marco o a la argumentación de una pieza retórica) podrían también ser varios los caminos para su estudio, incluido un análisis intrínseco del relato, independiente de su contexto de inserción, o bien el mero rastreo de tipos y motivos; sin embargo, aquí se ha elegido un análisis retórico por ser más coherente a la intención de conocer cómo funciona el ejemplo al interior del discurso, determinar sus usos estilísticos y argumentativos así como la manera en que se dispone para cumplir justamente su propósito persuasivo. De este modo, se ha partido de la certeza de que el ejemplo es en principio una comparación de carácter narrativo, es decir, que en tanto argumento del discurso el ejemplo toma su carácter probatorio o ilustrativo de una causa expositiva gracias a la comparación de la misma con un asunto externo pero similar a dicha causa; esta función ilustrativa por comparación concentra las posibilidades didácticas del relato al plantear una enseñanza con base en un paradigma moral, en donde es posible observar también su función social en tanto que el relato incluye una propuesta paradigmática de uno o varios modelos de virtud a seguir o bien muestra el castigo derivado de infringir las leyes religiosas, naturales o civiles.

Así, el siglo XVII resulta un momento privilegiado para el estudio tanto de la dimensión cultural como de la social del ejemplo en la predicación en la Nueva España, pues entonces la estructura social y cultural de las ciudades en formación exigiría al predicador la preparación de discursos trascendentes a su mera función religiosa, porque deberían ser también dentro de sus límites instrumentos civilizadores y propiciadores del orden; al mismo tiempo, era en esos años y no antes cuando el predicador podría contar ya con un auditorio urbano y medianamente letrado que le movería a pronunciar discursos retóricamente mejor armados. Es decir, en el seiscientos habían pasado ya las exigencias evangelizadoras que habían guiado la predicación durante casi todo el siglo XVI en América, de modo que en las grandes ciudades se encontraría ahora un público que no tenía que ser cristianizado aunque sí reformado en sus costumbres, no sólo para utilidad religiosa sino para bien de la república.

En esta tarea sin lugar a dudas fue notable la labor de los predicadores de la Compañía de Jesús (cuya llegada coincidió justamente con el cambio de objetivos de la elocuencia religiosa en la Nueva España) gracias entre otras cosas a su notable y bien conocida dedicación al pueblo criollo y mestizo, su enorme abanico de acción educativa, su excelente formación retórica y en general humanística, y la predilección de muchos de sus miembros por una elocuencia cercana a la gente, instrumentando géneros menores de discurso como las pláticas que, no obstante, tuvieron sin duda una función no menor en la reforma de costumbres. Por ello se ha elegido la obra de un predicador jesuita novohispano del siglo XVII como Juan Martínez de la Parra, ampliamente difundida en sucesivas impresiones, poseedora de un estilo y erudición encomiables en una obra retórica menor y, sobre todo, abundante en relatos ejemplares.

Los predicadores jesuitas se habían distinguido ya como brillantes y rigurosos observantes de las tesis aristotélicas de la argumentación, donde se ponderaba favorablemente el valor del paradigma, y habían buscado en sus tratados conciliar razonablemente las propuestas del estagirita con las tesis retóricas de Cicerón y Quintiliano, de modo que su elocuencia fue sin duda clásica, en el mejor sentido de la palabra. *De arte rhetorica libri tres ex Aristotele, Cicerone et Quintiliano praecipue deprompti* (1569) de Cipriano Suárez, texto oficial de enseñanza retórica en los colegios jesuíticos, lleva las cosas bastante lejos en este sentido, pues partía de una definición ciceroniana de *inductio* para proponer el ejemplo como un género propio y diferente de la argumentación:

> Algunos se atreven de modo temerario a criticar a Aristóteles, el varón más sabio en toda ciencia, quien consideró el ejemplo un género de la argumentación. Pero aquel gran varón, dotado de una aguda inteligencia, reconoció claramente algo más importante: que el ejemplo, en efecto, es sin duda un argumento por semejanza, pero, expuesto en la argumentación, da como resultado un nuevo género de la misma, que difiere sin discusión del razonamiento y la inducción[23].

[23] Suárez, *De arte rhetorica*, p. 52 (citado por Aragüés, 1999, p. 236).

Por supuesto que la cita de Suárez alude a las teorías ramistas del Brocense vertidas en su *De arte dicendi* de 1556[24]. Otros preceptistas de la Compañía de Jesús, en la misma línea favorecedora del ejemplo, son Pablo José de Arriaga (*Rhetoris christiani partes septem*), Domingo de Colonia (*De arte rhetorica libri quinque*), Gerardo Montano (*Compendium rhetoricae*), Francisco Pomey (*Novus candidatus rhetoricae*) o Francisco de Mendoza (*Viridiarium sacrae et profanae eruditionis*), autores todos ellos, por lo demás, de gran circulación en la Nueva España, como muestra el hecho de su conservación en varias ediciones en los acervos de la Biblioteca Nacional de México o en algunas bibliotecas conventuales.

Para el estudio de las pruebas ejemplares usadas en la obra de Juan Martínez de la Parra se ha seguido pues un análisis retórico de las mismas que ha permitido, además de su adecuada lectura en un contexto persuasivo, su consideración como instrumento forjador de cultura y ciudadanía pues, como se ha dicho, un estudio completo de la argumentación ejemplar debe tomar en cuenta el propósito persuasivo con el que ella se utiliza, implica formular hipótesis sobre la recepción de los discursos y, finalmente, comprender la adecuación de los relatos ejemplares usados como pruebas a dichos propósitos y a un auditorio particular. Además, una justa descripción de los usos ejemplares, como principio de cualquier análisis, precisa de una breve clasificación de los ejemplos en cuestión, para cuyo fin la preceptiva retórica también ofrece un camino viejo, probado y útil, pues aunque la taxonomía ejemplar haya variado a lo largo del tiempo parece que en el fondo se mantuvo entre los oradores un sentido aristotélico de la argumentación, sobre todo en obras vinculadas de diversos modos a la elocuencia clásica,

---

[24] Las tesis de la *Dialectica* de Ramus que defendía el Brocense habían llevado la *inventio* y la *dispositio* (y con ellas la *argumentatio*) al seno exclusivo de la lógica, dejando para la retórica sólo la *elocutio* y la *actio*; bajo esta concepción el ejemplo dejó de ser llamado inducción retórica y se le adjudicó una escasa utilidad para la argumentación lógica. Para Petrus Ramus no es la retórica la ciencia del bien hablar, sino la gramática; mientras que la dialéctica lo sería del bien disputar: «Comme donques nous apprenõs en noz ieunes ans la Grammaire pour bien parler [...] ainsi debuons nous apprendre la Dialectique pour bien disputer, à cause qu'elle nous declaire la verité, et par consequent la faulseté de toute raison» [*Dialectique* I, 5-15: cito por la ed. facsímil de la impresión de París (por André Wechel, 1555) en *Gramere (1562)*. *Grammaire (1572)*. *Dialectique (1555)*, Slatkine Reprints, Ginebra, 1972].

donde la diferencia entre los relatos de carácter histórico o ficcional resulta de singular importancia; lo que significa una magnífica oportunidad de entrar a la fundamental discusión de los límites entre historia y literatura, en el contexto de su uso moral. En suma, con base en un análisis retórico inicial se ha intentado en este estudio determinar los modos en que el relato ejemplar ha sido dispuesto en piezas oratorias de estilo humilde a fin de cumplir un propósito persuasivo, concretamente argumental, vinculado a la reforma de costumbres de los habitantes de la Ciudad de México a fines del siglo XVII.

Capítulo 1

LAS PLÁTICAS DE JUAN MARTÍNEZ DE LA PARRA

Entre los predicadores novohispanos destaca la figura del jesuita Juan Martínez de la Parra, cuya predicación forma con toda autoridad parte de la que Pilar Gonzalbo ha llamado «época dorada» de la oratoria sagrada jesuítica mexicana, y en la que incluye también al confesor de sor Juana, Antonio Núñez de Miranda, a José Vidal, Bartolomé Castaño y Juan de San Miguel[1]; no obstante que sea el único de todos ellos que practique casi exclusivamente una oratoria de estilo humilde, lejos de la luminosa oratoria de corte o catedral. Con todo, la obra de Martínez de la Parra resulta de singular utilidad para un estudio de la predicación en la Nueva España como el que aquí se pretende, pues la colección de sus pláticas es extensa, de muy buena confección, con pretensiones temáticas muy amplias y coherentes pues en conjunto abarcó todos los contenidos canónicos de la doctrina cristiana (los diez mandamientos, los siete sacramentos y algunos otros temas) y, finalmente, porque sus discursos son bastante ricos en relatos ejemplares, tanto en cantidad como en calidad.

---

[1] Gonzalbo propone el nacimiento de esta «época dorada» a mediados del siglo XVII, cuando «el tono de la predicación cambió, incluyó relatos de acontecimientos cotidianos y llegó a comprometerse en la defensa de los novohispanos» (Gonzalbo, 1989, p. XVI). Apoyado en el *Diccionario histórico de la Compañía de Jesús* (Charles O'Neill y Joaquín María Domínguez, Dirs., Institutum Historicum, S.J. - Universidad Pontificia Comillas, Roma-Madrid, 2001) se podría incluir en esa lista de predicadores novohispanos notables a Alonso Medrano y Juan Cerón (t. 3, 2646).

El reconocimiento de la importancia de esta obra, fuera de México, ya podía advertirse en el «Parecer» del examinador sinodal del obispado de Barcelona, Francisco Garrigo, incluido como preliminar para una edición de 1724 en aquella ciudad. Aunque bien se sabe que era función de los «pareceres» la alabanza, en este caso resulta al respecto muy elocuente: «Siendo las verdades de nuestra Santa Fe, el mayor tesoro [...]. Ni todo el oro ni plata que han llevado de las Indias a nuestra España las flotas, desde que las descubrieron Colón y Américo Vespucio, puede compararse con el tesoro que nos trae de México en esta obra», y adelante dice: «con que, aunque no conozcamos en la Europa a este sujeto por el trato, le conoceremos por la imagen viva que nos da de sí en este libro, así como se conocen los padres por los hijos»[2].

En cuanto a la fecha del nacimiento de Juan Martínez de la Parra, en Puebla de los Ángeles, y sobre el momento de su ingreso en el noviciado de la Compañía en Tepotzotlán, existen algunas discrepancias. Francisco Javier Alegre dice que «ingresó en la Compañía en 1667, de 15 años», de donde puede deducirse que el predicador habría nacido en 1652[3]. Se trata de una afirmación que sigue el *Diccionario histórico de la Compañía de Jesús* pero sin acordar en cuanto a la fecha de ingreso, pues aunque dice que, efectivamente, nació «ca. 1652» afirma también que iniciaría en la orden en 1668[4]. En cambio Benassy-Berling afirma sin dudar que el nacimiento fue en 1655[5], apoyándose sin duda en la autoridad de José Gutiérrez Casillas y su *Diccionario Bio-Bibliográfico de la Compañía de Jesús*[6], quien a su vez seguiría la de Mariano Beristáin el que, sin embargo, sólo había asentado «por el año 1655», seguramente porque no tendría certeza absoluta al respecto; Gutiérrez y Beristáin, por lo demás, disponen una fecha distinta para el ingreso del jesuita en la orden: 1670[7]. En suma, ante la carencia de suficientes elementos para elegir una versión u otra, se tendría que decir que Juan Martínez de la

---

[2] Además, Pilar Gonzalbo cita a Sedano (*Noticias de México [...]*, vol. III, p. 36), donde éste «informa de los sermones del padre Martínez de la Parra, uno de los que tuvo mayor éxito en la predicación del catecismo en la Casa Profesa» (Gonzalbo, 1989, p. 71, n. 26).

[3] Alegre, *Historia de la Provincia de la Compañía de Jesús de Nueva España*, p. 22.

[4] O'Neill y Domínguez, 2001, t. 3, p. 2525.

[5] Benassy-Berling, 2001, p. 401.

[6] Gutiérrez, 1977, t. XVI, pp. 113-114.

[7] Beristáin, 1947, p. 108.

Parra habría nacido entre 1652 y 1655, aunque puesto a escoger preferiría ajustarme a los documentos de la Compañía que parecen optar por el primer año.

Al parecer la edad en que ingresó a la orden se podría mantener en los 15 años que dice Alegre, pues quien afirma que había nacido en 1652 afirma también que entraría al noviciado en 1667, y quien dice que nació en 1655 tiene por año de ingreso 1670[8]. En cuanto a la fecha de su muerte no hay ninguna discrepancia: ella ocurrió en México el 14 de diciembre de 1701, al parecer con gran dolor tanto de la población de la ciudad como de las autoridades eclesiásticas y civiles, pues se le tributaron abundantes elogios latinos y castellanos, y las cartas anuas de la provincia novohispana de la Compañía de Jesús, impresas en Roma en 1703, ya daban cuenta de las muchas virtudes oratorias y morales del fallecido[9].

Sea como fuere, el predicador había llegado al noviciado de Tepotzotlán desde su natal Puebla y, cuando acabó sus estudios, en 1677, sería enviado a Ciudad Real (en «Chiapa») junto con el padre Juan de Olavarría y el hermano Florencio de Abarca. En Ciudad Real el joven jesuita hubo de recibir una de las primeras lecciones políticas de su vida, al sufrir la enemistad del obispo Marcos Bravo de la Serna después de una inicial y excesiva amabilidad: a su llegada, el obispo los había hecho vivir en su casa, comer en su mesa y aun los llevaba y traía en su carroza, lo que no podía ser bien visto por la comunidad religiosa y por las personalidades civiles del lugar pues, como valora Francisco Javier Alegre, «los favores excesivos y públicos de los príncipes, aunque recaigan sobre un gran mérito, son siempre odiosos y expuestos a ser

---

[8] Beristáin puede dar una fecha exacta para el ingreso: el 16 de abril de 1670; si el dato de que lo hizo a los quince años es un hecho, ello fortalecería la hipótesis del nacimiento en 1655. No obstante, no todo lo que afirma Beristáin es transparente y completo pues, por ejemplo, elide la problemática estancia del jesuita en Chiapas, de la que se trata aquí a continuación, y se extiende en alabanzas y consideraciones un tanto subjetivas del biografiado, como el hecho de adjudicar su cambio desde Guatemala a la Casa Profesa de la Ciudad de México por conocer «sus prelados que el P. Parra [sic] había de honrar con muchas ventajas y provechos de los fieles los púlpitos de la capital» (Beristáin, 1947, p. 108), afirmación sin duda de difícil sustento pues la oportunidad de mostrarse como buen predicador la tendría justamente en la Casa Profesa y no antes.

[9] Beristáin, 1947, p. 108.

blanco de la emulación»[10] y, por supuesto, blanco también de la envidia y de la ira. De este modo, no faltaron personas de autoridad que procuraran inspirar al obispo «astutamente siniestra opinión» de sus invitados, al punto en que terminó corriéndolos de su casa y luego los presionó para que abandonaran la ciudad.

En realidad, no deben extrañar las intrigas y pleitos de diversa índole entre religiosos, pues efectivamente los hubo en esos siglos y en verdad ruidosos y lamentables, como los referidos a cuestiones de jurisdicción y poder sobre almas y territorios. Se peleaba una orden contra otra o, incluso, las provincias novohispanas contra las peninsulares de una misma orden, al grado en que en 1556 la corona ya había ordenado al virrey Luis de Velasco que terminara con esos altercados pues, en voz de Montúfar, «grandes divisiones que entre ellos avia sobre quien abarcara mas provincias, pueblos y lugares de esos naturales»[11]. Sobre esto mismo, Solórzano Pereira cita el capítulo once de las *Instrucciones de los virreyes*:

> Hase entendido que los religiosos de las órdenes tienen discordias y pasiones entre sí [...] os encargo que os informéis muy en particular del estado en que estuviere esto en cada una de las órdenes, para que si halláredes las dichas diferencias o cosa semejante que tenga necesidad de remedio, tratando de ello con sus prelados y superiores, procuréis concordarlos[12].

Cierto que en los conflictos que enfrentaban los miembros del clero regular con los del secular los religiosos salían con más frecuencia victoriosos, porque solían ser mejores oradores (al menos mejor instruidos) y contaban en general con mejor fama entre la población local pues muchos religiosos se habían distinguido por su dedicación, interés

---

[10] Alegre, *Historia de la Provincia de la Compañía de Jesús de Nueva España*, p. 23.
[11] Citado por Robert Ricard, 1947, p. 428.
[12] Solórzano, *Política indiana*, IV, 26, 7. La cita no es clara en cuanto a qué instrucciones en particular se refiere, y dadas a cuáles virreyes, aunque ilustra la preocupación señalada por Ricard. Por mi parte he encontrado en la «Relación, Apuntamientos y Avisos que mandados de S.M. di (yo D. Antonio de Mendoza) al Sr. D. Luis de Velasco, Visorey, y Gobernador y Capitan General desta Nueva España» que no tiene sino una queja de los clérigos que son «ruines y todos se fundan sobre intereses»; en cambio de los religiosos dice que «sin ellos puédese hacer poco, y por esto siempre he precurado favorecerlos» (Mendoza, 1867, p. 225).

por la cultura de los pueblos nativos y por su autoridad moral frente a la feligresía. No obstante, los religiosos no fueron propietarios exclusivos de la razón, pues los clérigos seculares tuvieron también serios y frecuentes motivos de queja por su comportamiento: se les podía achacar un excesivo celo propietario sobre lo que éstos llamaban «sus territorios», actitud siempre señalada como una calamidad por los obispos quienes, incluso siendo religiosos como Montúfar, no podían lidiar con las órdenes y su desmedido deseo de control. Montúfar y Vasco de Quiroga se quejaron de ello en más de una ocasión acusando a los religiosos de ignorantes, crueles o soberbios, porque ostentaban ruidosamente los privilegios otorgados a ellos en las bulas papales e, incluso, porque llegaban a usurpar funciones exclusivas de los prelados, como hacer dispensas que sólo a éstos correspondían; por si fuera poco, muchos religiosos se hacían dar un trato más honrado por «sus» indios que el que les enseñaban a dispensar a los obispos, y algunos llegaron a amenazar a varios prelados con recluirlos temporalmente en sus cárceles por algún estorbo a la labor de los conventos. En algunos casos la enemistad llegó incluso al enfrentamiento físico, pues grupos de clérigos seculares llegaron a quemar y saquear conventos o a golpear frailes; aunque habría que decir que en esto de los golpes la cosa fue recíproca: una amplia reseña de estos llamativos conflictos puede verse en Ricard, quien cuenta casos de violencia física, robo, incendio de conventos y parroquias, dientes quebrados, huesos rotos y hasta intentos de asesinato[13].

Al joven Martínez de la Parra el temprano enfrentamiento con el obispo Bravo de la Serna con seguridad le enseñó las virtudes de la conducta prudente, especialmente frente a los obispos, pues no volvería a tener dificultades en ese sentido y sí en cambio sabría ganarse el favor de autoridades eclesiásticas de los más altos vuelos, como el arzobispo de México Francisco Aguiar y Seixas. En fin, que después de este contratiempo la Compañía sacó a los jóvenes jesuitas de Chiapas y envió a Martínez de la Parra a enseñar filosofía en Guatemala, a donde llegaría en 1678. Algunos años después, en 1686, volvería a la capital del virreinato siendo muy pronto nombrado prefecto de la Congregación del Salvador. En la Casa Profesa de la Ciudad de México pasaría la mayor

---

[13] Ricard, 1947, pp. 429-450.

parte de su vida dedicándose con empeño a la predicación, que era ahí una de las actividades cotidianas. Y debió ser un predicador con algo de público[14], pues con las limosnas que recogía entre los asistentes a sus pláticas pudo hacerse cargo de una casa de mujeres «dementes y fatuas», que había quedado desamparada a la muerte del arzobispo Aguiar y Seixas. José Sayago, un hombre piadoso, y su familia habían empezado a recogerlas de la calle, y luego el prelado comenzaría a apoyarlos con dinero de modo que muy pronto los Sayago pudieron recibir a sesenta y seis mujeres. A la muerte del arzobispo, en 1698, Martínez de la Parra tomó el asunto a su cargo mientras seguía predicando en la Casa Profesa y mientras esperaba el último de los volúmenes de *Luz de verdades católicas*, la exitosa compilación de sus pláticas doctrinales.

Martínez de la Parra llevó a la imprenta sus pláticas entre 1692 y 1699, publicando lo que puede ser una de las pocas colecciones de piezas oratorias mexicanas no panegíricas que se imprimieron en el siglo XVII, pues al parecer, después de las pláticas y sermones en lenguas indígenas impresos en el siglo XVI, las prensas mexicanas (en cuanto a obras oratorias se refiere) casi sólo se movieron para los sermones de alabanza o de honras fúnebres, como si la impresión de textos de carácter doctrinal hubiese sido designada, después del Concilio de Trento, privilegio de autores peninsulares. *Luz de verdades católicas*, aunque impresa en su segundo y tercer tomo en Sevilla, es en todo sentido una obra mexicana pues se trata de la colección de pláticas pronunciadas por este predicador en la Casa Profesa de la Compañía de Jesús en la Ciudad de México, entre 1690 y 1694, cuya licencia fue dada por Gaspar de la Cerda Sandoval, conde de Galve y virrey de la Nueva España, y por el arzobispo de México Francisco Aguiar y Seixas; el libro llevó por título *Luz de verdades Catholicas, y explicación de la Doctrina Christiana, que siguiendo la costumbre de la Casa Professa de la Compañía de Jesús de México, todos los jueves del año ha explicado en su iglesia el padre Juan Martínez de la Parra, professo de la misma Compañía.*

La obra se imprimió originalmente en tres tomos, que correspondían a tres tratados o series temáticas: el primero incluyó los puntos

---

[14] Dice Pilar Gonzalbo refiriéndose en general a las pláticas de la Casa Profesa que «la costumbre del sermón catequístico semanal [...] tuvo tanto éxito que hubo ocasiones en que se formaban largas colas para asistir a la instrucción» (Gonzalbo, 1989, p. 71).

principales de la doctrina cristiana, el segundo consistió en una explicación amplia y profunda de los diez mandamientos, y el tercero en una similar explicación de los sacramentos[15]. A partir de la edición de Barcelona de 1700 la obra se imprimiría en un solo gran tomo en cuarto, y muy pronto se consolidaría como uno de los libros novohispanos más editados; los editores de la obra de Francisco Javier Alegre llegan a considerar incluso que «*Luz de verdades católicas*, ha tenido más ediciones que ningún otro libro mexicano»[16]. De hecho, no obstante ser ahora bastante desconocido, se trata de uno de los autores religiosos más leídos desde fines del siglo XVII; del mismo modo, durante todo el XVIII su obra fue muy apreciada no sólo en la Nueva España, como muestra el hecho de las muchas reimpresiones de su obra, tanto en México como en diferentes ciudades europeas[17].

En la Biblioteca Nacional de México es posible encontrar, además de la *princeps* de México y Sevilla, las impresas en Barcelona (1700, 1701, 1705, 1724 y 1755), en Madrid (1717, 1722, 1724, 1732, 1775 y 1900), de nuevo en Sevilla (1729 y 1733), en Morelia (1886) y, por supuesto, en la Ciudad de México (1754 y 1948); también fueron impresas por separado algunas selecciones de sus pláticas, como las *Pláticas doctrinales sobre los sacramentos del agua bendita y pan bendito* (en la Imprenta del Real y Más Antiguo Colegio de San Ildefonso, México, 1754).

---

[15] Esta exposición doctrinal observa, por supuesto, la propuesta catequética de Jerónimo Ripalda, jesuita aragonés que había publicado su *Catecismo de la doctrina cristiana* en 1618.

[16] Alegre, *Historia de la provincia de la Compañía de Jesús de Nueva España*, p. 22, n. 26.

[17] Marie-Cecile Benassy-Berling afirma que «los eruditos mexicanos hablan de 45 ediciones en total» de *Luz de verdades catholicas*, y señala que la obra fue traducida al náhuatl, portugués e italiano en 1713, y al latín en 1736 (Benassy-Berling, 2001, p. 404). Seguramente toma tal información de Mariano Beristáin quien menciona la traducción del jesuita italiano Antonio Ardia quien cambió el título y al parecer intentó hacerse pasar por autor (*Tromba cathequistica*, 1713), de donde a su vez el cisterciense alemán, Roberto Lenga, haría una traducción latina (*Tuba catechetica*, 1736) sin mencionar ya el nombre del autor mexicano (Beristáin, 1947, pp. 108-109). Charles O'Neill menciona otras obras impresas de este jesuita, sobre todo panegíricos como el *Elogio sacro de San Eligio, abogado y patrón de los plateros de México* (México, 1686), *Elogio de San Francisco Xavier* (México, 1690), *Elogio fúnebre de los militares españoles* y *La nada y las cosas* [...] (México, 1698) (O'Neill y Domínguez, 2001, t. 3, 2525).

LA PREDICACIÓN DE LA COMPAÑÍA DE JESÚS EN EL CONTEXTO NOVOHISPANO

Puede hablarse de dos momentos o etapas en la predicación religiosa novohispana, cuyas principales diferencias corresponden a las nuevas pautas dadas a la predicación por el Concilio de Trento[18] y, en menor medida, a la llegada de la Compañía de Jesús a la Nueva España. Se trata de un primer momento evangelizador, cuyo mayor propósito consistió por supuesto en la difusión del cristianismo, y un segundo período educador, catequístico y reformador de costumbres; Josep Ignasi Saranyana lo expone así: en el primer período «la vida urbana estaba todavía poco desarrollada, y la evangelización se centraba particularmente en la conversión de los indígenas a la fe católica. Este panorama habrá de cambiar con la recepción de Trento y sobre todo, con la llegada a América de las primeras barcadas jesuíticas»[19]. En este sentido puede decirse que la llegada de la Compañía de Jesús en 1572, junto con el establecimiento del Tribunal del Santo Oficio en 1571 conforman el nuevo esquema de actividad de la Iglesia en México al finalizar el siglo XVI.

«Período primitivo» de la predicación llama Ricard al que inicia en 1523, con la llegada de fray Pedro de Gante, y que finaliza en 1572, cuando llegó la Compañía de Jesús; un período en que «la obra de conversión en México está confiada en su integridad a las tres Órdenes llamadas Mendicantes: Franciscanos (1523-1524), Dominicos (1526) y Agustinos (1533)». El segundo período iniciaría pues con el renovado espíritu traído por los jesuitas, quienes habrían de «consagrarse con especial esmero a la educación y robustecimiento espiritual de la socie-

---

[18] El Concilio de Trento (15 de marzo de 1545-3 de diciembre de 1563) dice en su decreto referido a obispos y cardenales: «el ministerio de la predicación es el principal de los obispos» y adelante «Mas ningún sacerdote secular ni regular tenga la presunción de predicar, ni aun en las iglesias de su religión contra la voluntad del obispo» (*Canones et decreta, sacrosancti oecumenici, et generalis concilii Tridentini*, 1564, Sessio XXIV, Decretum de Reformatione, Cap. IV). En ese decreto se asentaron los nuevos principios de la predicación: que es obligación de los obispos predicar o mandar quien lo haga, que la predicación debe tener lugar todos los domingos y días solemnes, y diariamente en tiempo de ayuno, Cuaresma o Adviento y que todos los fieles están obligados a asistir a la predicación, entre otras nuevas reglas.

[19] Saranyana, 1999, t. 1, p. 86.

dad criolla, un tanto descuidada por los Mendicantes, así como a la elevación en todos los sentidos del Clero Secular, cuyo nivel era más que mediocre»[20]. Por supuesto que la oratoria sagrada se desarrollaría mucho más en el segundo período, postridentino y barroco, cuando el auditorio criollo exigiría una elocuencia más compleja, pues ya era urbano y podía ser medianamente letrado, y cuando la tarea primordial de la predicación sería la reforma de costumbres.

Por lo menos desde el Concilio de Letrán, pero sobre todo después de Trento, los obispos venían siendo considerados los únicos que recibían de oficio el ministerio de la predicación, se sabían «los legítimos "enviados" de la epístola paulina a los romanos» como afirma Félix Herrero[21]; los demás venían a ser sólo predicadores de encargo. Era frecuente sin embargo que en la práctica el obispo no peleara por esta trabajosa atribución y que la delegara justamente entre religiosos o clérigos seculares que la recibían con cierto gozo pues para el siglo XVII, como señala Hilary D. Smith, el púlpito se había convertido en palestra tan prestigiosa que era necesario competir para obtener una cédula que permitiese predicar[22]. Una buena razón, por lo demás, para la competencia entre religiosos y curas por obtener estas cédulas era la paga, que solía consistir por una parte en «lo común» (una ración de comida) y un «stipendio», que podía alcanzar en Zaragoza la suma de cien libras por Cuaresma o Adviento (cada libra aragonesa equivalía a cincuenta reales castellanos), aunque en Castilla lo normal era que se llegase a ganar quinientos o seiscientos reales por un sermón.

Es sabido que, en principio, los miembros de las órdenes religiosas llegadas a la Nueva España no podían ser curas de almas y, por tanto, no podían tener doctrinas de indios ni dedicarse por entero a la predicación. Así lo explica el jurista Juan Solórzano Pereira en su *Política indiana*: «conforme las ordinarias reglas del derecho los varones que profesan Religiones Mendicantes, y mucho menos las que llaman Monásticas, no pueden tener beneficios curados, como lo enseñan muchos textos y autores»[23]; sin embargo, a causa de la apremiante necesidad de contar con buenos y suficientes predicadores en el Nuevo Mundo, la Santa

[20] Ricard, 1947, p. 35.
[21] F. Herrero, 1998, p. 46.
[22] Smith, 1978, p. 19.
[23] Solórzano, *Disputatio de Indiarum Iure*, IV, 30, 2.

Sede había expedido bulas y reiterado dispensas a las reglas que restringían el ejercicio de la predicación y la doctrina de las órdenes[24]. Fue así que justamente a las órdenes mendicantes se les encomendó la primera tarea evangelizadora en América; de modo que franciscanos, dominicos y agustinos tomaron en sus hábitos el complejo y fascinante trabajo de propagar el Evangelio en condiciones similares a las de los primeros tiempos del cristianismo.

Los jesuitas llegan pues a la Nueva España mucho después de franciscanos, dominicos y agustinos pues, entre otras cosas, las reservas de la Corona y las envidias entre los clérigos habían retrasado la llegada de la Compañía al Nuevo Mundo[25]; fueron el propio Felipe II y el papa Gregorio XIII quienes finalmente apoyaron el envío de misioneros jesuitas a América. Hacia fines de 1570, desde la Ciudad de México se pedían por escrito a Felipe II jesuitas que «cumpliendo con las obligaciones de su apostólico instituto, serán de mucha utilidad en las ciudades recién fundadas, en particular en esta gran ciudad de México, cabeza de todo el reino, que necesita de maestros de leer y escribir, de

---

[24] Si la responsabilidad evangelizadora en América había sido depositada en la Corona Española gracias a los privilegios otorgados por la bula *Universalis Ecclesiae*, dada por Julio II en 1508 (por la que se les concedían a los monarcas hispanos el Patronato de la Iglesia en América), estos a su vez confiarían tal misión a las órdenes religiosas, legitimando su actuación mediante otras dos bulas papales que implicaban dispensas a la prohibición que expone Solórzano Pereira: la *Alias Felicis* dada por León X el 25 de abril de 1521 y la *Exponis Nobis Nuper Fecisti* de Adriano VI otorgada el 10 de mayo de 1522. Ambas proporcionaban a las órdenes mendicantes autoridad apostólica allí donde los obispos faltaran o se hallaran a más de dos jornadas de distancia, salvo en aquellos ministerios que exigían consagración episcopal. Tal vez la disputa que sobrevendría entre religiosos y seculares por los beneficios de los curatos haría necesaria la reiteración de tales dispensas por parte de Clemente VII (1523-1534), Paulo III (1534-1549) y Pío V (1566-1572). Ver Espinosa, 2005, pp. 249-257.

[25] Así lo dice Jerome Jacobsen: «Charles V and Philip II had maintained stringent ordinances against works of evangelization in the colonies by other than the ancient orders of religious» (Jacobsen, 1938, p. 53). Miguel Batllori considera que precisamente a dichas ordenanzas se debió el que religiosos ingleses o franceses enfrentasen enormes obstáculos si querían venir a la América hispana, pues de acuerdo con una cédula de Carlos V (de 1530) las órdenes religiosas debían seguir un riguroso criterio de selección de sus misioneros con base en su origen nacional, lo que afectaba directamente a la Compañía de Jesús cuya membresía era internacional (Batllori, 1958, pp. 432-436).

latinidad y demás ciencias», según el documento que cita Félix
Zubillaga[26]. Ante ello, Felipe II pide tanto al provincial de Toledo,
Manuel López (cédula del 26 de marzo de 1571), como al general de
la Compañía Francisco de Borja (cédula del 4 de mayo de 1571), doce
jesuitas que llegarían a Veracruz el 9 de septiembre de 1572, y el 28 de
septiembre del mismo año entrarían en la Ciudad de México.

Formalmente, el primer propósito de su venida había sido educativo, y dirigido hacia un segmento poblacional muy preciso, pues las
autoridades españolas habían buscado elevar el nivel de la oferta educativa para hijos de españoles y criollos en la Nueva España[27]; sin
embargo, las instrucciones del General al superior de la expedición,
Pedro Sánchez, decían: «Acéptese solamente por el principio un colegio en México [...] y no hará poco el nuevo colegio predicando y
enseñando la doctrina cristiana y ayudando en los ministerios de nuestro instituto»[28], de modo que la predicación se puede contar también
entre las objetivos primarios de su venida.

Curiosamente, su primer colegio no fue para españoles o criollos
sino para niños indios: el de San Martín, que fue también la primera
gran fundación de la Compañía en la Nueva España, hecha a petición
y por obra de un sobreviviente de la antigua aristocracia mexica,
Antonio Cortés, cacique de Tacuba, quien puso a trabajar a tres mil
hombres para erigir un magnífico edificio cuya inauguración sirvió de
gran bienvenida por parte de toda la ciudad[29]. La segunda gran obra

[26] Zubillaga, 1956-1991, t. I, pp. 1 ss.
[27] Ya Pablo III en su bula de 1543 (*Injunctum nobis*) con la que había confirma-
do a la Compañía (el mismo Pablo III había aprobado la orden en su *Regimini mili-
tantis* de 1540) hace un compendio de sus objetivos: la propagación de la fe por la
predicación pública, los ejercicios espirituales, los trabajos de caridad y, en particular, mediante la educación cristiana de los jóvenes (ver Edwards, 2004). Beatriz
Mariscal dice al respecto que la llegada de los jesuitas «no respondía a los propósitos evangelizadores que habían traído a las órdenes mendicantes —si bien ese propósito no podía estar ausente de su desempeño general— sino que había sido propuesta por las élites novohispanas interesadas en proporcionar a sus hijos la
educación que había de prepararlos para el liderazgo que les correspondía ejercer
en el Nuevo Mundo» (Mariscal, 1999, p. 51).
[28] Zubillaga, 1956-1991, I, pp. 25-27.
[29] A su llegada, había sido preparada una fastuosa recepción por los habitantes
de la Ciudad de México, sin embargo los jesuitas no llegaron a tiempo, de modo
que tal celebración hubo de posponerse.

correspondió a la generosidad de Francisco Rodríguez Santos, hombre muy rico que financió el primer colegio para criollos pobres, en 1573: el Colegio de Todos los Santos, que se convirtió en una institución famosa por sus muchos alumnos ilustres, abogados, funcionarios, predicadores y obispos, y que en 1700 recibió por cédula real el título de Colegio Mayor. Así, el hecho de que desde muy temprano la Compañía de Jesús haya comenzado a recibir criollos y aun indios como profesos[30] (al punto en que la primera generación del noviciado en México incluyó a Antonio del Rincón, descendiente de los antiguos reyes de Texcoco, y a un criollo, hijo del regidor Rodrigo de Albornoz) les granjeó buena fama entre los habitantes de la ciudad, pues se presentaban como hombres simples que procuraban vivir con austeridad, si algo se recibía de limosna debía ser dado a los pobres o a la Provincia y en ningún caso les estaba permitido poseer rentas o bienes[31], predicaban en las calles, convivían con la gente y la servían (era común verlos acarreando agua o cargando leña, entre otros menesteres humildes) y al mismo tiempo sabían darse a conocer como personas muy cultivadas.

De este modo, los jesuitas se forjaron un amplio rango de acción que abarcó todos los segmentos de la sociedad novohispana: para los ricos españoles eran la mejor opción educativa, casi tan buena como enviar a sus hijos a España, mientras que para los criollos significaron la oportunidad de sentirse estimados y servidos, como se sabían merecedores, y a ambos grupos ofrecieron una nueva perspectiva de la doctrina y la virtud cristianas que acentuaba aspectos sociales y políticos como ninguna otra orden religiosa o clerecía había hecho antes. Todo ello contribuyó por supuesto al desarrollo de un sentido intelectual de pertenencia al país y de diferencia respecto a la metrópoli, incluso se atribuye a los jesuitas participación nada menos que en la creación de

---

[30] A diferencia de otras órdenes que mantendrían una actitud recalcitrante contra el ingreso de americanos. Entre los carmelitas, por ejemplo, era absoluta la prohibición para el ingreso de criollos, lo que fue causa de más de una rebeldía, como la protagonizada por fray Agustín de la Madre de Dios, que le costó cárcel, pena de silencio y la confiscación de la crónica de la orden que escribía (ver Báez, 1986).

[31] «in no case may the professed house have rentals or goods, either in common or in particular [...] Because of this the professed house is wont to be founded in populous cities» (Jacobsen, 1938, pp. 217-218).

los primeros símbolos nacionales[32]. También entre los pueblos indios la Compañía de Jesús desarrollaría una labor lingüística impresionante, escribiendo e imprimiendo gramáticas, sermonarios, confesionarios y colecciones de cuentos en lenguas indígenas. Con todo, al parecer esta notable y ambiciosa labor de los jesuitas entre el pueblo pudo haber sido también, a la postre, causa de su debacle, pues significaría una amenaza para las pretensiones absolutistas de Carlos III, a decir de René Fülöp-Miller, quien considera que para la expulsión de los jesuitas tuvo mucho peso la opinión de algunos cortesanos que vituperaban la posición independiente de la Compañía de Jesús, especialmente en el Paraguay, y que:

> the fathers, as the police reported, held a remarkably active intercourse with the common people: It was said that they regularly gave the populace spiritual exercises, and even conversed with coachmen, lackeys and other menials, they also appeared frequently in the galleys and prisons to talk with the convicts over their needs and troubles, and to console them[33].

Sea como fuere, la acción educativa (y política) de la Compañía resultó de amplísimas dimensiones, trascendió las aulas y alcanzó los púlpitos, la calle y otros escenarios para la predicación sobre su idea de virtud; sin embargo, no se trató en ningún modo de una acción absolutamente novedosa y directa de los jesuitas sobre la sociedad novohispana pues, como bien precisa Pilar Gonzalbo, «el discurso jesuítico influyó en el comportamiento de los novohispanos [...] sólo en la medida en que previamente se había impregnado de las concepciones que hacían posible el orden colonial»[34]; es decir, que el quehacer de los jesuitas debe entenderse subordinado a propósitos políticos y religiosos vinculados tanto al progreso espiritual como a la estabilidad social. Así, esta obra ideológica de la Compañía de Jesús (quizá más que la arquitectónica) puede representar un enorme legado cultural europeo en

---

[32] A miembros de la Compañía de Jesús se atribuye por ejemplo haber usado en una procesión y por vez primera un estandarte que contenía una imagen del águila sobre un nopal devorando una serpiente, hoy flamante escudo de la bandera mexicana (ver Alberro, 1999, pp. 82-119).

[33] En su curioso y documentado trabajo *The power and secret of the Jesuits* (Fülöp-Miller, 1930, p. 379).

[34] Gonzalbo, 1989, p. XIV.

América[35], que habría tenido en la predicación un vehículo privilegiado: una fórmula de las *Instituciones* de 1540 ponía «las públicas predicaciones y el ministerio de la palabra de Dios» a la cabeza de los medios para lograr el mayor provecho y la mayor gloria de Dios; dicha fórmula se ampliaría hacia 1550 para incluir «lecciones y cualquier otro ministerio de la palabra de Dios»[36], lo que sin duda comprendía las «pláticas» doctrinales que solían darse cada jueves en la Casa Profesa de la Compañía en la Ciudad de México, cuyo propósito era mucho más didáctico que los sermones dichos en los actos litúrgicos.

Por supuesto que no por dedicarse al cultivo de una oratoria de estilo humilde, como la que es posible encontrar en las pláticas, los jesuitas practicaban una elocuencia rudimentaria, pues se trataba de oradores formados con el más alto nivel, con un método sustentado tanto en elementos preceptivos clásicos como en los documentos fundacionales de la Compañía: los *Ejercicios*, las *Constituciones* y la *Ratio Studiorum*. Por ello es que la fama de los predicadores jesuitas no fue poca ni mala, y no sólo en el mundo hispánico, como recuerda Charles O'Neill con aquella enumeración tan tópica de fines del siglo XVI: «Toletum docere, Panigarolam delectare, Lupum movere»[37], donde el jesuita español Francisco de Toledo figuraba junto a los franciscanos Francesco Panigarola y Alonso Lobo como los más elocuentes predicadores de Roma, y donde se mostraba ya también la enseñanza como la principal vocación de la predicación jesuítica. Así, junto a Toledo, Antonio Vieira, Carolo Regio y muchos otros jesuitas darían lustre a la escuela de elocuencia y vocación social que desarrolló la Compañía tal vez desde un principio, como ostentosamente afirma Juan Martínez de la Parra, el predicador que aquí se estudia: «Habiéndome encargado la obediencia este ministerio de explicar la doctrina, que entre los muchos y muy gloriosos que abraza el sagrado instituto de mi religión,

---

[35] Manuel I. Pérez es sobre ello elocuente: «Más que todas estas edificaciones quedaba una cultura criolla novohispana que aun sobre los lazos coloniales con la Vieja España, había llegado, con Cicerón y con Virgilio sobre todo, a conectarse al patrimonio histórico común de Occidente y a la conciencia de no ser pueblo sometido, sino una comunidad de ciudadanos capaces de ser libres» (Pérez, 1972, p. 396).

[36] Ver O'Neill, 2001, t. IV, p. 3216.

[37] O'Neill, t. IV, 3217.

para el provecho de las almas puede con los mayores competir de primero [...]»[38].

En la Nueva España, como se ha sido dicho, el trabajo de la Compañía de Jesús fue fundamental para elevar el nivel educativo y cultural que se ofertaba en el virreinato, así como para generar un sentido de pertenencia entre la población, pues no sólo ofrecía bienes culturales que vinculaban el mundo novohispano de la mejor manera a la cultura occidental, sino que incluso podría decirse que contribuyeron a elevar la autoestima sobre todo del pueblo criollo, gracias a su buen trato y a la osadía de plantear símbolos protonacionales. Además, la proverbial erudición de los predicadores jesuitas contribuyó a la confección de discursos ricos en fuentes ejemplares (sobre todo en los sermones dedicados a la predicación popular) a las que supieron dar un uso lo suficiente fino y complejo como para singularizarse entre otros predicadores de la época, pues en general se mostraron capaces de un manejo diestro de la preceptiva retórica, de un uso novedoso y «político» de la doctrina, así como de una sobria elección y adecuación al discurso de los relatos ilustrativos.

La formación retórica de los jesuitas se concentraba en las reglas que la *Ratio* instituía «para el professor de retórica» y «para el professor de humanidades»[39]. Los *Ejercicios*, las *Constituciones* y la *Ratio Studiorum* configuraban uno de los primeros sistemas propiamente modernos de formación humana, donde la razón tenía un lugar central pues el hecho de tratar de reducir la iluminación a método, es decir, decidir ver un cuadro místico a partir del cual meditar sobre los propios pecados implicaba, de muchas maneras, un ejercicio de la voluntad encaminado al control de los sentidos; lo mismo puede decirse del hecho de procurar un examen de conciencia controlado por la escritura, cuando el ejercitante debía escribir sus pecados[40].

---

[38] Martínez de la Parra, *Luz de verdades católicas*, «Al lector». Aunque se usa la *editio princeps* de la obra, aquí y en adelante se ha modernizado la escritura atendiendo las normas editoriales de la colección Biblioteca Indiana

[39] Antonio Martí considera que entre los jesuitas no florecieron tratadistas retóricos de importancia; sin embargo, también acepta que la influencia de el *De arte Rhetórica* (Coimbra, 1562) de Cipriano Suárez, que puede considerarse el «texto oficial» de retórica jesuítica, trascendió los muros de los colegios de la Compañía (Martí, 1972, pp. 249 ss.).

[40] René Fülöp-Miller llega a decir que «Ignatius Loyola, thought that even those who did not posses the supernatural illumination, infused into the soul, of which the mystic thought so highly, could achieve perfection by their own efforts

La *Ratio* era el documento fundamental del sistema jesuítico de instrucción, aunque durante algún tiempo sólo funcionó en los colegios de internos, es decir, sólo para la formación de los propios jesuitas. Se trataba de una colección de reglas y direcciones para la enseñanza que regulaban desde los contenidos curriculares de las diversas materias de estudio, el método concreto de enseñanza que cada profesor debía seguir, hasta cuestiones administrativas; es decir, era tanto un método educativo como un manual de dirección de la clase, que incluía ejercicios inspirados en los *progymnasmata* de las antiguas escuelas de gramática neolatinas y de los métodos humanistas. La *Ratio* había sido instituida en 1599 por el general Aquaviva, concentrando las experiencias pedagógicas de la Compañía de Jesús en el Colegio de Messina, el primero para alumnos externos, fundado en 1548. Una primera versión de la *Ratio* de 1586 fue discutida en sesiones especiales, enviada a las provincias y revisada minuciosamente después por Aquaviva y sus asistentes, en un largo proceso que duró trece años, hasta que finalmente en 1591 se propuso una segunda versión que al parecer caminaría hacia la síntesis, pues la versión definitiva de 1599 tendría la mitad de páginas que la de 1591.

La primera regla de retórica que incluía la *Ratio studiorum* ordenaba su enseñanza en tres grandes campos: los preceptos de oratoria, el cuidado estilístico del discurso y, por supuesto, la necesaria erudición, que debía desprenderse naturalmente del conocimiento de la historia, de las costumbres de los pueblos, así como de la autoridad de las Escrituras y, en general, de toda la doctrina cristiana. Los preceptos oratorios, por su parte, tenían como base la autoridad de «Cicerón, la *Retórica* de Aristóteles (y, si se quiere, su *Poética*) y Quintiliano»[41]; mientras que la regla 15, para el profesor de retórica, recomendaba ciertas lecturas eruditas para los fines de semana y días de descanso, sobre obras de historia, jeroglíficos, emblemas, epigramas, epitafios, odas, etc., así como la revisión de discusiones llevadas a cabo en los senados griego y romano; del mismo modo se recomendaba la lectura de obras históricas que

---

and pains» (Fülöp-Miller, 1930, p. 4). Por lo demás, la predicación jesuítica reflejaría con creces esta vocación persuasiva de la imagen, recogiendo la función ejemplar de la *imago* que había recomendado Cicerón.

[41] Traduzco de la versión inglesa de A. R. Ball en Edward A. Fitzpatrick, 1933, p. 208.

diesen cuenta de las grandes guerras de la Antigüedad, lo mismo que cuestiones de jardinería, gastronomía o vestido, «pero todo con moderación»[42].

Todas estas lecturas de fin de semana solían convertirse en ejercicios de imitación en clase, donde se copiaba algún pasaje de un poeta u orador famoso, o bien se pedía

> escribir una descripción, por ejemplo, de un jardín, un templo o una tormenta, o cosas como esas; practicar el cambio de expresiones en varios sentidos, traducir una oración griega al latín o viceversa, escribir en prosa los versos de algún poeta, griego o latino; trasladar una clase de poemas en otros [...] recopilar frases griegas o latinas de buenos oradores o poetas, etc.[43].

como recomienda la regla 5, lo que sin duda colaboraba a la formación de una erudición viva y plástica, capaz de lucir con pertinencia en las propias creaciones poéticas u oratorias; de hecho, la misma regla recomendaba también ejercicios consistentes en acomodar figuras retóricas a ciertos temas, encontrar argumentos sobre ciertos temas a partir de lugares comunes o ejemplos. En suma, el entrenamiento retórico y estilístico de los jesuitas mostraba un sabio equilibrio entre la teoría y la práctica, ambos aspectos, por lo demás, diseñados con fino sentido de la selección, que incluía tanto las retóricas de Cicerón o Aristóteles, como algunas obras de carácter histórico de autores como César, Salustio, Livio, y «de los poetas Virgilio, con excepción de algunas de las Églogas y los cuatro libros de la Eneida», como dice la regla 1 para el profesor de humanidades[44].

En cuanto a la determinación de los recursos de que podría disponer un predicador jesuita novohispano del siglo XVII para inventar y disponer sus sermones, conviene recordar que no obstante la calidad y abundancia de las piezas oratorias producidas en esos años, en general las herramientas para la predicación fueron menos ambiciosas que las que produjeron o tuvieron a su disposición los predicadores del XVI (cuando fueron trasladados sermonarios, ejemplarios y catecismos a lenguas indígenas, lo que sin duda precisaría de mayor preparación y

---

[42] Fitzpatrick, 1933, p. 215.
[43] Fitzpatrick, 1933, p. 211.
[44] Fitzpatrick, 1933, p. 216.

voluntad). Porque los estudios humanísticos habían formado un estupendo ambiente para la producción y recepción de grandes retóricas, producto de lecturas críticas y de una gran capacidad de síntesis de los antiguos maestros, gentiles y cristianos; de modo que después de Trento comenzaron a circular obras producto de un humanismo al servicio de la Contrarreforma, escritos de gran talla como la *Rhetorica ecclesiastica* (1576-1578) de Luis de Granada o la *Rhetorica Christiana* (1579) de Diego Valadés, esta última ejemplo del desarrollo alcanzado por la práctica y la reflexión retóricas en la Nueva España. Son las que hoy se conocen como «retóricas tridentinas», entre las que la *Rhetorica eclesiástica* de Granada podría ser paradigmática pues constituye, a decir de María Gabriela Zayas, «el mejor intento por adoptar y sistematizar los conocimientos retóricos clásicos (Quintiliano, Cicerón y Cornificio), a la necesidad de una oratoria sagrada profunda y bien construida, que pudiera competir con los vigorosos escritos protestantes»[45].

En cuanto a la obra de Valadés, es necesario mencionar su claro propósito de favorecer una predicación al servicio de la reforma de costumbres, que muestre «al pueblo la verdad y luego los arcanos, enseñando a vivir piadosa e inocentemente, eliminando los muy torpes errores, las perniciosas costumbres, impulsando a los hombres a la piadosa, verdadera y divina sabiduría», afirmación que para Martha Elena Venier «contiene un programa de trabajo, el que tuvo en la conversión, mediante la prédica, para enseñar a los mexicanos del siglo XVI a vivir con inocencia, sin supersticiones ni malas costumbres»[46]. En este propósito el ejemplo ocupaba un lugar central pues, a decir de Valadés «debe [el predicador] usar ejemplos, semejanzas y comparaciones [...] [pues] no solo a los más indoctos y simples, sino también a los muy doctos les será de provecho»[47].

Del acervo de obras sobre predicación que conserva el Fondo Reservado de la Biblioteca Nacional de México, es posible obtener una buena muestra de lo mejor que podían leer los predicadores novohispanos del siglo XVII, entre las que se pueden mencionar los manuales de predicación —espejos todos de las grandes retóricas tridentinas— como *De rhetorica eclesiástica* (1574) de Agustino Valerio, *De ratione*

[45] Zayas, 1991, p. 36.
[46] Venier, 2001, p. 440.
[47] Valadés, *Retórica cristiana*, p. 209.

concionandi (1576) de Diego Estrella o el *Divinus orator* (1595) de Ludovico Carbo. Pueden encontrarse además otras ayudas para la predicación de autores del siglo XVI como Nebrija (*Artis rhetoricae compendiosa coaptatio ex Aristotele, Cicerone et Quintiliano*), Erasmo (*De conscribendis epistolis*),Vives (*Exercitaciones linguae latinae*), Juan de Mal-Lara (*In Aphtonii: progymnasmata scholia*), Benito Arias Montano (*Rhetoricorum libri IV*), Cipriano Suárez (*De arte rhetorica libri tres ex Aristotele, Cicerone et Quintiliano deprompti*), Bartolomé Bravo (*Liber de conscribendis epistolis ac de progymnasmaticus seu praexercitationibus orationis*), entre otros, que sin duda continuaron siendo leídos en el siglo XVII a juzgar por las apostillas y otras anotaciones que suelen encontrarse en ellos.

Llegaron también otros manuales impresos en el siglo XVII como las *Retorici Christiani parte septem* (1619) de Pablo José de Arriaga, el *Arte de sermones* (1675) de fray Martín de Velazco, el célebre *Novus candidatus rhetoricae* (1680) de François Pomey, *El predicador apostólico* (1684) de Gabriel de Santa María o los ya mencionados *Orator Christianus* (1619) de Carolo Regio y el *Aprovechar deleitando* (1661) de Vieira, sermonario y *ars praedicandi* a un tiempo[48]. Esta cualidad del texto de Vieira no era excepcional, en general casi todos los sermonarios eran en sí mismos *artes praedicandi* pues contenían no sólo el material predicable y los sermones modélicos[49,] sino también reglas implícitas sobre el decoro y el buen comportamiento en el púlpito.

Entre los sermonarios más distinguidos impresos en el siglo XVII que circularon en la Nueva España se pueden citar los *Discursos predicables sobre los evangelios [...]* (1603) de Diego Murillo, los *Sermones del Advenimiento* (1617) y *Los evangelios de la Cuaresma predicados en la Corte de Madrid* (1630) de Cristóbal de Avendaño, los *Asuntos predicables para los domingos, miércoles y viernes de Cuaresma* (1629) y los *Asuntos predicables para todos los domingos después de Pentecostés* (1639) de Diego Niseno, las *Homilías sobre los evangelios que la Iglesia Santa propone los días de*

---

[48] Para una lista mayor ver Beuchot, 1996 y Gómez Alonso, 2000, pp. 99 ss.

[49] Por ejemplo, el propósito de la impresión de la obra de Juan Martínez de la Parra marcha en este sentido, como lo explica muy bien el «Parecer» ya citado de Francisco Garrigo: «Con muy poco estudio y diligencia, mediante este libro, podrá cualquiera dellos doctrinarlas [los párrocos a sus ovejas], en todo el discurso del año. Con que brilla como el sol la caridad del autor, pues quedándose para sí con la fatiga y desvelos que le ha costado esta obra, sólo queda el descanso para los párrocos».

Cuaresma (1633) de Jerónimo Bautista de Lanuza o la *Cuaresma de sermones doctrinales, duplicados, para todos los domingos, miércoles y algunas otras fechas* (1687) de José de Barcia y Zambrana; algunos sermonarios portugueses como los *Sermones varios* (1600) de Joao Franco, los *Sermones de Adviento y Cuaresma* (1617) de Diego de Paiva, o los muy conocidos *Sermones* (1677) y *Las cinco piedras de la honda de David en cinco discursos morales* (1678) de Antonio de Vieira.

Había otros textos cuyos temas los hacían adecuados para servir como inspiración a los predicadores aun cuando su propósito no fuese precisamente ese, son tratados espirituales cuyas materias predicables los hacían muy útiles en la confección de sermones; entre ellos es posible mencionar la *Declaración copiosa de la doctrina Cristiana: para instruir los idiotas y niños en las cosas de nuestra santa fe católica* (1598) del cardenal Belarmino, muchas de cuyas abundantes ediciones circularon en la Nueva España, la más tardía de 1775; la *Práctica del catecismo romano* (1639) en muchas ediciones también, la más tardía de 1747, y *Causa y remedio de los males públicos* (1639) ambas de Juan Eusebio Nieremberg; las *Razones para convencer al pecador* (1683) del también jesuita Ignacio Fiol, que se imprimiría después en México (de esa edición mexicana se conserva una 2.ª impresión de 1732), la *Breve instrucción de cómo se ha de administrar el sacramento de la penitencia* (1611) de Bartolomé de Medina, los *Casos raros de la confesión* (1656) de Cristóbal de Vega, entre muchos otros.

Finalmente, estaban los instrumentos para hacerse de pruebas, como las concordancias, listas alfabéticas, cuadros de tópicos y otras ayudas bibliográficas para buscarlas; colecciones de sermones, completos o en esquemas; colecciones de *exempla* y de datos reales o fantásticos sobre el hombre, los animales o el mundo, y las colecciones de leyendas, vidas de santos y de personajes insignes de alguna orden religiosa. Entre las colecciones de ejemplos circularon en México varias traducciones de obras antiguas como *La vida del Ysopet con sus fábulas historiadas* (Zaragoza, 1489) o *Los nueve libros de los ejemplos y virtudes morales* de Valerio Máximo (*Facta et dicta memorabilia*: Sevilla, 1631), algunas obras medievales como la impresión hecha en Lovaina de los *Gesta Romanorum* (1480) e incluso una impresión londinense (s.f.) de la *Legenda aurea* de Jacobo de Vorágine, también el *Speculum historiale* (1494) de Vicencio Belvacense, las *Flores Exemplorum, sive, catechismus historialis* (1556) de Antonio de Averoult, el *Flos sanctorum* (1594) de Alonso de Villegas, así como algunas obras del siglo XVII como la *Suma de ejemplos de virtudes y vicios* (1632) de Alejandro Faya, el *Itinerario histo-rial que debe guardar el hombre para caminar al cielo* (1648) de Alonso de Andrade y por supuesto también la adaptación que hizo Juan Mayor del *Speculum Exemplorum* del siglo XV en su *Magnum Speculum Exemplorum* (1633). Entre las colecciones de pruebas deductivas, los *Conceptos extravagantes y peregrinos sacados de las divinas y humanas letras y Santos Padres* (1619) de Tomás Ramón o el *Enigma numérico predicable explicado en cinco tratados de números doctrinales* (1682) de Juan Agustín Mora Negro y Garrocho. De una obra tan patriarcal como promete el título de Belarmino, a los textos políticos de los jesuitas hay buen tre-cho: la intención de remediar los males públicos que muestra Nieremberg y el espíritu combativo contra filisteos gigantes de Vieira, no hablan sino de la vocación social de la predicación jesuítica.

LAS PLÁTICAS ENTRE LOS GÉNEROS DE LA ORATORIA SAGRADA

Las condiciones en que el evangelio debió ser predicado en América alteraron algunas de las prácticas de la oratoria sagrada europea del siglo XVI pues, entre otras cosas, la realidad americana había hecho de nuevo necesaria la antigua predicación misionera de los tiempos del cristianis-mo primitivo[50]; de modo que los primeros franciscanos llegados a la Nueva España, por ejemplo, debieron hacer uso de un tipo de oratoria menor, que Robert Ricard llama «plática» y que, según él, «no iba diri-gida a convertidos, sino a personas que había que convertir»[51]. Es decir, probablemente los predicadores de esos primeros años en México reser-varían los sermones propiamente dichos para los colonos españoles o las ocasiones especiales, e instrumentarían para los nativos un género de oratoria menor, carente del aparato de autoridades y de la estructura temática que solían tener aquellos, dedicado a la instrucción de perso-nas sencillas e incultas en materia cristiana.

Hay que decir, sin embargo, que esta definición de Ricard es sólo una entre muchas pues por «plática» se han entendido diferentes cosas

---

[50] El sermón misionero fue uno de las cuatro formas de predicación de la Iglesia primitiva, según George Kennedy, junto a «the prophetic preaching, the homily, and the panegyrical sermon» (Kennedy, 1999, p. 155).

[51] Ricard, 1964, p. 191.

en diferentes momentos, lo que parece significar en principio que los géneros de la oratoria sagrada no estaban claramente definidos en la época y que podían intercambiar sus nombres, asuntos o auditorios. Lo que sí resulta claro es que la definición de Ricard viene a ser limitada, pues las pláticas fueron utilizadas profusamente en la Nueva España también en el siglo XVII, y para la persuasión de auditorios criollos e incluso españoles; además, tampoco es un hecho incuestionable la paternidad franciscana de dichos discursos que pretende Ricard pues Carlos Herrejón, por ejemplo, sostiene que fueron los jesuitas quienes los introdujeron al país, aunque su consideración puede deberse a que estudia un período bastante tardío de la predicación, en el cual la labor de los jesuitas —que harían buen uso del género— fue fundamental[52]. Para otros autores, por lo demás, la plática no es una pieza oratoria predicada a auditorios ignorantes, sino ciertamente una pieza retórica menor pero dirigida a un auditorio clerical, como lo entiende Hilary D. Smith para quien «*Plática* appears to be reserved for sermons to priests or religious, and spiritual conferences at retreats»[53].

En todo caso, a partir de una superficial observación de los tipos de sermones que se predicaban hacia fines del siglo XVII en la Nueva España podría resultar la siguiente clasificación: en primer lugar el sermón de alabanzas o panegírico que exponía las virtudes de algún personaje encomiable, como los sermones de honras fúnebres o los de santos; en segundo, el sermón temático que incluía una tesis y un comentario de texto bíblico y, por tanto, de uso común en la liturgia, sobre todo aquella más solemne o significativa como la correspondiente al Adviento, la Cuaresma o la Pascua; y, finalmente, el sermón moral, con el que se buscaba persuadir hacia la virtud y disuadir del vicio, es decir, proponer una acción futura de reforma de costumbres (por tanto, una suerte de discurso deliberativo). Naturalmente, no es posible decir que estos fuesen los únicos modos de predicar reconocibles en la época pues las subdivisiones podrían ser muchas, unas más floridas, otras más austeras, dependiendo del punto de vista del preceptista o predicador dedicado a la tarea tipológica, obedeciendo también a su familiaridad y gusto por una u otra forma de predicar y, sobre todo, es necesario tomar en

---

[52] Herrejón, 2003, pp. 122 ss.
[53] Smith, 1978, p. 42.

cuenta que cualquier tipología hecha por algún predicador se orientaría en función de sus intereses; Antonio de Vieira, por ejemplo, reconoce sólo dos modos de predicar: «apostillar el Evangelio» (en donde la historia bíblica es el eje) y «predicar un solo tema», de donde se podría deducir que el jesuita portugués no buscó enseñar con sus sermones sino tal vez sólo persuadir a un público culto y poderoso, acorde a su idea de «púlpito cristiano político»[54].

En el último de estos tres géneros de oratoria sagrada predicados en la Nueva España, es decir entre los sermones morales, es posible incluir lo que Alfonso García Matamoros llamó «sermón instructivo» (*institutio* o *correctorio*), que era un tipo de discurso consistente en la explicación progresiva y didáctica de la fe cristiana, pues al catequizar frecuentemente se buscaba también desterrar vicios e implantar virtudes[55]. En este sentido, las pláticas jesuitas del siglo XVII pueden ser consideradas una especie menor de este sermón instructivo, en tanto piezas oratorias de estilo humilde dedicadas a la instrucción religiosa y cuyo propósito es fundamentalmente moral. Al usar la expresión «estilo humilde» parto por supuesto del bien conocido modelo ciceroniano de los tres estilos (clave en la formación de la doctrina de los estilos o «colores» de la Edad Media y el Renacimiento) donde el *sermo humilis* pudo ser traducido directamente a sermón humilde o bajo y, como en la Antigüedad, pudo ser usado con fines didácticos, para «la enseñanza y el comentario de la escritura», como apunta Erich Auerbach[56].

[54] No obstante, sin duda Vieira reconoció la utilidad del ejemplo aun cuando no fuera muy usado en la predicación culta: «Ha de tomar el predicador una sola materia, ha de definirla para que se entienda: ha de dividirla para que se distinga; ha de probarla con la escritura; ha de declarar con la razón; ha de confirmarla con el ejemplo» (Vieira, «Sermón de Sexagésima»: cit. por F. Herrero, 1998, p. 359).

[55] García Matamoros intenta ajustar los géneros de elocuencia religiosa practicados en el siglo XVI con los tres géneros de la oratoria antigua: «Pues muchos autores, que paso por alto en honor de la religión, trataron el género didascálico, que concibieron como forma del demostrativo. El género de la refutación, que se utiliza para la acusación y la reprehensión ¿quién no aprecia que remite al género judicial? El género instructivo, censorio y consolatorio son especies propias del género deliberativo» (García Matamoros, *De rationi dicendi libri duo*, fol. 79v; tr. Aragüés, 1999, p. 234).

[56] Aunque había sido Teofrasto quien primero lo expusiera, dicho modelo tuvo su expresión más acabada en *De Oratore* (V-VI, 20), donde Cicerón ilumina la relación que se establece entre cada uno de los estilos y cada una de las funciones del

El valor que pueda tener una clasificación como la aquí propuesta se derivaría del hecho de que conduce la atención hacia el auditorio o bien hacia el contexto de dicción del discurso (y con ello hacia su probable función entre los oyentes) lo que constituye el aspecto de estudio fundamental en este trabajo; de modo que mientras el sermón panegírico buscaría suscitar la admiración alrededor del personaje alabado, el temático cumpliría sobre todo una función litúrgica u homilética, mientras que en el moral se privilegiaría la enseñanza y la reforma de costumbres. Ya el obispo Terrones había propuesto los principios de una clasificación de este tipo (es decir, tomando como base el auditorio) con el humor que le caracterizó: «Predicar en un monasterio de monjas las cualidades que ha de tener para ser obispo, y en uno de frailes predicar el día de la Magdalena contra los afeites y galas, ¿qué tiene que ver en buena prudencia?»[57]. También con base en el público y la calidad de la predicación Hilary D. Smith intenta una clasificación partiendo del hecho de que un sermón debía ser estructurado a partir de la capacidad del auditorio para «digerirlo», aunque desafortunadamente no pasa de la clasificación medieval que proponía dos estilos para el sermón temático: el de *divisio intra*, que incluía ejercicios de lógica aristotélica y tópica ciceroniana (predicado para clérigos o letrados) y el de *divisio extra* que era predicado en lengua vernácula y con base en analogías, pasajes bíblicos y patrísticos, símiles y *exempla*[58].

Tomar como base la función que cumple el sermón entre el auditorio (y su correspondiente estilo) para urdir una clasificación, implica como se ha visto considerar los grados de persuasión de la retórica antigua: *movere, delectare* y *docere*, lo que permite ubicar con más justicia las piezas oratorias dedicadas principalmente a este último propósito, es decir a la enseñanza de las virtudes aunque, como se sabe, la enseñanza y el divertimento fueron por influencia de Horacio casi siempre asociadas y no sólo en el terreno de la predicación. Perla Chinchilla, en su estudio de la predicación jesuita, dedica su atención sobre todo a las

---

orador: el humilde, sutil o tenue para el *docere*, el medio para el *delectare*, el grave, sublime o vehemente para el *movere*; no obstante, debe decirse que el orador cristiano no conocería gradaciones temáticas absolutas pues el gran tema de la Redención no podía ser exclusivo de ningún grado o estilo (Auerbach, 1969, p. 36).

[57] Terrones, *Instrucción de predicadores*, p. 93.

[58] Smith, 1978, p. 11.

formas cultas de la oratoria sagrada aunque proponiendo una taxonomía que parece considerar los tres grados de persuasión dichos, pues
con lo que llama «retórica de las pasiones» puede referirse a ciertos sermones cuyo principal propósito sería el *movere*, mientras que la «prédica cortesana» vendría a ser aquella que busca sobre todo el *delectare*, y lo
que llama la «prédica de misiones» podría referir a la oratoria cuyo
propósito fuese la enseñanza; sin embargo, lamentablemente no concede importancia al último tipo, es decir a la predicación de estilo humilde, pues aunque para esta autora el predicador jesuita «está entre dos
espacios: el religioso-catequético y el religioso-artístico», considera que
el último iría sobreponiéndose al primero a lo largo del siglo XVII
«hasta casi cortar el canal de comunicación entre oratoria sacra y auditorio (como grey), para convertirse en un lugar cerrado,"una república
de las letras"»[59]. Esta consideración excluye, lamentablemente, la posibilidad de estudiar la amplia labor de los jesuitas en la reforma de costumbres, que por supuesto no fue una tarea pobre ni insignificante.

Por desgracia no resulta infrecuente esta omisión de los sermones
morales de estilo humilde en los estudios sobre la predicación en la
Nueva España, tal vez porque estilísticamente no fueron los sermones
mejor hechos, ni los más finos. Sin embargo, la predicación popular
tuvo un lugar importante en el Virreinato aunque el número de estos
sermones que llegaron a las prensas fuese mucho menor que el de los
panegíricos; Gabriel de Santa María, en su *Predicador apostólico*, retrata
una forma radical de predicación popular cuando considera que cualquier lugar y ocasión son oportunos para ello:

> Suelen estar tres o cuatro hombres hablando en la plaza, calle, etc.
> Llégome a ellos con algún pretexto, si han oído el reloj, qué hora es o cosa
> semejante. Por aquí comienzo, y luego les digo que oigan un caso particu-
> lar; cuéntoles algún ejemplo o devoción, y en buena conversación les
> exhorto a bien vivir y confesar, y que hagan un acto de contrición[60].

Hay que decir que ya en su tiempo esta predicación popular de
plaza y calle no era muy bien vista por los predicadores cultos[61], pues

---

[59] Chinchilla, 2004, p. 16.

[60] Santa María, *El predicador apostólico*, 1684, p. 277.

[61] Perla Chinchilla cita al respecto un comunicado del general de la Compañía,
padre Nickel, para la provincia de México del 4 de diciembre de 1654, que parece

era considerada propia de sacerdotes pobres, ignorantes o demasiado sinceros, aunque sin duda redituaba a la Iglesia y a la salud de las almas y de la república más ganancia que los panegíricos cantados en la catedral, al menos así lo reconoce fray Diego Murillo cuando afirma que «la experiencia nos ha enseñado que los predicadores tenidos por menos doctos hacen mayor provecho en las almas. Estos se aplican a predicar en los pueblos pequeños, porque su pobreza les humilla los pensamientos»[62].

Esta predicación popular no fue pues ajena al renovante espíritu evangélico de los jesuitas, incluso la misma arquitectura de las iglesias de la Compañía se orientaba a una exposición más bien masiva del evangelio y las enseñanzas morales, en un tiempo en que aún se observaban rígidas divisiones y exclusividades espaciales en las iglesias y catedrales[63]. En el *Diccionario histórico de la Compañía de Jesús* se consigna una carta que Francisco Javier habría escrito a Gaspar Berceo, impresa muchas veces pues se tomaba como un brevísimo manual de predicación, donde recomienda predicar incluso en conversaciones familiares o amistosas en pequeños grupos, dar clases públicas de teología y compartir con la feligresía «las diversas pláticas e instrucciones que los jesuitas comenzaban a darse mutuamente como parte del ritual ordinario de su vida religiosa», argumentando que dichas pláticas habían sido incluso reglamentadas en las *Regulae Societatis Iesu* de 1580[64]. Llegó a

---

menospreciar las formas de la predicación popular: «Verdad es que por costumbre introducida en todas partes, y aquí en Roma, nuestros hermanos que aún no tienen orden sacro, enseñan la doctrina cristiana, y predican en las calles y plazas públicas sin pedir licencia a los ordinarios, porque las Pláticas o exhortaciones que hacen, no son ni se llaman sermones, hablando con propiedad y rigor» (Chinchilla, 2004, p. 55).

[62] Murillo, «Prólogo» de sus *Discursos predicables* (cit. por F. Herrero, 1998, p. 261).

[63] Es decir, lugares exclusivos para predicar a clérigos y lugares para el pueblo. Sobre esta división jesuita dice Hilary D. Smith: «In Jesuit churches, too, the emphasis was on instruction and there was therefore a single, wide nave with both altar and pulpit in full sight of the congregation» (Smith, 1978, p. 15).

[64] O'Neill, 2001, t. IV, p. 3217. De hecho, este ímpetu por volver al espíritu evangélico primitivo llevaría a los jesuitas a poner de moda el salir a predicar fuera de los templos, a las cárceles, plazas públicas u hospitales, como ya quedó dicho en la queja del padre Nickel, e incluso se llegó a predicar en los hospitales psiquiátricos, tal vez atribuyendo alguna virtud terapéutica a la oratoria religiosa: el Hospital General de Nuestra Señora de Gracia, célebre manicomio español, por ejemplo,

ser tan importante y trascendente la predicación de pláticas, que no sólo las muy exitosas de Martínez de la Parra serían llevadas a las prensas, sino que incluso se ofrecerían indulgencias a quienes las escuchasen y a quienes las leyesen.

SOBRE LA IMPRESIÓN DE SERMONES Y PLÁTICAS EN EL SIGLO XVII

Para sacerdotes incultos o para predicadores con verdadero celo por incrementar su rebaño, se imprimieron herramientas y recursos a fin de que pudiesen más fácilmente inventar y disponer su discurso; por ello es que circularon en México, con relativa abundancia, retóricas, manuales de predicación, tratados de materias predicables o ejemplarios. Sin embargo, si resulta sencillo comprender a partir de estas necesidades la utilidad de la impresión de estos recursos útiles al predicador, no lo es tanto explicar la profusa impresión de sermonarios en esos años, pues aunque es cierto que en principio servirían de modelo a muchísimos sermones llevados a los púlpitos, dicha abundancia puede estar relacionada con más de un aspecto de la política editorial eclesiástica en la época.

En los inventarios y catálogos de las bibliotecas novohispanas los libros de sermones resultan los más numerosos y, tal vez, por eso regularmente aparecen al principio de las listas, lo que ilustra el gran aprecio que de ellos se tenía en la época y sugiere además la necesidad de su consideración para la historia del libro y de la literatura en el México colonial[65]. De hecho, el sermón fue sin duda el género más cultivado e impreso en la Nueva España, José Toribio Medina[66] habla de unos dos mil títulos entre los cuales, hay que decir, el sermón panegírico es con mucho más abundante que el moral, pues los sermones dedicados a la alabanza de un personaje (vivo o muerto) siempre encontraban quien financiase su impresión ya que ella servía para mayor lustre del personaje aludido, de la parroquia o de la orden si se trataba de un santo, del apellido si se trataba de un caballero y, por

cobró su fama por el humano tratamiento (en el contexto de la época) que daba a los pacientes, el cual incluía la predicación de sermones por parte de miembros de la Compañía.

[65] Ver Osorio, 1986, pp. 150 ss.

[66] Medina, 1907-1911.

supuesto, siempre favorecía también la buena fama del mecenas, pues su nombre sería inmortalizado al lado del personaje encomiable en los sobrecargados folios iniciales de estos libros barrocos.

Había varios caminos por los que un sermón podía llegar a las prensas, W. Fraser Mitchell describe seis para el sermón en lengua inglesa del siglo XVII[67], los que a mi juicio resumen la totalidad de las posibilidades para cualquier sermón de la época: en primer lugar, un sermón podía ser escrito, predicado y luego entregado al impresor por el autor y predicador; escribir el sermón antes de la predicación era una práctica común en la predicación de corte escolástico, pues los argumentos deductivos tan comunes en ésta requerían de mucha precisión en su tratamiento. En segundo lugar, un sermón podía ser escrito, predicado y luego «pirateado» —en palabras de Fraser— por un oyente piadoso que lo mandaba a la imprenta (no aclara si a su nombre o a nombre del predicador), las posibilidades de la memoria en la época son bien conocidas, recuérdese cómo Lope se quejaba de los «memorillas» que eran capaces de plagiar cualquier comedia con sólo asistir una vez a ella[68]. En tercer lugar, un sermón puede ser escrito, predicado, editado y enviado a la imprenta por el propio predicador; cuando esto sucede, es decir cuando el sermón predicado ha sido luego editado, frecuentemente se avisa al lector de ello, Fraser cita al respecto «The Righteous Ruler. A sermon preached in St. Maries in Cambridge, June 28, 1660», que advierte que el sermón «is not presented to the eye with the same brevity it was to the ear»[69]; es posible encontrar similares previsiones en sermones españoles de la época. En cuarto lugar, un sermón es predicado a partir de notas, nunca escrito completamente, y luego «pirateado» durante su predicación; en estos casos, el predicador bien podía haber agradecido las amplias facultades de memoria del plagiario pues le ahorró trabajo y presentó al público una obra que él jamás realizó[70].

---

[67] Fraser, 1962, p. 14.

[68] En la bien conocida epístola «Al contador Gaspar de Barrionuevo», incluida en las *Rimas* de 1609: «Veréis en mis comedias (por lo menos / en unas que han salido en Zaragoza) / a seis renglones míos ciento ajenos; / porque al representante que los goza / el otro que le envidia, y a quien dañan, / los hurta, los compone y los destroza» (cito por la ed. de Blecua, 1969, t. I, pp. 235-236).

[69] Fraser, 1962, p. 14.

[70] H. D. Smith considera que la predicación a partir de notas puede ser la forma más usual en los Siglos de Oro: «after it [el sermón] had been broken down into

En quinto lugar, un sermón es escrito por el predicador pero nunca predicado, sin embargo impreso posteriormente; esto ocurría sobre todo con predicadores famosos que no tenían ya que ejercer el púlpito para ser dignos de pasar a las prensas. Finalmente, en un caso muy parecido al anterior, podía haber una colección de notas para un sermón, que sería finalmente predicado o no, aunque de cualquier forma preparadas posteriormente para la imprenta, por su autor o algún interesado. Así, sea cual fuere el camino que un sermón tomaba para llegar a la imprenta, salía de ella siempre en dos formas: como pliego suelto o en sermonario; algunas veces los pliegos sueltos eran incorporados en una colección posterior, si se trataba de algún orador famoso, mientras que otros eran insertos en documentos relativos a alguna festividad que merecía la publicación.

El que un sermón predicado en el siglo XVII haya llegado hasta nosotros en forma escrita es por supuesto un hecho que debe comprenderse oscilante entre dos polos: el púlpito y la imprenta, lo que sugiere alguna pregunta sobre la distancia que podría existir entre el texto escrito que nos ha llegado y el sermón efectivamente predicado[71], pues se trata de textos cuya relación con su puesta en discurso es crucial ya que muchas veces fueron predicados tal cual fueron escritos, por lo que conservarían en su concepción estructuras cercanas al discurso oral y a la *pronuntiatio*, así como apelaciones al auditorio que los escuchó[72]. En todo caso, si se pretendiera lograr un acercamiento al sermón efectivamente predicado a partir del impreso, sería posible comparar —cuando los elementos con que se cuenta lo permiten— la versión final o impresa del sermón con las notas del predicador que

loci communes, and this, or the memorizing of a sermon scheme, under various hending and according to different mnemonic techniques, was perhaps the most usual method of sermon delivery in the Golden Age» (Smith, 1978, p. 32).

[71] En este sentido, los sermones impresos ilustrarían lo que Walter Ong había asentado en general sobre los textos escritos: su inevitable conexión al universo del sonido pues leer un texto es siempre convertirlo en voz (ver Ong, 1987, p. 17).

[72] Se han intentado varios modelos para explicar la coexistencia de códigos escritos y orales en un mismo texto, como el que parte de la distinción entre «concepción lingüística del mensaje» y «medio lingüístico de transmisión» que en diferentes momentos proponen Ludwig Söl, Geovanni Neacioni y Niyi Akinaso, y que recoge e intenta sistematizar Wulf Oesterreicher (1977, p. 192); no obstante, por este camino sólo se ha conseguido trazar un espectro entre los polos de la rigurosidad del mensaje escrito frente a la supuesta libertad del mensaje oral.

puedan haber sobrevivido, como propone Winfried Herget para los sermones de Thomas Hooker[73]; es decir, intentar una *collatio* que apunte a una edición crítica de los sermonarios y a partir de ello derivar la presencia de lo que se podría llamar estilo oral en estos textos. No obstante, ahondar en este tema queda fuera de los propósitos de esta investigación.

Si bien los sermonarios se contaban entre las principales herramientas del predicador no siempre su difusión impresa fue bien vista por las autoridades eclesiásticas, pues se les llegó a culpar, por ejemplo, del fomento de la pereza, porque muchos predicadores se limitaban a memorizar los sermones leídos en los sermonarios para luego predicarlos íntegros, sin invertir tiempo ninguno en su preparación o al menos en su adecuación a las circunstancias y características particulares de su auditorio; aunque debe reconocerse que finalmente su utilidad no se vio opacada por este uso holgazán no pocas veces señalado[74].

En principio, los sermonarios servían para el entrenamiento de predicadores jóvenes o para que los sermones modélicos pudieran llegar también a los curas de pueblo, considerados siempre menos instruidos; sin embargo, sobre todo a partir de 1559, la impresión de sermones parece haber servido además para intentar reducir la propagación de herejías, pues un incremento notable en títulos coincide con la prohibición inquisitorial de la circulación de sermones manuscritos, hecha precisamente con el fin de evitar que circulara la heterodoxia religiosa en esos textos poco controlables. El índice de textos prohibidos por la Iglesia de 1559 incluyó entre los «Incertorum auctorum libri prohibiti» a los «Sermones convivales» que eran aquellos manuscritos que se repartían y circulaban libremente sin ningún control hasta la fecha, y también a los «Similitudinum et dissimilitudinum liber», es decir, los ejemplarios, impresos o no, cuyo autor fuera desconocido[75].

A partir de ese momento todo sermón que circulaba manuscrito pudo parecer sospechoso y, simultáneamente, la producción impresa

---

[73] «Only if both texts are read together can an approximation of what hooker may actually said be achieved» (Herget, 1972, p. 236).

[74] Ver al respecto los apuntes de F. Herrero (1998, p. 285) y de Smith (1978, pp. VIII–IX).

[75] *Index auctorum et librorum prohibitorum* [...], 1559 (los folios no están numerados, el *Index* se organiza por orden temático y, después, alfabético).

autorizada aumentó; aunque es claro que la prohibición no fue suficiente pues todavía en 1579 Tomás Trujillo, en su *Thesauri concionatorum* se queja, según Félix G. Olmedo, de quienes «se iban a beber la ciencia del púlpito en las cisternas rotas y disipadas de los cartapacios» y que, para remediar este mal, en 1577 la Santa Inquisición había mandado de nuevo «que todos los que tuviesen en su poder sermones manuscritos de otros o exposiciones de la Sagrada Escritura los presentasen al Santo Tribunal»[76]. En esos años de censura e Inquisición, incluso los apuntes de sermones hechos por los predicadores eran solicitados por los comisarios del Santo Oficio si, después de ser predicados, se suponía algún escándalo o peligro herético; en el Archivo General de la Nación en México es posible encontrar hoy buena cantidad de sermones recogidos por la Santa Inquisición, y muchos de ellos sólo son apuntes que jamás fueron impresos sino que sólo parecieron sospechosos a algún oyente escrupuloso que presenciaba la predicación.

Finalmente, otra causa probable (aunque sin duda menor) para explicar la copiosa impresión de sermonarios desde fines del siglo XVI que, al igual que la razón anteriormente dicha no tiene como base las declaraciones explícitas de los autores o comentaristas anotadas en los preliminares de los libros (que regularmente giraban sobre el ofrecimiento de sermones modélicos), sino la observación del contexto, es la que señala Hilary D. Smith: junto a otras causas no menos interesantes como lograr un provecho más general y fomentar la lengua española (no he encontrado que se diga lo mismo de sermones ingleses o franceses para sus respectivas lenguas), Smith dice que sirvieron «to provide an antidote (contrayerba) to the insidious poison of secular fiction»[77]. Puede ser, pues la ficción secular en la época no sólo amenazaba la concurrencia al púlpito y aun la lectura piadosa, sino incluso es causa reconocida de la reglamentación humanista de la historia, que debía ser depurada de todo parecido con la ficción novelesca. Esta función de antídoto contra la venenosa ficción no pudo ser muy efectiva, como considera Smith, pues por el contrario los sermones y pláticas, como las de Juan Martínez de la Parra, se siguieron nutriendo de cuentos profanos, y con frecuencia en exceso.

---

[76] Olmedo, 1946, p. CXI.
[77] Smith, 1978, p. 38, parafraseando a Diego Murillo (*Discursos predicables*, p. 7).

Capítulo 2

LAS VIRTUDES DEL EJEMPLO

La definición del ejemplo ha sido siempre al parecer tarea compli-
cada, pues de la aristotélica a las formuladas en el siglo XX con dificultad puede trazarse acaso un camino tortuoso y algunas veces incluso
contradictorio. Nada menos que en dos de los más importantes estudios producidos en el siglo XX, el de Welter (1921) y el de Bataglia
(1959), el ejemplo es definido de tan diferente manera que debe con-
cebirse como un hecho cultural multifacético, lo que efectivamente
fue, aunque tal divergencia significa que cada una de esas definiciones
resulta necesariamente parcial. Bataglia prefiere una definición clásica
tomada de la *Institutio oratoria* de Quintiliano, donde el ejemplo «si
potrebe considerare come una testimonianza indiretta. [...] l'esempio è
una delle prove non ricavate internamente dalla causa, ma addotte dal
di fuori, per similitudine o comparazione»[1], que incluye la predilección
de aquel autor por el ejemplo histórico: «è una lezione del passato, è
un accadimento registrato dall'esperienza e affidato alla memoria delle
generazioni»[2]. Welter, en cambio, parece no tomar en cuenta ese antiguo y canónico carácter histórico del ejemplo pues en su definición
sólo describe la especie fabulosa o poética de la prueba inductiva: «par
le mot *exemplum*, on entendait, au sensé large du terme, un récit ou
une historiette, une fable ou une parabole, une moralité ou une description pouvant servir de preuve à l'appui d'un expose doctrinal, reli-
gieux ou moral»[3]. El hecho de que el ejemplo pueda ser definido de
tan diferentes maneras no sólo ilustra dos diferentes enfoques, sino
también dos modos de realización del ejemplo a lo largo del tiempo:
uno clásico, historicista y tal vez mejor estructurado dentro del discurso, y otro medieval, cristiano y que en los hechos al parecer prefirió la

---

[1] Bataglia, 1959, p. 55.
[2] Bataglia, 1959, pp. 50-51.
[3] Welter, 1927, p. 1.

prueba inductiva de carácter ficcional, al menos en la predicación popular que es donde floreció con mayor vuelo la tradición ejemplar. El interés medieval de Welter sin duda ayudó a describir la vida cristiana del ejemplo y sus fundamentales particularidades, sin embargo sus definiciones, tomadas como generales a toda la vieja historia de la prueba ejemplar, han llevado en más de una ocasión a los estudiosos contemporáneos del ejemplo a priorizar lo medieval y a olvidar los principios retóricos clásicos que podían seguir explicando en buena medida su funcionamiento argumental. Una lectura parcial de este tipo se puede apreciar en Jean Tilliete cuando afirma que sólo ingenuamente se puede pensar que el ejemplo homilético (es decir, medieval) es estrictamente retórico, ya que las circunstancias sociales e ideológicas en la Edad Media son particulares y distintas a las de la Antigüedad[4], de donde se puede deducir que por retórica entiende la clásica exclusivamente. Para evitar este riesgo, conviene no olvidar que en términos generales la predicación medieval supuso en efecto el uso de la retórica, aunque haya sido bajo una nueva causa y en discursos dirigidos a un nuevo tipo de público, distintos sin duda de las causas y auditorios de la oratoria clásica[5].

Del mismo modo, también en el justificado intento de comprender el ejemplo como un método de pensamiento medieval, como una manera de recuperar el pasado, me parece que ha prevalecido lo medieval sobre el *exemplum*. Es verdad que la transmisión del conocimiento en la Edad Media tenía como base la autoridad, que entre otras cosas avalaba la recuperación de los hechos históricos y de las informaciones aceptables, así como el hecho de que todo saber tenía como finalidad la edificación moral; sin embargo el traslado de esas consideraciones al estudio del ejemplo ha llevado a algunas incertidumbres difíciles de resolver, sobre todo si para ello se usan definiciones tan amplias que con dificultad permiten aislar alguna parte del problema[6]. Efectivamente el

---

[4] Tilliete, 1998, pp. 43-65.

[5] Juan Carlos Gómez explica así la cristianización de la retórica: «al variar la causa y al variar el receptor (al cambiar las condiciones pragmáticas de la comunicación, en suma), la retórica realiza un movimiento de adaptación a esa nueva situación social y temática» (Gómez, 2000, p. 90).

[6] Como cuando Claude Bremond se pregunta si el ejemplo medieval es un género literario, y propone para su respuesta confrontar el concepto «género litera-

uso del ejemplo en la Edad Media excedió los límites de la retórica y contribuyó a conformar un modo de pensar el mundo, la historia y la ficción, como permanentes portadores de una potencial enseñanza; sin embargo, estos usos medievales de la comparación no transformaron sustancialmente el modo en que el ejemplo se había venido articulando desde la Antigüedad para cumplir esta función didáctica, pues su principio siguió siendo su capacidad ilustrativa o probatoria cuya base era la comparación o semejanza.

Por ello es que el estudio de la dimensión cultural del ejemplo medieval, por amplia y trascendente que sea, no debería tampoco dar ocasión para el olvido de las definiciones que ya contamos para la argumentación inductiva, pues ello significaría ignorar el modo en que el ejemplo funciona o bien correr el riesgo de llegar a planteamientos en esencia inexactos, como cuando Eloísa Palafox afirma que «el didactismo es una condición general para que pueda haber ejemplaridad (pues sin intención didáctica no habría *exemplum*)»[7], olvidando que en última instancia el valor de prueba está en la base de la función didáctica del ejemplo (en la Antigüedad como en la Edad Media o en los Siglos de Oro), de manera que en principio la relación causal que propone sería distinta: sin carácter probatorio o ilustrativo el *exemplum* no tendría función didáctica; es decir, no es la intención didáctica la que da base al ejemplo, sino su capacidad ilustrativa, la cual es también fundamento para su uso didáctico.

En suma, el aparente escaso papel de la retórica en la determinación de los usos del ejemplo medieval parece ser causa de un lamentable olvido de las artes de la elocuencia al momento de valorar su función pedagógica. En algunos estudios pareciera incluso que se buscasen caminos alternos a una definición retórica, como si se huyese de ella, y como cabría esperar éstos no resultan del todo felices; Peter Van Moos, por ejemplo, propone una definición semántica del *exemplum*, en lugar de la retórica, aunque a partir de criterios más o menos frágiles: tratando sobre algunos ejemplos históricos dice que «dans tout ces cas l'*exemplum* est la représentation symbolique de l'invisible, procédé sémantique, non rhétorique», con lo que queda claro que todo en el lenguaje es semántico aunque,

---

rio» con «*exemplum* medieval» teniendo en cuenta cuatro grandes *notions: exemplarité, médiévalité, généricité* y *littérarité* (Bremond, 1998, pp. 21-28).

[7] Palafox, 1998, pp. 9 y 26.

como se sabe, ninguna definición demasiado amplia define, en el estricto sentido de la palabra[8]. Eloísa Palafox también parece olvidar la retórica al llamar «estrategia» al *exemplum* que, en todo caso, sólo es un elemento de una estrategia y no la estrategia misma; y al preferir el concepto «estrategia discursiva» de Foucault para nombrar algo que es pura retórica, pues intenta una perspectiva que dé cuenta de las relaciones de poder ocultas allí[9]; mientras que para Bremond el *exemplum* es un "ingrediente retórico", desde donde resulta difícil ver que se trata, en principio, de una de las especies de la prueba inductiva[10].

No se puede negar que el análisis particular del ejemplo medieval, ajeno a consideraciones retóricas, no sólo ha resultado conveniente sino incluso obligado, pues sólo a partir de él ha sido posible comprender los usos posteriores de estos breves relatos; sin embargo, ello no debería llevar a ignorar la longeva tradición de este género de prueba, pues el ejemplo medieval no es pieza suelta sino eslabón de una larguísima cadena que inicia en la Antigüedad clásica y se prolonga hasta por lo menos el siglo XVII, gracias a la cristianización de las artes paganas que llevaron a cabo los primeros doctores de la Iglesia. En última instancia, como se ha adelantado, sería posible decir con toda justicia que el sermón cristiano, como contexto privilegiado para el uso del ejemplo, no es sino otro género más de discurso, heredero de aquellos discursos clásicos pero combinando ahora posibilidades demostrativas o deliberativas (e incluso en ciertos casos judiciales); es decir, se trata de un discurso hecho para persuadir nuevas causas, tal vez menos cívicas y más espirituales que las antiguas, y dirigido a un nuevo público, definitivamente menos culto que el de las asambleas griegas o romanas.

---

[8] Van Moos, 1998, pp. 69 y 73. Además, tal vez no sea tan sencillo separar semántica y retórica, pues al propio Quintiliano le costó gran trabajo intentar definir las siempre difíciles fronteras entre tropo y figura, aduciendo presencia en uno y ausencia en otra de un cambio en el significado: en el tropo habría traslado de significado, mientras que la figura implicaría sólo una manera de hablar alejada del modo común (Quintiliano, *Institutio*, IX, 2, 4). Como puede verse, esta es una clasificación en su seno problemática pues hay figuras que sin duda tienen relación con el significado, como la perífrasis donde el uso de muchas palabras viene a significar lo que una.

[9] Palafox, 1998, p. 18.

[10] Bremond, 1998, p. 25.

El hecho de que los estudios retóricos del ejemplo no sean los más frecuentes en los últimos años[11] tal vez se deba, entre otras cosas, a la pésima reputación que la retórica ha cobrado desde que el Romanticismo propuso la vuelta a las reticencias platónicas respecto a la elocuencia, que vino a ser amplificada con el advenimiento de lo que Walter Ong ha llamado la era tecnológica, cuando la retórica se transformó en una mala palabra, cercana al lugar común o a la banalidad[12]. No obstante, sin una consideración como prueba retórica el ejemplo no puede mostrar el modo en que sus virtudes didácticas funcionaban, no sólo en la oratoria sagrada sino por supuesto en muchas otras formas de persuasión y en otros discursos en tuvo lugar.

LA VIEJA REGULACIÓN DE LA PRUEBA EJEMPLAR

El ejemplo es pues una de las formas que puede asumir la prueba retórica, por tanto su principal lugar de estudio entre las partes del discurso ha sido tradicionalmente la *argumentatio* aunque, como se verá, también puede encontrarse en el *exordio* e incluso en la *peroratio*[13]; en cualquier caso, la preceptiva ejemplar fundada sobre el valor probatorio del relato tiene una trayectoria muy consistente en la retórica clásica y es, por supuesto, base para sus posteriores usos argumentativos y didácticos. Ya en el libro primero de su *Retórica*, Aristóteles trató el valor de la prueba en los discursos persuasivos no de un modo tangencial o secundario, sino como un aspecto determinante en su definición del arte retórico, pues al cuestionar las consideraciones platónicas sobre la inferioridad de la retórica frente a la dialéctica lo haría precisamente a partir de los modos en que en cada una de ellas se demuestran las afirmaciones; es decir, la argumentación fue para Aristóteles punto de par-

---

[11] Entre las notables excepciones se encuentra la vasta conceptualización e historia del ejemplo hecha por José Aragüés en su *Deus concionator* (1999).

[12] «Rhetoric was a bad word for those given to technology because it represented "soft" thinking, thinking attuned to unpredictable human actuality and decision, whereas technology, based on science, was devoted to "hard" thinking, that is, formally logical thinking, atunable to unvarying physical laws» (Ong, 1971, p. 8).

[13] Tomo como base la división del discurso retórico hecha por Quintiliano en su *Instituto oratoria: exordio, narratio, argumentatio, refutatio* y *peroratio.*

tida de su defensa de la retórica, por lo que tempranamente se ocupó en definir las formas en que ésta podía presentarse: como deducción racional, sobre la base de la necesidad lógica de las afirmaciones, o como inducción por semejanza o comparación con cosas externas a lo que propiamente se discute[14.]

En el *Gorgias*, Platón había privado a la retórica de su consideración como una de las cuatro artes fundamentales, para ubicarla en el poco prestigioso lugar de las técnicas de la «adulación», que correspondían a aquellas cuatro como si fuesen sustitutos menores. Frente a las dos artes platónicas «del alma», la *nomotetica* (cuyo objeto era la legislación) y la *dicanica* (cuyo objeto era la aplicación de la justicia y cuyo método era la dialéctica), corresponderían la sofística y la retórica como técnicas adulatorias; del mismo modo, para las dos artes «del cuerpo», la *gimnastica* y la *medica*, corresponderían la cosmética y gastronómica como adulaciones. Así, las técnicas de la adulación, a diferencia de las artes «con razón», no tendrían como base lo verdadero sino la simulación o apariencia de lo verdadero; de modo que si la *gimnastica* tiene la propiedad de embellecer verdaderamente el cuerpo, la cosmética sólo aparenta hacerlo, tal como la retórica sólo aparenta encontrar la justicia[15].

En principio Aristóteles parece avenirse a esta clasificación platónica de las artes y las técnicas, pues se detiene largamente en la diferencia que habría entre el silogismo, en tanto forma de la deducción dialéctica y, por ende, expresión legítima del verdadero pensamiento racional, y el entimema como deducción retórica o silogismo sólo en apariencia; del mismo modo distingue las inducciones dialécticas de las retóricas llamando a estas últimas «paradigmas», que vendrían a ser aparentes inducciones. Sin embargo, con base en la misma distinción entre arte y técnica construye también un camino de acercamiento entre la retórica y la dialéctica, lo que significaba la posibilidad de elevar la retórica a la dignidad de arte pues ella también implicaría, no de un modo nece-

---

[14] Aristóteles, *Arte retórica*, I, 2 [1357b]. La deducción y la inducción, como se sabe, constituyen las dos formas fundamentales de conducción del pensamiento hacia la consecución de una certeza o hacia la justificación de una afirmación; la primera se construye a partir de una noción o definición general de donde se desprende la afirmación particular, y la segunda parte de casos particulares, lo que suele implicar la comparación.

[15] Platón, *Gorgias*, 461[b3]-481[b1].

sario pero sí posible, una vía para la demostración persuasiva sujeta a formas de prueba que pueden ser reguladas, y no una mera colección de técnicas de simulación. De este modo, aun cuando definitivamente Aristóteles podría reconocer la superioridad de los argumentos dialécticos, para él los retóricos no se encontraban dispuestos al libre arbitrio del orador sino que se podían ajustar a ciertos criterios de verosimilitud y de justicia, a partir de un estricto control moral de la capacidad de persuasión, con lo que Aristóteles hace de las pruebas retóricas el ariete de su defensa de la retórica en su conjunto[16].

Y si el estagirita fue el primero en definir y clasificar las formas de la argumentación retórica, Cicerón lo sería en incluir la argumentación como una de las partes del discurso[17]. *De Inventione* es una obra sorprendente, no sólo por la presunta juventud de su autor[18] sino también por contener, paradójicamente, un planteamiento muy desengañado respecto a la utilidad y los riesgos políticos de la retórica, lo que le llevaría a hacer concesiones a lo cosmético en la determinación de los usos de la argumentación y en general en su concepción del discurso; de este modo, partes dedicadas más al público que a la causa fueron tratadas y reglamentadas por Cicerón, como el exordio, cuyo fin era primordialmente ganar al auditorio, o la conclusión que era el lugar de las arengas o la estimulación de los afectos. No obstante, ello no necesariamente significa que Cicerón estuviese poco atento a la pureza de la retórica o a su carácter ético, pues aunque reconoció el valor del adorno en la argumentación, y con ello la posibilidad de incluir elementos superfluos a la verdad y la razón[19], también reconoció (incluso

---

[16] Para fundamentar el control moral de la persuasión, en el capítulo IX del libro I de su *Retórica* Aristóteles se extiende en una larga lista de virtudes necesarias al orador, expuestas más como una obligación que como una recomendación [1366^b]. Además, consideraba que no todos los asuntos son susceptibles de un tratamiento argumental estrictamente dialéctico, ni todos los hombres son capaces de comprender un razonamiento tal, de modo que en ciertos casos la argumentación retórica resultaría necesaria.

[17] Que para Cicerón fueron siete: *exordio, narratio, partitio, confirmatio, argumentatio, refutatio* y *conclusio*; Quintiliano simplificaría el sistema a cinco partes, incluyendo la *partitio* en la *narratio* y la *confirmatio* en la *argumentatio*.

[18] *De Inventione* fue escrito alrededor del año 90 a.C., cuando Cicerón tendría menos de veinte años.

[19] «Adornarla y distinguirla [la argumentación] en partes determinadas, después de encontrada, no sólo es agradabilísimo sino también sumamente necesario

con mayor claridad que Aristóteles) que la retórica podía ser usada con fines perversos, al punto en que llamó reiteradamente a tener cuidado de los «elocuentes audaces» además de enfatizar la superioridad y necesidad del carácter «no dudoso» del punto de comparación en los paradigmas, con lo que colaboró por supuesto para la posterior preferencia por el ejemplo histórico.

Aunque Cicerón sigue en lo fundamental la taxonomía aristotélica respecto a la argumentación, pues considera que «toda argumentación debe ser tratada o por inducción o por raciocinación», recupera también una noción socrática de inducción no tocada por aquél; es decir, un concepto de inducción más cercano a la mayéutica socrática que a la retórica aristotélica, un sentido incluso etimológicamente más puro que describe el proceso de inducir, más que los medios, aunque la comparación y la semejanza sigan siendo los puntos de partida para ella:

> Nos parece que en este género debe enseñarse, primero, que aquello que introducimos por semejanza, sea de tal modo que sea necesario concederlo [...] Luego hay que ver que aquello por causa de cuya confirmación se haga la inducción, sea símil a aquellas cosas, las cuales cosas antes hayamos introducido como no dudosas, pues en nada aprovechará que antes algo se nos conceda, si a eso es disímil aquello por cuya causa primero quisimos que aquello se concediera[20].

De este modo, al recordar cómo Sócrates persuadió a Jenofonte (no el célebre historiador) y a su esposa sobre su débil fidelidad matrimonial, Cicerón usa esta historia como ejemplo para ilustrar cómo se «induce» a un receptor a aceptar la causa propia, pues en ella Sócrates habría llevado a la esposa de Jenofonte desde la aceptación de que preferiría naturalmente una joya ajena si es mejor que la propia, a tener que aceptar la inmoralidad de que preferiría al marido de la vecina si es mejor que el propio, y con preguntas similares, hace confesar al marido la misma debilidad[21].

---

y máximamente descuidado por los escritores de arte» (Cicerón, *De Inventione*, I, 30/50).

[20] Cicerón, *De Inventione*, I, 32/53.

[21] Cicerón, *De Inventione*, I, 31/51. Este ejemplo también es usado por Quintiliano (*Institutio*, V, XI, 27).

Sin embargo, no se le esconde a Cicerón que esta inducción socrática, aunque en rigor la más perfecta, no es la de uso corriente en la retórica, sobre todo en asuntos políticos o civiles, de modo que hace explícito su conocimiento y uso de la inducción ejemplar como simple relato comparativo y, por tanto, ilustrador de la causa, al punto en que él mismo la usa para ilustrar su propia causa expositiva de la reglamentación retórica, actitud frente al ejemplo que se repetirá a lo largo de siglos entre los preceptistas:

> Pero ya a alguno parecerá que no se ha demostrado muy claramente, si no se hubiera puesto después algún ejemplo del género de causa civil, parece que también hay que usar de un ejemplo de ese modo, no porque la enseñanza difiera de éste, o deba usarse de manera diferente en la conversación que en el discurso, sino para satisfacer la voluntad de aquellos que, si no se les ha demostrado, no pueden reconocer en un lugar diferente aquello que vieron en otro lugar[22].

Es decir, en la argumentación ciceroniana cabe tanto la deducción lógica cercana a la dialéctica como la persuasión hacia una certeza construida con base en lo probable, que puede surgir de la comparación. Por ello es que tratando de las «Constituciones» que son aspecto fundamental de su retórica y que tratará mucho más extensamente en el libro segundo, usa el ejemplo y hace una apología de este modo de argumentación:

> Y, ciertamente, hemos expuesto las constituciones y sus partes; empero, pareciera que más convenientemente expondremos ejemplos de cada género cuando demos abundancia de argumentos para cada uno de ellos; en efecto, la razón del argumento será más lúcida, cuando pueda acomodarse al género y, al punto, al ejemplo de la causa[23].

Por su parte Quintiliano, en la enorme sistematización de la retórica llevada a cabo en los doce libros de su *Institutio oratoria*, confirió al ejemplo una completísima descripción que atendía a las múltiples posibilidades de su uso en la argumentación y en el ornato. En primer

---

[22] Cicerón, *De Inventione*, I, 33/55-56.
[23] Cicerón, *De Inventione*, I, 12.

lugar, remitiéndose a Aristóteles[24], en el libro V hace una división de las pruebas retóricas en «artificiales» y «no artificiales» en función de si dependen o no del arte del orador, llegando a la conclusión de que, aunque en apariencia la prueba inductiva podría ser no artificial, en virtud de que el orador no las construye sino que las colecta de fuera de la causa, siguen siendo artificiales pues en su acomodo a la causa sí hay elaboración retórica y arte; de igual modo distinguiría entre las pruebas intrínsecas y extrínsecas en cuanto fueren tomadas de la causa misma o de fuera de ella, de modo que el ejemplo para Quintiliano vendría a ser una prueba extrínseca y artificial, pues es ajena a la causa aunque precisa del arte del orador para ser relacionada con ella[25].

Sin duda para Quintiliano las pruebas son también el nervio del discurso, como lo son para Aristóteles, al igual que los ejemplos resultan una forma no sólo legítima sino aun recomendable de probar, por ello es que se detiene en ilustrar los diferentes tipos de ejemplos, desde los históricos y los ficcionales a los que tienen como base la imagen (*eikón*, los llama, como los griegos, aunque no los estima tanto como Cicerón), incluye también las analogías y los refranes. En efecto, en ello radica uno de los aportes fundamentales de Quintiliano al estudio del ejemplo: en la descripción de los modos en que la comparación ejemplar puede tener lugar, tomando como base el tipo de relación con la causa: de «semejanza», «desemejanza» o el ejemplo contrario[26].

Otra distinción más aportada por Quintiliano, también fundamental, es la referida a las formas de presentación del ejemplo: la *narratio* y la *brevitas*; la primera consistente en la narración *in extenso*, completa, del relato, mientras que la otra viene a ser un mero recuerdo o *commemoratio* de la narración o, como dice Lausberg una «alusión en un inciso de la

---

[24] «Tratemos ahora sobre las pruebas demostrativas o argumentos. Pues con este nombre queremos abarcar lo que llaman los griegos *enthymémata, epicheirémata* y *apodéixeis*» (Quintiliano, *Institutio oratoria*, V, X, 1).

[25] La división de pruebas está en Quintiliano (*Institutio*, V, IX, 1), a lo que agrega que «hubo también autores que opinaban cómo los ejemplos y estos testimonios de autoridad pertenecían a esa clase de pruebas no artificiales, porque no las inventa el orador, sino que las recibe», a los que responde que el ejemplo no fuera prueba si el talento del abogado no es suficiente para aplicarlo con éxito a la causa (Quintiliano, *Institutio*, V, XI, 43-44).

[26] Quintiliano, *Institutio*, V, XI, 5.

frase»[27]. Esta alusión breve, que algunas veces se sirve sólo del nombre propio del protagonista del relato ejemplar y otras de la antonomasia en lugar del nombre, fue de uso muy extendido no sólo en la oratoria clásica sino también en la cristiana, pues confiando en el conocimiento que el auditorio podría tener de sucesos históricos (bíblicos y hagiográficos en el caso de los sermones) o de relatos fabulosos, sólo bastaría una breve mención del mismo para lograr el efecto ilustrativo, cuando la ocasión y los intereses inmediatos del orador no implicaran la necesidad de amplificar.

Durante los últimos años de su vida latina, el ejemplo hubo de sufrir las propias transformaciones de la retórica clásica, cuyas reflexiones fueron siendo expandidas a otras disciplinas aledañas bajo el sistema pedagógico del *trivium* de las artes liberales. De este modo, el ejemplo participó tanto de las reflexiones y avances de la gramática como de los de la dialéctica que, progresivamente asimilada a la lógica, siguió considerándolo como una comparación con valor de prueba aunque, por supuesto, con menor prestigio que las pruebas deductivas; asimismo, el ejemplo siguió presente también en las preceptivas retóricas que glosaban la *Rhetorica ad Herennium* lo mismo que *De Inventione*, con sus respectivas definiciones y usos. Esta impronta de las artes liberales durante los primeros años de la era cristiana fue sin duda de largo aliento, puesto que pasados varios siglos el propio Isidoro de Sevilla citando a Varrón, llegó a decir que «la dialéctica y la retórica es lo que en la mano del hombre el puño cerrado y la mano abierta: la primera concentra las palabras, la segunda, las amplifica»[28], dando por sentada una dualidad no siempre carente de conflicto aunque fundamental para la Edad Media pues, como dice Michel Lemoine, «le Moyen Âge recueille de l'Antiquité, c'est surtout le système éducatif des arts libéraux»[29].

La enseñanza de la gramática, en particular, habría de influir notablemente en los usos y definiciones posteriores del ejemplo en un doble

---

[27] Ver Lausberg, 1966, t. I, p. 351. Quintiliano lo dice así: «Ahora bien, algunas de las cosas sucedidas las contaremos con todo pormenor, como Cicerón hace en defensa de Milón [...] En algunas cosas bastará una simple indicación, como hizo el mismo Cicerón y en la misma defensa de Milón» (Quintiliano, *Institutio*, V, XI, 15-16).

[28] Isidoro, *Etimologías*, II, 23, 1.

[29] Lemoine, 2002, p. 48.

sentido; por un lado, aportaría alguno de los cimientos de la práctica compilatoria que tanto enriqueció el acervo ejemplar y, por otro, continuaría la difusión del uso ornamental del ejemplo ya contemplado en la *Rhetorica ad Herennium*. Los profesores de gramática, al incluir series de trabajos prácticos, frecuentemente ejercicios de comprensión y repetición estilística como los *progymnasmata* de Prisciano, incluían en buen número los realizados a partir de apólogos o de fábulas, como las de Esopo o incluso las de Aviano, quien venía a ser contemporáneo de estas prácticas pedagógicas; dichas fábulas, gracias a su carácter instructivo cumplían muy bien el precepto horaciano de «instruir deleitando» al tiempo que, gracias a su brevedad, se prestaban a diferentes ejercicios de estilo por imitación. Así, por ejemplo, se podía solicitar al alumno que reprodujera el apólogo que acababa de oír o que compusiera otros siguiendo el mismo modelo, que pusiera en práctica diferentes procedimientos de construcción, por ejemplo, comenzando el relato *ab ovo, in medias res o a fine* o alternando estilos —sublime, medio o bajo—, que lo condensara o lo amplificara, etc., ejercicios todos que retomará la *Ratio Studiorum* jesuítica no sólo para la enseñanza de la gramática, sino aun de la poética y la retórica. De este modo, se iniciará una copiosa práctica de colección de sentencias, ejemplos y otros géneros menores, cuyo fin era la confección de instrumentos para la enseñanza de la gramática inspirados en las recopilaciones clásicas, como los bien conocidos *Facta et dicta memorabilia* de Valerio Máximo, colección hecha en tiempos de Tiberio para los alumnos de las escuelas de gramática y retórica, abundantemente citado y usado en los ejemplarios y anecdotarios medievales e incluso en los barrocos novohispanos.

Esta transición desde los gramáticos, como traductores de la retórica latina ante los usuarios cristianos, hacia las nuevas funciones que la elocuencia sagrada destinaría para el ejemplo, pasa por la enorme labor de cristianización de las artes clásicas, cuyo momento culminante encarnaría san Agustín. Uno de los aspectos fundamentales de esta transición fue el modo en que los tres estilos retóricos y poéticos de la Antigüedad fueron ajustados a una nueva noción de discurso y persuasión que, como escribió Auerbach, «no conoce gradaciones temáticas absolutas»[30] pues, como ya se ha dicho, el gran tema cristiano de la Redención no podía

---

[30] Auerbach, 1969, p. 38.

ser exclusivo de ningún auditorio sino que, por el contrario, debía ser comunicado a todo el mundo. San Agustín, por ejemplo, parte del principio clásico de los tres estilos pero sólo en cuanto a la intención, no en cuanto al tema: «docere, vituperare sive laudare, flectere», dice en el capítulo XIX de su *De Doctrina Christiana*; de modo que el estilo y los temas humildes dejaron con el cristianismo el significado peyorativo que tuvieron en la retórica clásica aunque en un principio, como dice Auerbach, la mayoría de los paganos cultos siguió considerando la literatura cristiana primitiva como ridícula, confusa y repelente[31].

Sin duda para san Agustín no significó mucho este rechazo, pues no pretendía de ninguna manera continuar pasivamente la herencia estilística grecolatina y conquistar con ello la refinada sensibilidad de sus probables lectores u oyentes romanos o griegos; por el contrario, se asumía con la legitimidad suficiente para tomar lo que mejor le conviniere de la elocuencia clásica y conformar con ella los principios de una retórica cristiana que en esencia discrepaba de las divisiones antiguas entre la dimensión de lo culto y de lo popular. De este modo, en el ya citado capítulo XIX de su *De Doctrina*, san Agustín plantea una semejanza para probar la legitimidad del uso de recursos clásicos en la predicación del Evangelio, donde aseguraba que así como los judíos se habían servido de los vasos sagrados egipcios para su propio culto, con la misma justicia y derecho podían los cristianos servirse de los medios profanos para la difusión del Evangelio[32]. Por ello es que trasladaría sin escrúpulo las características del *vir eloquens* expuestas en el *De Oratore* ciceroniano a las del orador cristiano y, así como Cicerón había exigido como premisa de la elocuencia la sabiduría, Agustín exigiría al *eloquens christianus* una sabiduría no sólo mundana sino ante todo bíblica. Ciertamente que *De Doctrina Christiana* no es propiamente una retórica, sino más bien, como el *De Oratore* de Cicerón, una suerte de manual o colección más o menos suelta de recomendaciones retóricas que incluye una selección de virtudes recomendables (o exigibles) al buen orador, sustentadas con ejemplos personificados en autoridades, paga-

---

[31] «No sólo el contenido les causaba un efecto de superstición pueril y absurda, sino también la forma constituía una ofensa para su gusto: la selección de palabras y la sintaxis eran torpes, propias del descuidado lenguaje popular» (Auerbach, 1969, p. 48).
[32] Agustín, *De Doctrina Christiana*, XIX, 2, 40.

nas en Cicerón, cuidadosamente bíblicas y cristianas en san Agustín. Finalmente, en cuanto a su consideración del ejemplo, es necesario reconocer que es justamente san Agustín quien parece mostrar una mayor y más clara voluntad pedagógica con base en el mismo al afirmar que los ejemplos aprovechan más que las palabras: *Plus docent exempla quam verba*[33], aunque a decir de Welter haya sido san Ambrosio el primero en recomendar su uso en el sermón.

Con el «expolio» de las artes clásicas, los autores cristianos pudieron hacerse de excelentes instrumentos para la persuasión y el embellecimiento del discurso, aunque ello implicaría un conflicto con el reconocimiento del estilo y persuasión contenidos en las Sagradas Escrituras, que para muchos debía ser el único cultivado, y otro quizá mayor respecto a la necesidad o no del arte para predicar el Evangelio, puesto que para ello debería ser suficiente la inspiración del Espíritu Santo. En efecto, san Ambrosio defendía, frente a la determinación por parte de algunos refinados lectores paganos de negar carácter literario al texto bíblico, que en el Nuevo Testamento podría hallarse ocasión de aprender incluso estilo:

> La mayor parte afirma que nuestros autores no se sometieron a arte alguno en sus escritos y no lo voy a negar. No escribieron según el arte, sino según la gracia que está por encima del arte: escribían lo que les iba inspirando el Espíritu Santo. Los que, en cambio, escribieron sobre el arte hallaron dicha arte en los escritos de aquéllos y sobre tales escritos fundaron los principios artísticos y el magisterio[34].

De este modo, junto al propósito de enriquecer el discurso eclesiástico usando los recursos estilísticos clásicos, debía buscarse el apoyo de las Sagradas Escrituras para justificar un estilo genuinamente cristiano; de ahí resultaría una tensión que permaneció a lo largo de siglos, expresándose en el uso ornamental de las figuras enseñadas por los antiguos junto a la búsqueda constante de autorización para tales figuras en los discursos religiosos. Por supuesto que resultaba un problema pretender que no era indispensable el ejercicio de ningún arte para lograr la elocuencia sagrada, en virtud de que todo venía dado por gra-

---

[33] Ver Bravo, 2000, pp. 303-327.
[34] *Patrología Latina*, vol. 16, col. 912.

cia divina, y al mismo tiempo obligarse a fundamentar en el arte el valor elocutivo de los textos sagrados; sin embargo, dicha contradicción tenderá a resolverse hacia el siglo XII, con un triunfo paulatino de la fundamentación clásica de los discursos religiosos. Porque es posible deducir un nuevo impulso a los estudios de la retórica por esos años, a partir de la proliferación de copias de los dos tratados fundamentales para la retórica medieval: *De inventione* y *Rhetorica ad Herennium*, conocidos como *Retórica Primera y Segunda de Cicerón*, y de sus frecuentes citas; por ello el siguiente siglo verá también uno de los mayores florecimientos del uso del ejemplo vistos hasta entonces.

Después de haber sido olvidada durante parte de la alta Edad Media, la preceptiva en torno al ejemplo como especie de argumento adquirió en las *artes praedicandi* de nuevo importancia, aunque todavía más como figura ornamental pues la explícita consideración del paradigma como elemento de la *probatio* no se advertía con claridad en estas preceptivas medievales, oculta en su división temática del discurso. Además, bajo la certeza de tratar exclusivamente con causas honestas, aquella predicación medieval prescindió del desarrollo de una de las cinco partes del discurso antiguo: la *argumentatio*, pues causa honestísima como lo es la salvación del alma no precisaba aparentemente de grandes pruebas en su persuasión y porque dicha parte venía ya siendo trasladada y reconocida como propia y exclusiva de la dialéctica y las técnicas de la *disputatio*.

El Concilio de Letrán (1225) recomendó por vez primera a los obispos más atención a la educación religiosa del pueblo, de modo que impulsó enérgicamente la renovación de la predicación, a lo que sin duda contribuyó la intensa labor de las órdenes mendicantes; por ello, entre otras cosas, sobrevino la serie de preceptivas para la predicación, mejor conocidas como *artes praedicandi*, como el *De modo praedicandi* de Alejandro de Ashby, la *Summa de arte praedicandi* de Tomás de Salisbury, el *Ars dictandi sermones* de Ricardo de Thetford, el *Omnis tractatio* (anónimo), el *Ars conficiendi sermones* de Jean de la Rochelle o el *De arte praedicandi* de Guillaume d'Auvergne, y por supuesto los *Sermones vulgares* de Jacques de Vitry o *De eruditione praedicatorum libri duo* de Humberto de Romans[35].

---

[35] Un estudio completo sobre las *artes praedicandi* se encuentra en el apartado correspondiente de *La retórica en la Edad Media* de Murphy (1986).

En estas *artes* aun era posible encontrar dos métodos preceptivos, diferentes entre sí sobre todo en cuanto a su cercanía o lejanía respecto a la retórica antigua: las artes predicatorias de corte clásico y aquellas otras de carácter escolástico; entre las primeras, la *Summa de arte predicatoria* de Alan de Lille (o Alanus de Insulis) distingue todavía algunas de las partes señaladas por las retóricas clásicas: exordio, narración, argumentación y conclusión, con poco o nulo desarrollo de la refutación, pues la *disputatio* también fue durante la Edad Media el lugar específico para el cultivo de ello. En cambio, los autores de las *artes praedicandi* de corte escolástico (la gran mayoría) retomaron con nuevo aliento la vieja tarea de sentar las bases, ahora estructurales, de un nuevo tipo de discurso para defender una nueva causa y dirigido a un nuevo auditorio, lo que dio como resultado la estructura del sermón temático.

En el sermón temático finalmente se solucionó el antiguo conflicto con los tres estilos clásicos, encontrándose que el discurso religioso sí debía aceptar adecuaciones en cuanto al tipo de auditorio, pues si bien el mensaje de la Redención era universal no lo eran los modos en que éste podría ser comprendido por los diferentes públicos, de modo que el discurso sagrado medieval conoció dos tipos de sermones: los de *divisio intra* y los de *divisio extra*; la primera estructura era dedicada a producir sermones para un público culto, dichos en latín y con una división que favorecía la argumentación deductiva; la segunda producía sermones para el pueblo llano, dichos en lengua vulgar y cuyo eje resaltaba la argumentación inductiva hecha con base en comparaciones y ejemplos. En cualquiera de los dos casos, tres fueron las partes del sermón que las *artes praedicandi* propusieron: introducción, división y distinción, como lo expone sucintamente fray Alfonso d'Alprão[36], o fray Francisco Eiximenis que llama «desarrollo» a la división[37]. Sobre esto, Welter dice que: «Mieux que leurs prédécesseurs du XIIe siècle, ils [los predicadores de los siglos XIII y XIV] savent faire du sermon un tout logique dans cadre déterminé qué comportait un exorde (thème, prothème), un développement du sujet en un ou plusieurs point (teneur) et un conclusion pratique (péroraison)»[38], ubicando el ejemplo entre las maneras de dilatar el tema.

---

[36] Alprão, *Ars praedicandi*, p. 264.
[37] Eiximenis, *Ars praedicandi*, p. 332.
[38] Welter, 1927, p. 110.

Con la traducción de cuentos orientales en la Península Ibérica, hacia el siglo XIII, la proliferación de las *ars praedicandi* y la formulación del nuevo sermón temático, el recurso del ejemplo se alejó definitivamente del sermón culto y en el popular, asociado al surgimiento de las órdenes mendicantes, fue llevado con facilidad a los senderos de la ficción. Esta singular acepción ficcional del ejemplo (que vino a ser casi sinónimo de cuento) está relacionada con aquella voluntad compilatoria iniciada por las escuelas gramáticas, cuya tradición vio entre los siglos XII y XIV una mayor efervescencia aún, como lo muestra el éxito de varias colecciones ejemplares en la época como la *Disciplina clericalis* de Pedro Alfonso, de la que hoy se conservan más de setenta manuscritos, o los *Gesta romanorum*, fuentes de relatos ejemplares en donde abrevaron no sólo predicadores sino moralistas de todo tipo, incluidos por supuesto los autores de espejos de príncipes. La aragonesa *Disciplina clericalis* fue, además, punta de lanza de la novedosa práctica de clasificar los relatos por temas (contrición, penitencia, eucaristía, etc.), lo que facilitaba su consulta y suministraba al predicador un abundante y manejable *corpus* de materias predicables para componer su sermón, del mismo modo en que para el moralista fue en general una fuente de inspiración y memoria[39]. Las posibilidades taxonómicas y utilitarias del ejemplo puestas en juego en la *Disciplina clericalis* mostraron muy bien la generosa maleabilidad del relato ejemplar, cuya utilidad probatoria no se circunscribía necesariamente a una sola enseñanza o mensaje sino que un mismo ejemplo podría ser usado con bien diferentes propósitos; por ello es tal vez que dice Bataglia, aunque refiriéndose en particular a la obra de Valerio Máximo, que los ejemplarios no sólo son base del desarrollo de la narrativa literaria sino también de la historiografía: «In questo senso anticipa il concetto medievale della storia, che per la civiltà cristiana risultò sempre anacronistica»[40].

Entre las innovaciones del sistema compilatorio del ejemplo medieval, frente a las colecciones latinas, se debe tener en cuenta también la adopción de un orden alfabético para los ejemplos, sistema introducido hacia 1275 por un franciscano inglés en su *Liber exemplorum ad usum praedicantium*. Otra innovación más, esta de naturaleza bastante sofisti-

---

[39] Una buena edición y estudio de la *Disciplina clericalis* es la de María Jesús Lacarra y Esperanza Ducay (Guara, Zaragoza, 1980).
[40] Bataglia, 1959, p. 63.

cada, la propuso Arnoldo de Lieja en su *Alphabetum narrationum* de 1310, al añadir después de cada ejemplo una indicación de otras virtudes para las que el ejemplo podría resultar edificante: *Hoc etiam valet ad* ('esto también vale para') añadía, creando de este modo un sistema de comunicación de los textos, temas y propósitos ejemplares al interior de su *Alphabetum* que no sólo harían de su obra un instrumento muy eficaz sino que sentaría las bases de cualquier sistema moderno de indexación. Combinando las dos técnicas anteriores, en 1480 aparecería el *Speculum exemplorum*, obra de otro franciscano (aunque este desconocido) que incluye un índice temático con sistema de reenvíos ordenado alfabéticamente.

El éxito de este último y acabado sistema compilatorio llegaría hasta el siglo XVII, cuando Juan Mayor reedita el *Speculum*, enriqueciendo y aumentando el *corpus*, al llevar a las prensas su *Magnum Speculum Exemplorum*, obra que por sí sola desdice las apreciaciones de Welter respecto a la decadencia del ejemplo a partir del siglo XV, y que muestra como ninguna otra la continuación de la tradición compilatoria y ejemplar, al incluir los ejemplos medievales junto a otros de nuevo cuño en el siglo XVII. Welter, en su historia del ejemplo, parece atender sobre todo al desarrollo logrado a partir de las *artes praedicandi*, pues propone el siglo XII como el momento de origen y desarrollo, continuando con otro de expansión (del siglo XIII al XIV), terminando con un período de decadencia que inicia en el siglo XV (aunque no aclara cuándo termina)[41].

Paradójicamente, de lo que sí se vino acusando al ejemplo desde aquellos años, más que de decadencia, fue de ser causa de abusos y perversión de la naturaleza del sermón, pues al parecer los predicadores vinieron insertándolos cada vez en mayor cantidad sin temor a hipertrofiar el texto en su conjunto, usando más y más relatos jocosos e incluso obscenos, aunque cabe decir que ello no es algo que se circunscribe a la Edad Media pues de lo mismo se acusó a muchos malos predicadores de los siglos XVI y XVII. Se trata de lo que Peter Van Moos ha llamado uso «salvaje» del ejemplo en la predicación[42], y que seguramente se trató de un fenómeno propio de los sermones en lenguas

---

[41] Welter, 1927, p. 12.
[42] Van Moos, 1998, p. 69.

romances pues, a decir de Michel Zink, los sermones latinos del siglo XIII tienen pocos ejemplos[43]. Ciertamente el uso abusivo del ejemplo parece propio de los sermones populares pues, como dice Welter, mientras Jacques de Vitry había recomendado en 1240 el uso del ejemplo especialmente en sermones vulgares, Humbert de Romans ya censuraba en 1277 el uso de *nugas* y fábulas como relatos ilustrativos[44].

Para el siglo XVII, después del animoso espíritu de recuperación clásica del Renacimiento, las cosas habían cambiado. Las retóricas tridentinas habían otorgado fuerza al desarrollo de la *argumentatio* en la oratoria sagrada, partiendo de los estudios retóricos producidos por el Humanismo y respondiendo a la necesidad de reestructurar la predicación (frente a la expansión del cristianismo y frente la competencia que significaba la elocuencia protestante), de modo que tuvo lugar un proceso de reconciliación más puntual de los preceptos de la elocuencia grecolatina con la oratoria sagrada. En España constituyó una muestra temprana de tal conciliación la actividad de Cisneros y, posteriormente, la obra de fray Luis de Granada cuya *Rhetorica Ecclesiastica* propuso una elocuencia reformada a partir de la oratoria ciceroniana, lo mismo que la *Rhetorica Christiana* del franciscano Diego Valadés y sus abundantes recomendaciones del ejemplo. Por su parte, la predicación jesuita de corte popular desarrolló el sentido aristotélico, primigenio, del paradigma, y lo incluyó en su predicación con abundancia, seguramente bajo la convicción de la utilidad que representaba su uso.

Como puede verse, la regulación de la prueba inductiva ha pasado por las propias vicisitudes de las retóricas, desapareciendo a veces de las consideraciones preceptivas y reapareciendo después bajo nuevas formas e incluso funciones. Tal vez por ello sería conveniente intentar en otro lugar una perspectiva sobre el ejemplo donde el concepto de transformación sustituyese al de evolución, que siempre evoca un guión demasiado previsible: gestación, madurez y decadencia, en aras de conseguir una visión de conjunto capaz de contener la definición aristotélica de *paradigma*, sus traducciones latinas y sus modos y funciones medievales, barrocos y aun ilustrados. Para este propósito resultaría

---

[43] «D'une façon générale, contrairement aux recommandations des *artes praedicandi*, contrairement à ce que l'on pourrait attendre de sermons au peuple, les sermons romans ont très peu recours à l'*exemplum*» (Zink, 1982, pp. 206-207).

[44] Welter, 1927, pp. 70-71.

útil una descripción guiada por una voluntad taxonómica, similar a la
que la mayoría de los preceptistas buscaron para dar claridad a su exposición, a riesgo incluso de ser devorados por el laberinto que supone la
historia de un recurso tan polifacético. Habría para ello que confiar sin
duda en la benevolencia de Ariadna.

LA ARGUMENTACIÓN EN DISCURSOS DE ESTILO HUMILDE

Luz de verdades Catholicas es una obra compuesta por tres series de
pláticas cuyo propósito era formular una instrucción religiosa medianamente profunda, que incluía la intención de educar en la virtud cristiana entendida en un amplio espectro, comprendiendo no únicamente lo religioso o moral sino aun cuestiones de derecho o de
convivencia social. La primera serie está dedicada a una extensa y sencilla explicación de los puntos fundamentales de la doctrina cristiana e
incluye cinco sermones temáticos para igual número de viernes de
Cuaresma, la segunda tiene por objeto tratar a profundidad cada uno
de los mandamientos, mientras que la última se ocupa en igual modo
de los sacramentos. Las pláticas tenían lugar cada semana y no formaban parte de ningún acto propio del culto, de modo que se trataba de
discursos dichos en un ambiente y con un fin más didáctico que litúr-
gico, tal vez por ello su estructura era mucho más libre y elemental que
los sermones propiamente dichos; además, estaban dirigidas a un auditorio compuesto sobre todo por gente simple de la Ciudad de México
a fines del siglo XVII: comerciantes, artesanos, funcionarios de bajo
nivel, pequeña nobleza o pueblo llano[45].

Los sermones de Cuaresma que incluye la obra son piezas oratorias
de mayor extensión y complejidad estructural que las pláticas, cuya
pronunciación se tomaba seguramente más tiempo que la media hora
que dice dedicar a estas últimas. Si el primer sermón de Cuaresma
podía comenzar, por ejemplo, con el siguiente *thema*: «*Diliges proximum
tuum, & odio habebis inimicum tuum: Ego autem dico vobis: diligite inimicos*

---

[45] Una serie de buenos estudios sobre diferentes aspectos de la vida cotidiana
en la Ciudad de México, que incluye descripciones sobre la composición demo-
gráfica de la capital del virreinato en el siglo XVII, se encuentra en Gonzalbo
(2003).

vestros» (I, 22)[46] pues se trata de un sermón dedicado a exhortar al amor a los enemigos (de lo que es cita por excelencia esta del Evangelio de Mateo)[47], no resulta extraño que, en cambio, las pláticas inicien con un refrán: suerte de «*thema*» popular que sin duda cumpliría mejor su función ante un público no muy culto o en un discurso pronunciado en condiciones litúrgicas relajadas. La plática 18 del tratado II, cuyo asunto son las verdades que debe contener el juramento promisorio, es una muestra de lo anterior pues inicia: «Por sólo prometer nadie se hizo pobre; y para sólo prometer todos igual son ricos»; en otros lugares la plática inicia directamente con un relato ejemplar, y frecuentemente termina también con otro, de modo que el ejemplo viene a ser un elemento que puede cumplir las funciones del *exordio* y de la *peroratio* sin mayor problema en estos discursos populares, como adelante se verá.

Los sermones temáticos de Martínez de la Parra inician, como corresponde, con una introducción o *thema*, consistente en una cita bíblica capaz de resumir el contenido de la pieza oratoria, seguido del *prothema* que es una amplificación del *thema* y luego una *oratio* o invocación; una segunda parte inicia con la repetición del *thema*, luego viene una *divisio* que incluye la exposición de los argumentos, una *amplificatio* de los mismos, una extensa *peroratio*, para terminar con la *oratio* conclusiva. Para este predicador jesuita parece de importancia particular el lugar de la argumentación también en sus sermones de Cuaresma (aunque por supuesto prefiere aquí una argumentación de tipo deductivo), como puede apreciarse en una descripción del sermón del primer viernes de la Cuaresma de 1691, donde dice: «Como es este sermón de enemigos, se ha reducido a un campal desafio, en que todo es batallar con argumentos, discursos y razones» (I, 22). Efectivamente, a diferencia de las pláticas, cuyo eje argumental es inductivo o paradig-

---

[46] Se refiere a la pieza oratoria 22 del tratado primero: «Del amor de los enemigos. Primer viernes de Cuaresma en la Casa Profesa de Mexico, Año de 1691». Aquí y en adelante las partes tomadas de la colección de pláticas son citadas anotando junto al texto reproducido el número de tratado, en romanos, seguido del número de plática, en arábigos.

[47] El fragmento bíblico completo del *thema* dice: «*Audistis quia dictum est: "Diliges proximum tuum et odio habebis inimicum tuum". Ego autem dico vobis: Diligite inimicos vestros et orate pro persequentibus vos*» (Mt 5, 43-44): «Han oído que se dijo "amarás a tu prójimo y odiarás a tu enemigo". Pues yo les digo: Amen a sus enemigos y oren por quienes los persiguen».

mático, el sermón significa para Martínez de la Parra un ejercicio deductivo de «razones y discursos»; ello no quiere decir, sin embargo, que la argumentación inductiva o ejemplar esté ausente de los sermones temáticos, aunque su uso es otro y las fuentes de los relatos también, pues en éstas suelen ser exclusivamente bíblicas.

De las dos formas que puede adoptar el ejemplo en todo discurso: expuesto extensamente o en su forma breve (es decir, *narratio* o *brevitas*), la segunda prolifera en los sermones temáticos de Martínez de la Parra, no así en sus pláticas. La forma breve, como se sabe, consiste en una simple *commemoratio* entendida como alusión que abrevia el ejemplo en alguno de sus motivos fundamentales o, incluso, sólo en el nombre del protagonista, que en este caso funcionaría como antonomasia de alguna virtud o de algún vicio; dichos *commemorata* sirven frecuentemente en los sermones de Martínez de la Parra como enlaces entre *rationes* en el seno de un discurso cuya argumentación es más deductiva que inductiva, gracias sin duda al conocimiento amplio de los pasajes bíblicos que la audiencia podría tener, lo que hacía innecesaria la narración completa aunque precisara de un comentario o glosa para vincular *commemoratio* y causa predicada. Esta forma de vincular el ejemplo con la causa mediante explicación o glosa es, por supuesto, un modo de argumentar presente también en las pláticas, aunque no la abundante presencia de ejemplos abreviados; del mismo modo, el rigor estructural de los sermones es harto distinto de la ligereza en ese aspecto observada en las pláticas, que resultan así ser expresión de una elocuencia de tipo popular.

En cambio, frente a esta más o menos compleja estructura de los sermones, las pláticas de Martínez de la Parra se ajustan a una sencilla estructura tripartita: una breve introducción o exordio (que, como ya se adelantó, puede consistir en un refrán o en un ejemplo), una exposición e ilustración del asunto rica en ejemplos y comparaciones, donde éstos se entrelazan con razonamientos y preceptos en un tramado inductivo-deductivo que nunca llega a ser demasiado complejo (pues siempre se preferirá la demostración paradigmática a la silogística), y al final una conclusión que generalmente amplifica lo ya dicho, donde se usa el ejemplo no tanto ya como prueba sino como ornato, para cerrar con una *oratio* adecuada al tema de la plática en particular, que siempre termina con las palabras «gracia» o «gloria», preferiblemente esta última, seguramente intentando jugar un poco con la frase ignaciana: «todo para mayor gloria de Dios».

De nuevo aquí Martínez de la Parra puede ayudarnos a definir la esencia de estos discursos, pues una pequeña lamentación resulta en una descripción de sus pláticas que pone en primer plano los ejemplos: «Que tengo yo que gastar tiempo en traer ejemplos, alegar autoridades, discurrir razones, ponderar argumentos; que quien a su mesmo Dios no oye ¿qué le movera?» (I, 22). También el «Parecer» de Francisco Garrigo a la edición barcelonesa de 1724 colabora para una descripción de estas pláticas, indicando la prioridad que el ejemplo podría tener en ellas:

> Es el tesoro material el remedio de muchas calamidades; y será este espiritual, el remedio de todas: porque toca todo lo necesario de las verdades católicas; y con estilo el más nuevo y nunca visto de pláticas espirituales, etc. Con mucha abundancia de Sagrada Escritura, erudición de los Santos Padres, varios y muy eficaces ejemplos, símiles de los más adecuados, y todo traído muy al caso para el fin que desea, que es dar materiales, particularmente a los párrocos, para que saquen de estas minas riquezas inefables, con que llenan los entendimientos y corazones de todos.

Sin duda el carácter popular de la argumentación en estos discursos, está relacionado con su uso didáctico, donde importa la adecuación del estilo a un amplio auditorio, de lo cual también tiene gran conciencia el predicador como se puede ver en la siguiente precisión hecha en el prólogo «Al lector»:

> Compónese el auditorio de las doctrinas en esta Casa Profesa de todo género de personas: unos entendidos, sabios y aun también venerables y doctos sacerdotes, que su piedad les motiva a oír lo que ya saben. Y otros ignorantes y rudos, que su necesidad los trae a aprender lo que ignoran. Unos, que el oír lo cogen por entretenimiento piadoso; y otros, que el atender lo buscan por pasto del alma necesario. Esta junta, pues, me ha obligado a temperar el estilo, de modo que no siéndoles a los unos molesto por lo tosco, les sea a los otros provechoso por lo claro. Procuro decirlo todo de modo que los unos me entiendan, y no por eso descuido de atender sin afectación a la pureza de las voces que los otros gustan. Introduzco tal vez alguna florecica que coja el entendido, y tal vez también, si es menester, me abato con gusto al barbarismo si hecho de ver que le puede ser a un rudo solo de provecho[48].

---

[48] Esta declaración de Martínez de la Parra podría matizar las consideraciones que hace Pilar Gonzalbo, siguiendo en ello a G. Decorme, cuando dice que «las

De este modo, a la diversidad del auditorio parecería corresponder una semejante diversidad estilística, sin embargo ello sólo podría referirse al léxico, pues en la estructura de las pláticas y en el tipo de argumentación se revela como dominante el estilo humilde. Por lo demás, cumplir el propósito de Martínez de la Parra de llegar al justo medio no resulta sencillo, aunque el predicador pueda darse el lujo de incluir «florecicas» y aun «barbarismos», sólo la sólida formación jesuítica le permitiría crear efectivamente un léxico diverso para poder dirigirse a un auditorio igualmente heterogéneo, al que nunca dejaría de interpelar, como hace en una plática dedicada a exponer y vituperar los daños ocasionados por la hechicería, donde dice: «Pero si aquí por la misericordia de Dios no me oye ninguna bruja ¿para qué digo yo esto? Yo lo diré: Para añadir ahora, que todos esos remedios naturales que usan contra las brujas son supersticiones» (II, 12), lo que sin duda constituye algo más que una pregunta retórica, pues no sería absurdo pensar que el predicador supusiera en verdad incluso la posibilidad de tener brujas entre su auditorio.

Para sostener la premisa de que el discurso debe adecuarse a quien lo escucha, lo que implica la necesidad de ajustarlo a distintos registros, Martínez de la Parra se apoya en *De Catechizandis Rudibus* (*La catequesis a principiantes*), pequeña y no bien conocida obra de san Agustín consistente en una breve colección de consejos acerca de cómo proceder para educar en la doctrina cristiana a los que la ignoran, en cuyo capítulo V se exhorta al predicador o instructor a informarse del ánimo, carácter y circunstancias del receptor de la enseñanza, a fin de ajustar esta última a aquellas condiciones:

> Ciertamente es útil, siempre que esto sea posible, que nos enteremos a tiempo de parte de los que le han conocido [al catecúmeno] acerca de su estado de ánimo y de los motivos que le han empujado a abrazar nuestra religión. Y si no hubiera ninguno que pudiese informarnos de esto, debemos preguntárselo a él mismo directamente, para comenzar nuestra instrucción de acuerdo con lo que él hubiera respondido[49].

personas que acudían como oyentes a los sermones de la Casa Profesa constituían "lo más noble y más culto que había en la capital" [Decorme, *Menologio de varones más señalados [...]*, p. 123]; por eso las palabras de los predicadores se dirigían frecuentemente a fomentar su conciencia de clase» (Gonzalbo, 1989, p. 155).

[49] San Agustín, *De Catechizandis Rudibus*, V, 5 (cito por la traducción de Oroz Reta, 1988). El librito es una suerte de carta a un diácono de Cartago que le ha pedido consejos para mejorar la enseñanza de la doctrina cristiana.

De hecho el capítulo XV lleva por título «Adaptación del discurso a los oyentes». Por ello tal vez es que Martínez de la Parra, buscando la adecuación y sabedor de la heterogeneidad de su auditorio, cita frecuentemente autoridades en latín, para luego traducirlas al «romance» e incorporarlas a su discurso mediante glosa.

El hecho de que este predicador se apoye explícitamente en esta obra de san Agustín, citándolo varias veces en su prólogo, describe muy bien la naturaleza de las pláticas compiladas en esta *Luz de verdades católicas y explicación de la doctrina cristiana*: una colección cuyo propósito es fundamentalmente educativo, aunque no vayan dedicadas exclusivamente a principiantes. Esta intención didáctica justificaría por sí misma la asignación de estas pláticas al género «instructivo», de los tres que había propuesto García Matamoros; dicho género instructivo correspondería al antiguo deliberativo que, efectivamente, como dice José Aragüés, favorecía más que ninguno el empleo de pruebas de carácter inductivo, esto es, paradigmas o ejemplos[50]. De hecho, Martínez de la Parra parece muy consciente de que el auditorio de sus pláticas espera siempre un ejemplo, y que con él debería buscar la eficacia en la doctrina: «Breve será el ejemplo, pero eficaz» promete a sus oyentes antes de cerrar una plática con el relato de un labrador muerto que es llevado a la tumba, y allí, cuando comienzan las oraciones fúnebres, el crucifijo que llevaban en el cortejo despegó sus manos de la cruz y se tapó los oídos, para no escuchar las oraciones por la muerte de un hombre que nunca había querido escuchar sermones (III, Bautismo 7)[51]. Por supuesto que podría ser eficaz esta imagen del mismo Cristo rechazando a quien no atendiese los sermones, sobre todo si tal relato se tiene como historia verdadera; aunque lo que en este momento importa señalar es que la eficacia concedida al ejemplo pone a la prueba inductiva en el centro del propósito persuasivo y, en este caso, didáctico, de

---

[50] «Si la oratoria clásica había sentado desde sus orígenes la especial querencia entre esa literatura y los modos de argumentación propios del *genus deliberativum*, la ulterior lectura de este último como el cauce esencial para la conformación del sermón evangélico legitimaría el frecuente empleo del paradigma en la nueva prédica» (Aragüés, 1999, p. 209).

[51] En los ejemplos o fragmentos traídos del tratado III, que incluye varias pláticas para cada sacramento, se anotará el sacramento a que corresponde el número de plática citado.

las pláticas, de modo que conviene analizar cómo es que el ejemplo funciona para cumplir esta función ilustrativa.

Ilustración y prueba de enseñanzas morales

Si los sermones de Cuaresma incluidos en la colección de pláticas de Martínez de la Parra representan una suerte de reminiscencia del viejo sermón temático, las pláticas vienen a ser una forma de expresión de una relativamente nueva oratoria de corte clásico y didáctico, acorde al espíritu del Concilio de Trento cuyas retóricas buscaron conciliar más las preceptivas grecolatinas con la oratoria sagrada, y acorde también a la vocación pedagógica de la Compañía de Jesús. En esta nueva oratoria, a la que los jesuitas aportaron su erudición y filiación aristotélica, la *argumentatio* (particularmente la inductiva) resultó central pues el objetivo fundamental era la exposición doctrinal, para lo cual la ilustración ejemplar era considerada por estos predicadores, como se ha visto, muy eficaz.

Las pláticas de Martínez de la Parra muestran el consentimiento con este modo jesuita de predicar y su fidelidad a una elocuencia didáctica basada en las posibilidades del paradigma, el cuidado y la maestría en la argumentación inductiva y el aprecio particular por el ejemplo, cuya presencia es tan abundante, como abundantes son las justificaciones y reflexiones sobre la pertinencia de tal o cual relato probatorio inserto; en este sentido, su uso del ejemplo bien puede ser también llamado clásico, en función de la claridad con que parece conducirse frente a las posibilidades ilustrativas del mismo reguladas desde la Antigüedad, y en función también de su manejo de la partición aristotélica de las argumentaciones: la deducción y la inducción, que se distinguen ciertamente en estas piezas oratorias, a la vez que ambas formas funcionaron coordinadamente en combinaciones que contenían la función probatoria al tiempo que la amplificaban.

Para una mejor descripción de la argumentación de Martínez de la Parra, fundamentalmente inductiva, conviene partir justamente de los modos de disposición de la prueba ejemplar frente a la causa a probar, pues en ello es donde el ejemplo encuentra sentido y uso, además de que también es ahí donde cobra su dimensión didáctica pues ésta tiene como base la función ilustrativa del relato. Todo paradigma o inducción implica, en principio, una comparación, que es la operación intelectual básica que permite poner en relación por similitud un hecho externo con la causa del discurso, para la cual Quintiliano ya había descrito tres formas posibles: una comparación consistente en la inserción de ejemplos «semejantes» a la causa, es decir que la ilustran de manera directa, como traer un fragmento de la vida de san Francisco de Asís para ilustrar la perfecta virtud de la pobreza; una comparación «desemejante», es decir cuando ilustra un hecho similar al propuesto en la causa pero realizado por razones distintas, como proponer los trabajos de Hércules como ejemplo de fortaleza cristiana; y el paradigma «contrario», cuando ilustra la acción opuesta a la que se pretende enseñar, es decir, una suerte de «contraejemplo» que incluye el castigo para el infractor[52].

En las pláticas de Martínez de la Parra puede ocurrir con cierta frecuencia que se usen dos o más ejemplos para probar una sola causa, dando como resultado que no siempre éstos se encuentren en la misma relación paradigmática frente a dicha causa o propósito didáctico concreto; no obstante, el uso de ejemplos semejantes a la causa resulta más abundante que cualquiera de los otros dos tipos que describe Quintiliano, pues la semejanza implica la relación comparativa más elemental, donde la *similitudo* se logra a cabalidad. Cuando dos ejemplos concatenados son semejantes a la causa es claro que deben observar también una relación de semejanza entre sí, como en el siguiente caso donde el predicador intenta disuadir a aquellos que piensan trabajar por la salvación de su alma sólo en la vejez, confiados en que entonces tendrán tiempo: «¿Piensas que lo tendrás entonces [el tiempo]? Aguarda», e inserta un ejemplo de un hombre que hizo un pacto con Satanás incluyendo el compromiso de éste de avisarle cuando su muerte estuviese cerca, así —pensaba el hombre intentando engañar al Diablo— tendría tiempo de confesarse antes de morir; sin embargo, para su condenación jamás pudo descubrir los avisos del Demonio, empecinado como estaba en sus pecados y en su buena vida. Inmediatamente al término de este ejemplo inserta otro, con el mismo fin probatorio y en la misma relación frente a la causa, de la siguiente manera: «Con menos me basta, decía otro que vivía entre gravísimos pecados, con que yo antes de morir pueda hablar tres palabras solas, no

---

[52] «Así pues, todas las pruebas, que de este género [la inducción] tomamos, son necesariamente o semejantes, o desemejantes o contrarias» (Quintiliano, *Institutio*, V, 11, 5).

haya miedo que me condene», cosa que le fue concedida. Se refería a las tres palabras necesarias para un acto de contrición, pero no contaba con las circunstancias en que su deseo se le concedería, pues murió accidentalmente cayendo de un puente a un profundo río, y diciendo estas últimas palabras: «¡llevóselo todo el Diablo!» (II, 4)[53]. De modo que si la causa concreta a persuadir en esta parte de la plática puede enunciarse como «no tendrás tiempo de ganar el cielo si dejas su intento para el final», estos ejemplos la ilustran de manera directa.

La desemejanza con respecto a la causa puede ser más frecuente en los ejemplos de carácter ficcional, donde la comparación sirve más para ilustración que para prueba. Son ejemplos desemejantes (que no opuestos) a la causa, pues sólo se trata de la ilustración de la misma virtud o el mismo vicio que se intenta persuadir o disuadir, pero llevado a cabo por razones distintas a las que la causa expone; no obstante, el ejemplo sigue ilustrando, aunque de un modo diferente. En una plática en que el predicador intenta mostrar cómo se derivan males de poner la esperanza en la vanidad del mundo, utiliza un par de parábolas desemejantes como ilustración:

> Aplicad, aplicad, que a la letra cada día os está sucediendo lo mesmo. Discursos, pensamientos, máquinas, por aquí subirá el caudal, por allí se aumentará la ganancia, por allá será mayor el logro, con aquel favor, con aquel oficio. ¡Ah esperanzas fallidas, vanas, engañosas! ¿Y dónde está Dios? ¿Y dónde está la gloria, cuando en esos bienes engañosos tenéis toda la mira? ¿Y qué os sucede? Lo que allí al rústico, y lo que acá al perro [...]» (I, 17).

Se trata de un par cuentos tradicionales muy conocidos: *La leche del rústico*[54] y *El bocado del perro*[55], consistente el primero en un relato en el que un campesino hace planes a partir de un jarro de leche que trans-

---

[53] Las tres palabras necesarias y suficientes para un acto de contrición son al parecer «perdóname Dios mío». En cualquier caso, el predicador pasó por alto el hecho de que no fueron tres, sino cuatro, las últimas palabras dichas por el personaje del ejemplo.

[54] Tubach registra el motivo como «*3286 Milk spilled*. An old woman, carrying milk to market, makes plans to become rich. Imagining she is riding a foal, (one of the animals she will buy with all her wealth), she moves her feet and hands and breaks the pot of milk» (Tubach, 1986).

[55] Aparece en la versión de las fábulas de Esopo traducidas al castellano en el siglo XV: *La vida del Ysopet con sus fabulas hystoriadas* (1489).

portaba en la cabeza, haciéndolos tan grandes que, al brincar de gusto por los logros anticipados pierde el equilibrio y rompe el jarro, llevando al traste los planes hechos sobre base tan preliminar; el segundo es el conocidísimo del perro que pierde un bocado por tratar de atrapar el que tenía su reflejo en el agua. Ambas parábolas ilustran un comportamiento semejante, acorde a la enseñanza moral de la plática en cuestión, que consiste en el vituperio de la vanidad de poner la esperanza en los bienes materiales, pero desemejante respecto al tipo de bien superior que propone la predicación y que no está presente en los ejemplos.

En cuanto al ejemplo contrario (*exemplum ex contrariis* en la nomenclatura clásica), en una plática dedicada a defender la necesaria pompa de las celebraciones del *Corpus Christi*, concretamente las procesiones, trae el predicador un par de ejemplos, uno de los cuales está en relación de oposición con la causa y el otro no, de modo que ambos ejemplos son también contrarios entre sí. Con el primero alaba la disposición de Fernando II para asistir a una procesión aun cuando padecía una hinchazón terrible en el brazo, por haber cargado una enorme vela en una procesión anterior; sus consejeros pretendían dispensarlo de tal obligación: «hoy, le dijo uno de sus Príncipes, está vuestra Majestad excusado de asistir a la Procesión. No lo estoy por cierto, respondió, que todavía me queda el otro brazo con que asistirle en su debido obsequio a mi Dios» (I, 7). Con el segundo expone una actitud absolutamente opuesta ante la misma causa que es persuadir sobre la justicia de hacer procesiones y la generosidad que para ello se precisa: «No respondió eso [lo que había respondido Fernando II] cierto guardián que, de miserable, porque no se le gastara cera, quería que la procesión de este día anduviese sólo por dentro del claustro», como ello no fue posible pidió a Dios que le volviera toda la cera que gastara en el camino; la vela, a pesar de arder durante todo el trayecto, no se consumió un milímetro: «¡Ah corazones apocados! ¡Lo que se da a Dios no se pierde!», remata el predicador[56].

Estos tres modos de comparar suponen también diferencias en cuanto al objetivo didáctico con que se insertan los ejemplos: en pri-

---

[56] A propósito de las procesiones de *Corpus Christi*, debe decirse que fue una de las celebraciones más importantes en la Nueva España, como lo reconoce María Dolores Bravo en su artículo «La fiesta pública: su tiempo y su espacio», donde la define como «de lustre especial, casi fiesta nacional» (Bravo, 2003, p. 449); lo mismo Linda Curcio-Nagy en su libro *The great festivals of Colonial Mexico city* (2001, pp.

mer lugar, el reforzamiento de un comportamiento virtuoso mediante los ejemplos semejantes y desemejantes, considerando diferencias en cuanto al grado de prueba entre unos y otros; en segundo, el castigo de un vicio o bien la propuesta de una vía al arrepentimiento y a la rectificación mediante los ejemplos contrarios. Los primeros parecen dirigirse a cristianos practicantes a fin de fortalecer en ellos algunas buenas costumbres y la práctica de los sacramentos, con la promesa de un premio temporal o eterno; en los últimos, por el contrario, se ilustra el castigo para quienes no siguen el camino señalado. Entre los de este último tipo resulta curiosa la presencia en las pláticas de Martínez de la Parra de dos en los que los pecados están relacionados con las letras y las artes, como si entre el auditorio pudiera haber personas cuyas prácticas religiosas podrían verse afectadas por el cultivo excesivo del gusto estético; uno de ellos, muy sugerente, refiere un momento en la vida del «Doctor Máximo» san Jerónimo, narrado por él mismo en una de sus cartas a Eustoquio[57]: después de su conversión, el santo había renunciado a su buena vida en Roma, había dejado todo para ir a hacer penitencia a Jerusalén, menos sus libros, que le seguían sirviendo de solaz pues «después de largas vigilias, en que con amargas lágrimas de mi corazón procuraba lavar mis pasadas culpas, para aliviar algún rato leyendo a Cicerón me divertía», de ahí vino que «cuando pasaba a leer en las Divinas Escrituras aquel estilo tan llano como verdadero, tan sincero como puro, me ponía tedio, me daba en rostro». Estando en ello un tabardillo lo llevó casi a la muerte y, en un arrebato del espíritu, fue a hallarse delante del «Juez Soberano» quien le preguntó «¿Quién eres?» a lo que el penitente responde temblando «Señor yo soy Christiano. ¡Mientes! me replicó con una voz terrible; mientes, que tú no eres cristiano sino ciceroniano» (I, 4). Cuánto no podría temer el propio Martínez de la Parra de ser él mismo considerado más Ciceroniano que Cristiano, pues la presencia de Cicerón en el plan formativo de la *Ratio* es, como se ha visto, fuerte y bien conocida.

28-32). Un estudio cuidadoso de esta fiesta en particular es el de Serge Gruzinski, «El *Corpus Christi* de México en tiempos de la Nueva España» (en Molinié, 1999, pp. 151-173).

[57] Se refiere a la epístola 22 (Jerónimo, *Ad Eustocio*, 22, 13).

Formas de disposición del ejemplo

La forma más elemental en que el ejemplo es usado con fines argumentativos en las pláticas de Martínez de la Parra consiste en la mera inserción del relato después de la exposición de una causa o enseñanza; en la mayoría de estos casos el ejemplo asume, en explícitas declaraciones del predicador, la función de «explicación» de la causa expuesta a veces con cierta oscuridad, para lo que es frecuente que finja un diálogo con el auditorio en el marco del cual tiene lugar el ejemplo: «Pero antes que pasemos, oigo ya que me proponen una duda [...] explícome con este ejemplo [...]» (II, 24). Este diálogo fingido recuerda la definición ciceroniana de paradigma o inducción retórica que parece implicar justamente un contexto dialogado y una noción de argumentación cercana a la mayéutica, pues en ella la inducción tiene como base la formulación de preguntas. Aquí el ejemplo puede cumplir la función de respuesta ante una pregunta mediante la que se introduce la causa:

> si es Dios tan infinitamente amoroso, tan liberal, tan seguro en sus promesas y tan inmenso en sus misericordias, motivos todos fortísimos para alentar nuestra esperanza ¿por qué el catecismo nos ha de señalar sólo por razón de esta esperanza su poder infinito? *Que esperemos en Dios como en poder infinito.* // Buen argumento, aun más por lo que arguye de piedad que por lo que tiene de fuerza: guardadlo en la memoria para continuo aliento de nuestra esperanza y oídme ahora la respuesta, con que me dejéis apuntar un ejemplo (I, 18)[58].

Se trata de una plática dedicada a persuadir sobre la necesidad de esperar siempre y firmemente en Dios, en la que nombra «argumento» a la pregunta y la respuesta viene a ser un ejemplo, después del cual llega la afirmación fundamental de la enseñanza: «Confiad ahora en príncipes, poned vuestras esperanzas en monarcas de la tierra, que por grandes que sean son hombres y jamas hallaréis en ellos la salud».

Hay que decir que los paradigmas en función de respuesta de Martínez de la Parra no siempre consisten en ejemplos, en ocasiones

---

[58] El ejemplo trata de un privado de Carlos V que sólo al momento de la muerte puede ver que ha pasado equivocadamente su vida sirviendo a un señor terrenal, en lugar de servir al celestial.

sólo se trata de meras comparaciones, como en la siguiente plática donde intenta explicar, mediante una comparación, los pormenores de la práctica del persignarse, para lo que inicia diciendo que la señal de la cruz es tal porque en tanto señal nos permite encontrar las huellas de Cristo, para después fingir una pregunta del auditorio

> Padre, ese ejemplo era muy bueno si el camino de Cristo fuera por tierra; pero si es un camino tan alto que no deja en el aire ni señal, ni rastro, ni huellas ¿qué hemos de hacer? Aguardad y va otro ejemplito. Sucede entrar algunos por una altísima montaña, tan áspera de peñas y tan tupida de árboles que no parece por toda ella senda o camino, pero ni la menor seña de que haya jamás pisado por allí pie humano ¿pues qué hacen los que así van entrando para no perderse y para que otros puedan seguirlos? Van dejando a pocos trechos señales en los árboles [...] (I, 5).

Por otra parte, así como se ha visto que una causa puede ser ilustrada por varios ejemplos, un mismo ejemplo puede servir también para probar o ilustrar causas diferentes aunque, por supuesto, esto no sucede en una misma plática pues ello significaría la escisión de la misma en dos causas a probar, cosa poco recomendada en las artes de predicación y menos practicada en los sermones concretos. Lo corriente en estos casos es que un ejemplo ya contado en alguna plática anterior asuma una nueva función ilustrativa o probatoria a la luz de una nueva causa, lo que facilita prescindir en el último caso de la exposición completa del relato, pudiendo frecuentemente hacer tan sólo una breve *commemoratio* del mismo ajustándolo a las nuevas necesidades persuasivas; cuando ello es así, se puede suponer que el predicador confiaría en que su feligresía había sido constante en la asistencia a sus pláticas y pudiera recordar el ejemplo ya contado, de modo que no le parecería necesario traerlo completo de nuevo.

De este modo, para mostrar cómo un mismo pecado sería en su momento juzgado en forma diferente, de acuerdo al estado de quien lo comete, Martínez de la Parra trae el siguiente ejemplo: «Una poca de fruta que no le pagó a una pobre mujer Joresamno, hijo de Linderico conde de Flandes, fue causa de que ella por esperar la paga hallase a la noche muertos a sus dos hijos» (III, Penitencia 18)[59], con lo que mues-

---

[59] El tema de la plática es la necesidad de declarar en la confesión las circunstancias en que el pecado es cometido, y no sólo este último.

tra cómo el pequeño pecado de comer y no pagar puede devenir en el enorme pecado de asesinato, de modo que no se ha de confesar el robo solamente sino también su consecuencia. Esta *commemoratio* alude a un ejemplo histórico traído a cuento en una plática predicada anteriormente (II, XLIV) cuyo tema era justamente el robo, en el cual Joresamno come sin pagar unas manzanas que una viuda muy pobre vendía para alimentar a sus hijos, las come, no paga y por ello los hijos de la viuda mueren de hambre[60]. La pobre mujer busca al conde Linderico, padre de Joresamno, y frente a él arroja al suelo sus hijos muertos acusando por ello al hijo del conde; Linderico reúne de inmediato al senado para proponer el caso sin nombrar al acusado, ante lo cual el senado sentencia la muerte del culpable y así el conde lo cumple sin miramientos: mata a su hijo. De este modo, un mismo ejemplo puede ilustrar dos verdades morales distintas aunque relacionadas.

Por lo demás, una descripción de las formas en que el ejemplo se dispone como prueba quedaría inconclusa si no muestra también algo de los modos en que el discurso continúa después de que la prueba paradigmática ha sido introducida. Dichos modos fueron descritos en diferentes preceptivas medievales (aunque más en las *artes poetriae* que en las *praedicandi*) bajo el nombre de *prosecutio*; estas descripciones, no obstante, se limitaban a vincular directamente la prueba a la causa, sólo señalando la relación por semejanza que estaba en la base de la inducción, como se había indicado desde la antigüedad[61]. Geoffroi de Vinsauf, por ejemplo, en su *Documentum de modo dictandi* había señalado que:

> el ejemplo [que] se conduce como una especie de símil, se ha de continuar de este modo: 'igualmente', 'de modo semejante', 'a semejanza de', o por expresiones equivalentes. Pero, para que la continuación sea más elegante, se ha de considerar en el ejemplo propuesto de qué modo sea puesto de manifiesto el asunto, si es una liviandad o un vicio, o una costumbre, u otra cosa. Y en la continuación se dirá: 'de semejante' o 'de igual' o 'del mismo vicio' o 'de la misma liviandad', y así en cosas similares[62].

---

[60] Nunca explica el predicador por qué la viuda no alimentó a sus hijos con las manzanas.

[61] Tanto en la *Rhetorica ad Herennium* (I, II, 13) como en Cicerón (*De Inventione*, I, XXXI, pp. 51-53) o en Quintiliano (*Institutio*, V, XI, 3).

[62] Vinsauf, *Documentum*, II, 9, 270 (trad. de Aragüés, 1999, p. 199). Jean de Garlande, en su *Poetria*, se expresaría en muy similares términos.

La *prosecutio* de Martínez de la Parra excede con mucho esta mera expresión de la semejanza de los ejemplos con la causa que propone Vinsauf, pues se trata de una auténtica glosa de las consideraciones morales apuntadas. Es sin duda una *prosecutio* mucho más artística, como la siguiente que continúa una breve parábola sobre la curación de un pastor al que se le había metido una víbora al vientre: el médico lo cura sacando el reptil con sólo el aroma de la leche, ante lo cual la *prosecutio* no vincula el relato a la causa de un modo parco sino que, por el contrario, explica, pondera y sí, expone la semejanza, pero de una manera amplia: «Admirable remedio, sí, pero a mal infinitamente más terrible celebrad mejor remedio en los Divinos Sacramentos, en que la víbora más venenosa del pecado sale del alma y nos deja libres, prevenida a la boca no una vasija de leche sino la misma sangre derramada del Hijo de Dios» (III, 2).

OTROS USOS DEL EJEMPLO

A partir de lo encontrado en estas pláticas, se puede hablar de por lo menos cuatro escenarios posibles de presencia y uso de los relatos ejemplares: en primer lugar como *probatio* propiamente dicha, es decir, cuando muestra o demuestra una verdad moral (de lo que se ha tratado aquí anteriormente); en segundo, cuando cumple una función de *dilatatio*, es decir como amplificación probatoria y ornamental a un tiempo; en tercer lugar, cuando se encuentra al final de los discursos haciendo las veces de *exordio* y, finalmente, en función conclusiva o de *peroratio*. El uso del ejemplo como prueba inductiva es, en definitiva, el principal históricamente hablando, el que le da definición y sentido didáctico; sin embargo, es conveniente apuntar algunas consideraciones sobre los otros usos aquí mencionados a fin de proponer un panorama un poco más completo sobre las utilidades de los relatos ejemplares.

De las tres funciones que para el ejemplo asignaban las *artes praedicandi* medievales: en función exordial, por supuesto como prueba y como elemento de dilatación, la primera ha despertado poco la atención de los estudiosos de la oratoria sagrada, aun cuando estas retóricas medievales ya apuntaban la consideración del ejemplo como fórmula para inicio del discurso «desarrollando con detalle una posibilidad tan sólo esbozada por los autores antiguos», como bien apunta José Aragüés[63], sobre todo Quintiliano, Cicerón y el anónimo de la *Rhetorica ad Herennium*[64]. Por ejemplo, fray Martín de Córdoba, en su *Ars praedicandi* recomendaba el uso de *similitudines* en la introducción del *thema*, es decir en el *prothema*, que era reconocido como una suerte de exordio[65]. Esta recomendación del ejemplo como exordio recorre buena parte de las preceptivas de la oratoria sagrada y se encuentra con regularidad en sermones concretos; sin embargo, fue en las *artes poetriae* medievales donde se propuso con más decisión el uso del ejemplo como inicio del discurso (en este caso, del poema). Para Geoffroi de Vinsauf, por ejemplo, de los ocho modos de iniciar un poema tres tienen que ver con el ejemplo, apuntando luego, como ya se vio, los modos de conexión entre el ejemplo inicial y el texto o las fórmulas que le deberían seguir[66].

El ejemplo como exordio

En las pláticas de Martínez de la Parra es muy frecuente encontrar ejemplos al inicio del discurso, aunque no tanto como encontrar comparaciones; de hecho, una parte importante de los paradigmas consistentes en comparaciones contenidos en estas pláticas están en función exordial, de modo que constituyen un modo recurrente de proponer el tema del discurso: «Si cualquier particular toma por muy suya la ofensa que se hace a alguno de su casa ¿cómo no vengará un príncipe por muy suyo el agravio que se hiciere a los que son de su palacio y familia?» (II, 15), dice para comenzar una plática cuyo tema es el agravio mayúsculo que significa blasfemar contra la Virgen María o los santos. No obstante, sea una comparación o un ejemplo, se trata del uso de la inducción en la misma función introductoria, denotando la utilidad del símil para conseguir el principal propósito de los exordios: lograr la

---

[63] Aragüés, 1999, p. 181.

[64] Ver la *Rhetorica ad Herenium* (I, VI,10), Cicerón, *De Inventione* (I, XVII, 25) y Quintiliano, *Institutio oratoria* (IV, 1, 69).

[65] Sobre todo en el capítulo III, titulado *«De thematis introductione»*. Fernando Rubio presenta el texto completo, en latín (Rubio, 1959, pp. 327-348).

[66] «Si el principio se toma de un ejemplo, habrá de continuarse de un modo diverso a los apuntados [...]» (Vinsauf, *Documentum de modo et arte dictandi et versificandi*: II, 9, 270. Trad. de Aragüés, 1999, p. 199).

docilidad, atención y benevolencia del auditorio; aunque debe señalarse que no cualquier ejemplo en las pláticas de Martínez de la Parra puede cumplir con este fin, pues parece exclusiva función de los ejemplos bíblicos o, al menos, históricos, ya que ninguna de sus pláticas inicia con una fábula o una parábola.

En cualquier caso, la presencia del ejemplo en el exordio no siempre viene a ser la punta de lanza del discurso, pues en ocasiones sólo acompaña a la parte que propiamente constituye el inicio, que puede consistir en una sentencia, un razonamiento o un refrán. De hecho, la primera de las pláticas de Martínez de la Parra que incluye un ejemplo en función exordial inicia con un razonamiento, a lo que le sigue el ejemplo:

> Si fuera tan fácil de conseguir, como es fácil de adivinar, lo que todos desean, lo que todos apetecen y lo que todos buscan, nadie habría que no fuese cabalmente dichoso. Prometioles en Atenas un farsante a sus oyentes que a la primera vez que se juntasen en el teatro les había de ir adivinando a cada uno lo que tenía en su pensamiento [...] (I, 12).

Se trata sin duda de una curiosa manera de comenzar un ejemplo que trata de la condición de Dios como el necesario fin último para los hombres; es un relato que el predicador dice tomar de la *Ciudad de Dios* de san Agustín sobre un charlatán que logra embaucar a su auditorio pretendiendo que ha adivinado el pensamiento de todos al decir que todos quieren «comprar barato y vender caro»[67]; el auditorio del charlatán —del mismo modo que el auditorio de Martínez de la Parra— debió reconocer que tal cosa siempre traía en el corazón pues miráronse los unos a los otros, y asomándoseles la risa a confesar la verdad».

El ejemplo como adorno

Aunque los primeros intentos de reducir a arte el uso del ejemplo en discursos persuasivos partió, como correspondía, de su consideración como parte de la argumentación, es decir, como una de las formas que podía asumir la prueba retórica, desde muy temprano también se

---

[67] En realidad, el pasaje no se encuentra en la *Ciudad de Dios*, sino en otro libro de san Agustín: *De trinitate*, XIII, 3, 6.

le comenzó a apreciar por su valor como elemento ornamental, al punto en que, como ya se dijo, la primera gran retórica latina conservada hasta nuestros días, la dirigida a Caius Herennius, ya lo incluía en su libro IV como una de las figuras de pensamiento. Sin embargo, es en el libro II de esta retórica donde el tratamiento del ejemplo es más explícitamente ornamental, y donde ya considera una aproximación de la prueba al ornato que resultaría muy fértil en las retóricas y discursos posteriores: «Puesto que el ornato se consigue mediante símiles, ejemplos, amplificaciones, precedentes judiciales y todos los otros medios que sirven para amplificar y enriquecer la argumentación [...]»[68]. De hecho, la definición más precisa que del ejemplo ofrece la *Rhetorica ad Herennium* está hecha justamente en el marco de su tratamiento como medio de amplificar el argumento, la cual se convertiría en una consideración que sobreviviría durante gran parte de la vida del ejemplo y cuyos frutos serían las diversas técnicas de la dilatación del ejemplo tan apreciadas y glosadas por Erasmo; dice el anónimo autor:

> El ejemplo consiste en citar un hecho o una frase del pasado mencionando explícitamente a su autor. Se utiliza por los mismos motivos que la comparación. Da más brillo a las ideas cuando sólo se utiliza para embellecer. Las hace más inteligibles cuando aclara lo que estaba oscuro y más creíbles al hacerlas más verosímiles. Las pone ante los ojos cuando expresa todos los detalles con tanta nitidez que se podría, por así decir, tocarles con las manos[69].

Cicerón también trata reiteradamente el ejemplo como elemento propio del adorno retórico, aunque no en su gran retórica (*De Inventione*) sino en el *De oratore* y en el *Brutus*, donde sería asociado con la elegancia del estilo; en la primera de estas obras alude además a la capacidad del ejemplo para convertirse en vehículo de agudeza verbal o como medio para buscar la risa, sobre todo a partir de ciertos apólogos o con ejemplos cuya narración incluya cosas deshonrosas[70]; y en el libro III de esta misma obra lo incluye como una de las formas de la amplificación, junto a «la ficticia introducción de personas, la más grave

---

[68] *Ad Herennium*, II, 46 [XXIX].
[69] *Ad Herennium*, III, 62 [XLIX].
[70] Cicerón, *De oratore*, II, LXVI [264].

luz del enaltecer, la descripción; la introducción de una desviación; la impulsión a la hilaridad; la anticipación; después, aquellas dos que máximamente mueven: la semejanza y el ejemplo»[71]. El mismo Quintiliano consideraría la función ornamental del ejemplo al incluirlo también, en el libro IX de su *Institutio Oratoria*, entre las figuras de pensamiento aunque, al igual que en la *Rhetorica ad Herennium*, ello más parece una concesión al uso amplificatorio que de la prueba se podía hacer, como una clarificación del asunto, que una recomendación meramente cosmética del uso del relato[72].

Las gramáticas de la latinidad tardía desarrollaron esta lectura antigua del ejemplo como figura, sobre todo a partir de la licencia que otorgara Quintiliano para el estudio gramático de los tropos y figuras[73], y configuraron un puente entre la retórica clásica y la predicación cristiana donde el ejemplo fue adorno y argumento a un tiempo. Las *Artes* (*maior* y *minor*) de Donato, fueron esenciales para la enseñanza de la gramática, al menos hasta el siglo II cuando fueron sustituidas por el *Doctrinale* de Alexander Villa Dei y el *Graecismus* de Evrard de Bethune, sentando las bases para la concepción del ejemplo como dilatador del argumento, más que como simple prueba, confiando en sus posibilidades ornamentales. En el análisis gramatical que Donato hace del paradigma, incluye un pasaje dedicado a la *homoeosis*, que viene a ser el equivalente de la *similitudo* ciceroniana y del *paradigma* aristotélico: «La homoeosis es la demostración de algo menos evidente a través de su semejanza con algo más evidente. Sus especies son tres: imagen, pará-

---

[71] La lista incluye «la división; la interpelación; la contraposición; la reticencia; la recomendación; cierta voz libre e incluso la osadía, a fin de enaltecer; la iracundia; la represión; la promesa; la deprecación; la súplica; la desviación breve de los propuesto (no como aquella anterior digresión); la justificación; la conciliación; el ataque; la optación, y la execración» (Cicerón, *De oratore*, III, LIII-LIV [205-206]).

[72] Quintiliano, *Institutio*, VIII, III, 74: «también aquella clase de comparación [*similitudinis genus*], de la que hemos hablado al tratar los argumentos, sirve de adorno al discurso y lo hace sublime, florido, agradable, admirable».

[73] Quintiliano considera que el profesor de gramática «deberá poner el mayor cuidado en la enseñanza de todos los tropos que no sólo sirven para adornar los poemas, sino también la prosa» (Quintiliano, *Institutio*, I, VIII, 16); más adelante pide a los gramáticos que, con el fin de practicar el estilo con las figuras y tropos, enseñen a sus pupilos «a narrar las fábulas de Esopo, que son las que siguen inmediatamente a los cuentos de las nodrizas, en un lenguaje llano y sin buscar elevarse por encima de lo razonable» (I, IX, 2).

bola y paradigma»[74]; Beda recogería esta definición en su disputa sobre la pertinencia y superioridad de los tropos encontrables en las Sagradas Escrituras respecto de los clásicos, para hacer de la *homoeosis* una posibilidad ornamental de fuente bíblica[75].

Posteriormente, en las *artes praedicandi* medievales, la *probatio* ejemplar se comenzó a confundir frecuentemente con el lugar de la *dilatatio*, es decir, que los usos probatorios del ejemplo no escapaban a una consideración también ornamental en el sentido de amplificar los elementos ilustrativos no sólo para mostrar, sino también para agradar, en una práctica cercana al *docere et delectare* horaciano. De este modo Alanus de Insulis había insistido en el valor del ejemplo como prueba, pero implicaba como muchos dicho valor en la *amplificatio*[76], o Eiximenis que escribió: «Si quieres proceder de modo ordenado predicando y disponer con facilidad de una materia copiosa, acude a la siguiente dilatación, que se lleva a cabo a través de estos cinco puntos. Si quieres, así pues, probar algo, como que ha de honrarse a los padres, aduce pruebas y disponlas según el orden que sigue [...]»[77], se trataba de una dilatación hecha en primer lugar a partir de las autoridades bíblicas, en segundo con palabras originales de los santos, en tercero incluyendo una razón natural o experiencias comunes y ordinarias, en cuarto con ejemplos evidentes de cosas o animales, y en quinto mediante historias ciertas y hechos probados.

Se trata pues de una dilatación vinculada de muy estrecha forma a la argumentación, que incluía las formas de la prueba inductiva o ejemplar; de modo que si, como dice Aragüés, los tratados clásicos habían concebido la dilatación «como una categoría paralela, mas no equivalente, a la *probatio*, desarrollada como ésta en el contexto de la *argumentatio* con unos medios propios y distintos a la misma. Por contra, en los textos medievales el concepto de amplificación adquiere un sentido más ambicioso, para denotar todo desarrollo de un tema», por ello es que «a las técnicas de la amplificación habían de subordinarse todos los recursos de la prueba y el adorno»[78]. De este modo la dilatación fue

---

[74] *Ars maior*, 402 (cito por la traducción de Aragüés, 1999, p. 196).

[75] Beda, *De schematibus et tropis*, pp. 607-608.

[76] De Insulis, *Ars praedicatoria*, I, 55, p. 114.

[77] Eiximenis, *Ars praedicandi*, p. 322 (cito por la traducción de Aragüés, 1999, p. 203).

[78] Aragüés, 1999, p. 190.

vinculada a los *colores rhetorici* en las *artes praedicandi* medievales, bajo la consideración del paradigma como figura ornamental; sobre lo que abundaron numerosos tratadillos como los atribuidos a Ricardo de Thetford o a Guillermo de Auvernia, de los que muchos se titulan «modos de dilatación» del sermón.

Fray Luis de Granada también trató de la amplificación como un tipo de *probatio* en los libros II y III de su *Rhetorica Ecclesiastica*[79] de donde seguramente las retóricas postridentinas, y en particular la predicación jesuita, recogerían esas enseñanzas junto a la tradición medieval que las sustentaba, así como también recogerían las teorías humanísticas de la dilatación de los argumentos, desarrollados en los ejercicios didácticos llamados *progymnasmata*, entre los que Erasmo incluyó los *modi locupletandi exempla*, sobre todo en *De copia*[80]. El mismo Granada insertaría los *modi* erasmianos en el apartado de las *figurae sententiarum* en su *Rhetorica ecclesiastica*, mientras que los ejercicios estilísticos de la *Ratio* no son otra cosa que la aplicación de esta idea de ejercitación neolatina. Estas enseñanzas suponían la amplificación narrativa de relatos breves vinculados a las pruebas deductivas, compuestas por razonamientos o sentencias; en estos casos, el ejemplo adquiría una doble función ilustrativa: una referida a la causa que coadyuvaba a probar, junto a la prueba deductiva, y otra referida precisamente a la prueba deductiva que amplificaba.

La dilatación ejemplar de Martínez de la Parra acusa esta y otras complejidades, pues no se reduce a una sola forma o secuencia de argumentos, sino que implica varios grados de composición más allá de la mera yuxtaposición de pruebas deductivas e inductivas individuales. Se puede hablar al menos de dos formas de dilatación ejemplar en estas pláticas: una que consiste en la mera yuxtaposición de elementos seriados, es decir, que a una serie de razonamientos con que se intenta probar la causa puede seguir una serie de paradigmas; y otra forma que consiste en la combinación de razonamientos y paradigmas al interior

[79] «La invención de las cosas, que sirven para la amplificación, se tomará de los mismos lugares, de donde se sacan los argumentos. Porque, si la amplificación, como poco ha dijimos, es como cierta especie de argumentación, se infiere que la invención de entrambas proceda de los mismos lugares» (Granada, *Retórica eclesiástica*, III, I, 4).

[80] Ver al respecto Aragüés, 1997, pp. 415-434.

de una misma prueba deductiva. La primera forma, es decir, la yuxta-posición simple de pruebas deductivas e inductivas, consiste en la inclusión de un ejemplo inmediatamente después de la deducción, sin mediar introducción alguna, donde el ejemplo funciona como mera amplificación del razonamiento, como sucede en la plática once del primer tratado, que no oculta su naturaleza teleológica, titulada «De la primera obligación del hombre que es buscar su fin»:

> Pues si ninguno, ninguno de los gustos del cuerpo ni de los placeres de apetito te da descanso, luego ninguno de todos esos gustos puede ser tu último fin, donde has de tener cabal y colmado el consuelo. Convidaron unos amigos suyos a un mancebo, llamado Rolando, a un festejo que tenía prevenido, diciéndole que se holgarían mucho. Asistió aquel, pero en medio de las músicas, de las danzas y de los banquetes, no hacía sino pre-guntar con gracia a sus amigos: pues ¿cuándo nos holgamos? Andaba la diversión, el gaudete, la rifa y el volvía: ¿Cuándo nos holgamos? Este des-engaño le bastó para dejar el mundo y hacerse un ejemplar de virtudes en la esclarecida religión de Santo Domingo (I, 11).

Tal vez debido a la cuestionable eficacia de este ejemplo, que no apunta una enseñanza basada en el desengaño de algún pecador sino que ya viene dada en la inocencia del personaje (cosa difícil de emular pues si ésta se ha perdido no hay modo de volver a conseguirla), el pasaje vincula dos formas de probar la causa inscrita en el título de la plática. El planteamiento de la deducción inicial es evidente incluso en su forma, pues se expresa en los mismos términos del razonamiento silogístico básico: «si *x* luego *y*» (aunque elidiendo uno de los tres tér-minos canónicos del silogismo, como corresponde a un silogismo imperfecto o retórico), en palabras del padre Juan esto sería: «¿y qué se sigue de ahí? Se sigue [...]», como puede verse en el siguiente caso de yuxtaposición simple de pruebas correspondiente a una plática que propone la cruz como insignia cristiana, donde el ejemplo se introduce después del sintagma dicho: «Lo que se sigue es que sólo has de vivir para aquel que por ti dio su vida. Ciro rey de Persia, venció en campa-ña a Tigranes rey de Armenia [...]» (I, 8); es un ejemplo histórico, ver-sión de una historia escrita por Jenofonte, que cuenta el modo gallardo en que Tigranes ofreció su vida por la libertad de su mujer, ambos cau-tivos de Ciro según Martínez de la Parra, ante lo cual éste decide otor-gar a ambos la libertad; de regreso a casa, preguntó Tigranes a su esposa «¿qué te pareció del rey Ciro? No es bizarro, galán y generoso? A lo que ella respondió: ¿qué me preguntas? Que yo todas mis atenciones, mis ojos y mis pensamientos los tuve puestos sólo en aquel que por mi libertad ofreció su sangre y su vida; y así, ni vi ni advertía nada en otro ninguno»[81]. El ejemplo histórico que demuestra la afirmación primera del silogismo «que sólo has de vivir para aquel, que por ti dio su vida», recuerda el lugar y el uso del ejemplo para muchos preceptistas del Renacimiento, incluidos Vives y Erasmo, desde «el reconocimiento de sus cualidades para la moción de los afectos y de su tradicional subordinación al *praeceptum* religioso en el contexto del discurso moral», como dice José Aragüés[82].

Otra forma de dilatación argumental por yuxtaposición es aquella donde los elementos que convergen consisten en series de pruebas deductivas e inductivas; esto es, el predicador prueba deductivamente en forma exhaustiva, acumulando razonamientos y entimemas, para luego pasar a una serie de pruebas inductivas, ejemplos o comparaciones que ilustran la prueba deductiva y la causa a un tiempo, lo que recuerda las recomendaciones de Quintiliano respecto al uso de las pruebas: si son poderosas habrán de usarse por separado, si son débiles deberán usarse juntas[83]. De este modo argumenta Martínez de la Parra en una plática en que intenta mostrar la dignidad que implica el ser cristiano, pues a los argumentos deductivos sigue un rosario de ejemplos aludidos (o series de *commemorata*) como anecdotario de hombres famosos, concluyendo con la *commemoratio* de una disputa epistolar entre Carlos V y Francisco I de Francia donde este último, envidioso de los muchos títulos con que aquél signaba sus cartas, firmaba las suyas sólo con el título «rey de Francia», que para él eso bastaba, como debiera bastar para el buen cristiano sólo ese título: «buen cristiano».

---

[81] La historia se encuentra en la *Ciropedia* de Jenofonte (III, 1, 36-41), aunque con algunas diferencias respecto a la versión de Martínez de la Parra, pues en el relato original Tigranes no es cautivo de Ciro, sino tributario, y la pregunta no fue hecha de regreso a casa sino en el palacio de Tigranes, antes de dormir.

[82] Aragüés, 1993, p. 130.

[83] «Con las más sólidas de todas las pruebas debe procederse una por una, las más débiles se han de presentar juntas, porque no conviene deslucir las que por sí mismas son fuertes con las que giran en torno a ellas» (Quintiliano, *Institutio*, V, XII, 4).

Si la dilatación por yuxtaposición que emplea Martínez de la Parra supone la mera extensión de los razonamientos por anexión de un ejemplo, de varios o de varias alusiones a los mismos, la dilatación por combinación implica una operación algo más compleja para hacer coexistir la inducción con la deducción, que consiste en una suerte de fusión de ambas formas de argumentación. Aunque la deducción retórica no es en rigor una deducción perfecta o dialéctica, donde el silogismo se encuentre expresado en todas sus proposiciones, sí necesita de la expresión de al menos dos de ellas: un punto de partida de la deducción y su resultante; de este modo, la dilatación por combinación se construye a partir de la inclusión de un ejemplo, o su alusión conmemorativa, ya sea como primera premisa de la deducción o como la premisa concluyente. Del primer caso tenemos la siguiente combinación:

> Porque Sabina Poppea tenía el cabello como azafrán, de que gustaba mucho Nerón, todas las mujeres de Roma buscaban a todo costo tintas con que teñirse de aquel color los cabellos [...] Pues si así de una criatura se procura imitar aun la deformidad, la fealdad [se refiere también a quienes imitaron de Carlos V la calvicie, de Alejandro Magno el cuello torcido, etc.] y el vicio ¿por qué de nuestro Dios no procuraremos imitar las virtudes? (I, 8).

Quintiliano ya había descrito esta posibilidad narrativa de las pruebas deductivas, «bajo cuyo nombre entienden los griegos los entimemas», al clasificarlas con base justamente en el punto donde inicia la deducción, pues para él ésta puede hacerse a partir de una primera información proporcionada por los sentidos, o con base en el sentido común o bien con base en el relato de un hecho verosímil[84]. La última clase de estas pruebas deductivas descritas por Quintiliano puede suponer la existencia implícita o aludida de un relato desde cuyas consecuencias ejemplares puede emprenderse la deducción, como ha sido el caso en la combinación deductiva anterior cuya primera premisa es un ejemplo en *commemoratio*. Y así como el ejemplo puede funcionar como primera premisa de un razonamiento condicional, del mismo modo puede ser la última, como sucede en la plática cuatro del libro primero, ya citada, con la que Martínez de la Parra busca mostrar la dignidad del cristiano:

---

[84] Quintiliano, *Institutio*, V, X, 15-16.

si tienes la fe muerta, sin hacer ninguna obra buena, si tienes perdida la
caridad, que es la vida del alma, si tienes perdida la gracia, que te hacía hijo
de Dios, y si todas las virtudes las tienes perdidas con tantos pecados mor-
tales ¿te atreverás todavía a decir que eres Cristiano? // Pues antes que lo
digas oye un ejemplo que hará estremecer corazones de bronce (I, 4).

Además de parafrasear la frase que, tomada de Santiago, resumía el
concepto activo y militante de la fe cristiana que practicaba y promovía la Compañía: «la fe sin obras es una fe muerta»[85], y que resumía
también su posición frente a reformistas, como Lutero, que pretendían
que la sola fe era capaz de otorgar la salvación al hombre, este caso
plantea una combinación deductiva que coincidirá con aquella función del ejemplo como respuesta a una pregunta, descrita anteriormente, sólo que aquí la deducción está expresada claramente en el
razonamiento condicional, lo que obliga a la riesgosa consideración del
ejemplo como elemento entimemático más que paradigmático. Se trata
del ejemplo ya citado de la vida de san Jerónimo, que cuenta los trabajos que el santo pasaba para dejar sus lecturas paganas.

El razonamiento condicional, por lo demás, puede implicar otras
formas del paradigma diferentes del ejemplo, como las comparaciones,
donde éstas implicarían la presentación de una situación hipotética.

Conclusión con ejemplo

Si el sermón temático, estructurado a partir de las *artes praedicandi*
medievales, no daba aparentemente demasiada importancia a la conclusión del discurso, lo que para muchos indicó una despreocupación
de aquel tipo de sermón y de aquellas preceptivas por la unidad literaria[86], la vuelta a las preceptivas clásicas, en el siglo XVI, significó una
reestructura de los discursos sagrados donde al parecer la conclusión
volvió a tener una función importante. En los discursos posteriores a

___

[85] «Hermanos míos, ¿de qué aprovechará si alguno dice que tiene fe y no tiene
obras? ¿Podrá la fe salvarlo? Y si un hermano o una hermana están desnudos y tienen necesidad del mantenimiento de cada día, y alguno de vosotros les dice: "Id en
paz, calentaos y saciaos", pero no les dais las cosas que son necesarias para el cuerpo, ¿de qué aprovecha?» (Santiago, 2, 14-26).
[86] Ver O'Malley, 1979, p. 60.

las preceptivas humanistas, los fines de conclusión o *peroratio*, como en la antigüedad, eran refrescar la memoria, tanto respecto a la causa del discurso como en cuanto a las diferentes razones o inducciones traídas para probarla; además, la conclusión servía para influir en las afectos del auditorio con el fin de disponerlo a una persuasión final, pues esta viene a ser ya la última oportunidad para hacerlo[87]. También desde antiguo se había visto que la función conclusiva de la *peroratio* podía ser cumplida por algún tipo de digresión, como los ejemplos, tal y como lo había reconocido con algo de reticencia Cicerón, quien antes de iniciar su tratamiento de la peroración o *conclusio* transige con Hermógenes sobre la posible pertinencia del uso en este lugar de la digresión:

> Aquel piensa que es oportuno que en esta digresión se presente algún discurso alejado de la causa y de la judicación misma, que contenga ora una alabanza de sí mismo, ora una vituperación del adversario, o bien, desvíe hacia otra causa, de donde se obtenga algo de confirmación o de refutación, no argumentando, sino aumentando mediante alguna amplificación[88].

No pocos predicadores postridentinos encontraron que una digresión narrativa podría ser parte de la *peroratio*, siguiendo esta curiosa concesión de Cicerón, pues su uso fue muy frecuente sobre todo en piezas oratorias de corte didáctico y popular, como las pláticas de Martínez de la Parra en las que la presencia del ejemplo en función conclusiva es recurrente; en ocasiones, incluso, se trata del único ejemplo que en ellas aparece, y cuando eso sucede la forma en que el predicador lo introduce sugiere que los oyentes esperaran, efectivamente, al menos un ejemplo en cada plática: «Breve será el ejemplo, pero eficaz», dice antes de cerrar la plática 46 del tratado segundo, cuyo irónico título indica el propósito de ilustrar un vicio colectivo y sus varias causas, y cuya exposición implica una divertida crítica social: «Universidad del hurto en varias clases, facultades y sutileza, para hacer daño al prójimo». Se trata de un ejemplo en el que un religioso franciscano se dis-

---

[87] «A todo lo dicho se sigue la peroración, que unos llaman complemento de la oración y otros conclusión. Sus partes son recapitulación y movimiento de afectos» (Quintiliano, *Institutio*, VI, 1, p. 285)

[88] Cicerón, *De Inventione*, I, p. 97.

ponía a preparar un sermón fúnebre, panegírico de las honras del difunto alcalde de una villa de Aragón, y mientras lo preparaba se le apareció el muerto pidiendo que no predicara sus honras, sino sus deshonras, pues por haber sido mal alcalde estaba ahora ardiendo en el Infierno, y aun más: «que todos los jueces y ministros de justicia, regidores, alguaciles, escribanos, que han muerto en esta villa de sesenta años a esta parte, todos están ardiendo en el Infierno, por no haber cumplido con las obligaciones de su oficio» (II, 46).

Sin duda la eficacia como *peroratio* (para refrescar la memoria afianzando la causa e influir en los afectos del oyente) de un ejemplo cuyo tema era el robo por parte de las autoridades, no podía ser mayor si implicaba un caso real de condenación eterna de un alcalde; por ello es tal vez que el predicador propone su consideración como hecho efectivamente sucedido, aportando la fuerza argumental del ejemplo histórico: «Refiere fray Joseph de Carabantes, religioso capuchino, que estando ya para morir un religioso de san Francisco juró por el paso en que estaba que era verdad este suceso». Lo regular no es, sin embargo, que el ejemplo final sea el único de la plática (ni que con ejemplos históricos se ilustren críticas a la autoridad), pues los relatos ejemplares son más bien abundantes, sobre todo en su función argumental propiamente dicha.

En algunos casos el discurso puede cerrar con un exhorto o epifonema, después del cual viene directamente el ejemplo, como el que continúa la siguiente exclamación con que el predicador cierra una plática en que intenta explicar la magnitud del amor de Dios:

> ¡Oh qué cotejo! Perder la nada por tener el todo; perder lo mismo que por instantes se nos va y nos deja, por tener lo que por una eternidad nos llenará de gozos; perder, en fin, la vileza de las criaturas por la hermosura infinita, por la perfección inmensa de Dios. // Refiere fray Tomás de Cantimprato hubo en Bravancia una doncella muy virtuosa, hermosa y noble [...] (II, 3).

El ejemplo que inmediatamente sigue al epifonema expone directamente, en forma narrativa, los argumentos del mismo, de modo que el relato en sí es una suerte de amplificación de la conclusión, si cabe reconocerlo así; se trata de una historia pretendidamente verídica en que una joven, atribulada por tentaciones de la carne que no desaparecían por más visitas al confesionario, es sorprendida en una ocasión en que salía de casa por una aparición del mismísimo Jesucristo, quien busca persuadirla de su necedad con razones que más bien parecen de amante cortés:

> ¿A dónde vas? Le previene la voz, y al parar la atención le embarga la vista ¿quién? El más hermoso de los hijos de los hombres, Cristo nuestro redentor, que mostrándole sus llagas frescas y corriendo sangre le dijo: ¿Es por ventura ese mancebo más hermoso que yo? ¿Es más dulce en sus finezas que yo en las que he hecho por ti? Pues ¿qué vas a buscar? Ámame a mí más que a él, que yo más que él soy liberal, soy noble, soy dulce y soy hermoso. Dijo, y desapareció de sus ojos y de su corazón toda tentación de la carne, hasta el último aliento de su vida (II, 3).

Capítulo 3

HISTORIAS, MENTIRAS Y OTRAS MORALIDADES

Si antes se ha dicho que en el libro II de su *Retórica* Aristóteles había formulado unos principios taxonómicos básicos para las pruebas retóricas, ahora habría que agregar que no todos los paradigmas resultan prueba absoluta, pues hay en ellos grados de relación inductiva que deben tenerse en cuenta para poder comprender el diferente carácter del ejemplo histórico y el ficcional frente a una causa moral o cívica. Se trata de otra distinción fundamental para la historia del relato probatorio, pero esta no aportada por Aristóteles sino por el anónimo autor de la *Rhetorica ad Herennium*, la cual parte de la sutil diferencia que existiría entre testimonio y ejemplo, en tanto que el ejemplo no es en realidad prueba, como el testimonio, sino sólo confirmación: «Pues el testimonio y el ejemplo difieren en lo siguiente: el ejemplo demuestra la naturaleza de lo que decimos, el testimonio confirma su verdad»[1].

Si la *Rhetorica ad Herennium* excluía la posibilidad de que el ejemplo fuese en realidad prueba, como el testimonio, Cicerón relativizaría aun más la función ilustrativa del mismo estableciendo una gradación, pues para él la argumentación «parece ser un hallazgo, de algún género, que muestra probablemente, o que demuestra necesariamente alguna cosa», donde puede caber duda sobre la distancia entre mostrar y demostrar, entre *ostendere* y *demonstrare*[2], pero no sobre lo que significa lo probable

---

[1] *Ad Herennium*, IV, 5 [III].

[2] «aut probabiliter ostendens aut necessarie demonstrans» diría el texto latino (Cicerón, *De Inventione*, I, 44). Mientras *ostendere* significa mostrar, presentar, *demonstrare* significa 'hacer ver', 'hacer conocer'.

para la argumentación, pues añade que ello es «o un signo, o lo que es creíble, o juzgado, o comparable»[3]. Para efectos prácticos, aquí se seguirá el concepto aristotélico de paradigma retórico al que sin duda confiere función de prueba (por supuesto menor a la que tendría cualquier prueba dialéctica) aunque se considerará también la diferente calidad probatoria de las diferentes especies ejemplares, sobre todo bajo la distinción de históricas y ficcionales: los ejemplos históricos *demostrarían* una verdad moral, en tanto que son testimonios reales de la misma; mientras que los ficcionales sólo la mostrarían o ilustrarían.

HISTORIAS *VERSUS* CUENTOS

En el libro II de su *Retórica* Aristóteles formuló unos principios taxonómicos de las pruebas que, gracias a su sólida sencillez, pueden describir los usos ejemplares no sólo de los discursos clásicos sino también de toda la elocuencia posterior en Occidente:

> De las persuasiones mediante el mostrar o aparentar mostrar, así como en las cosas dialécticas una es inducción, otra silogismo, otra aparente silogismo, también aquí es de manera semejante; pues el paradigma es inducción y el enthymema, silogismo y el aparente enthymema, aparente silogismo. Y llamo enthymema al silogismo retórico, paradigma, en cambio, a la inducción retórica[4].

Esta clasificación de las pruebas retóricas constituye uno de los tópicos de la tradición preceptiva, al punto en que la traducción que hace J. H. Freese de la *Retórica*[5] traduce 'paradigma' directamente a 'ejemplo' pasando, sin decir, por la traducción que los latinos, particularmente Quintiliano, hicieron del estagirita. Adelante Aristóteles insistiría en esta distinción:

---

[3] Cicerón, *De Inventione*, I, p. 47.
[4] Aristóteles, *Retórica*, I, II, p. 8 [1356^b].
[5] Freese, 1991.

Corresponde hablar de las pruebas comunes a todas las ramas de la retórica, puesto que las pruebas particulares han sido ya discutidas. Estas pruebas comunes son de dos clases, paradigmas y entimemas (la máxima es parte de un entimema). Hablemos primero del paradigma; el paradigma se asemeja a la inducción, y la inducción es un principio[6].

Después de reconocer y definir estas dos formas de la argumentación retórica Aristóteles estableció veintiocho tópicos para la deducción "—«entimemáticos» los llamó—" y describió sucintamente las especies de la argumentación inductiva o paradigmática a partir de las fuentes que se utilizasen para la comparación: un tipo de paradigmas que tendrían como base los hechos sucedidos en el pasado y que servirían como ejemplos para el juicio de los hechos presentes o para la deliberación de los futuros, esto es, lo que los latinos conocerían como ejemplo histórico, y los paradigmas creados por el propio orador o tomados de la invención de otros autores, principalmente poetas prestigiados. En cuanto a estos paradigmas inventados, Aristóteles consideró que podían consistir o bien en una mera comparación, que llamó parábola, o bien en un pequeño cuento, que llamó fabula (como las de Esopo o ciertas fábulas de origen africano o «líbicas»)[7]. En este sentido, si se hubiera de representar gráficamente la taxonomía aristotélica de los argumentos, quedaría del modo siguiente:

---

[6] II, XX, 1 [1393ª]. En cuanto a que «la inducción es un principio» se refiere al hecho de que ella es, como dice Freese «a starting-point and first principle of knowledge».

[7] «Y hay dos clases de paradigmas: pues una clase de paradigmas es el decir cosas sucedidas antes; otra, el que uno mismo las produzca. Y de éste, una es la parábola, otra, las fábulas, cual las esópicas y las líbicas» (*Ret.*, II, XX, 2 [1393ª]). Cabe mencionar que Quintiliano también menciona las fábulas líbicas llamándolas apólogos, de donde tomarían su nombre definitivo (Quintiliano, *Institutio*, V, XI, 20), su particularidad era la presencia de personajes animales; al parecer para Aristóteles los cuentos de animales no son propiamente fábulas esópicas, como hoy podría considerarse.

En la *Rhetorica ad Herennium* es posible encontrar una traducción bastante fiel, aunque crítica, de las enseñanzas de la elocuencia griega en lo que a las pruebas inductivas se refiere, no obstante que el anónimo autor al parecer prefería la función ornamental a la argumental del ejemplo pues, como ya se vio, se extendió más en su consideración como figura que como prueba. Sin embargo, en el lugar dedicado a los tipos de narración pudo agregar una fina apreciación de los relatos ejemplares, haciendo énfasis no sólo en el origen de los mismos, como había propuesto Aristóteles, sino directamente en su relación con lo verdadero; de este modo, es posible encontrar en el libro I dos clases de narraciones, distintas en cuanto al tema que tratan: una con base en los hechos aludidos o referidos en la causa y otra con base en las personas; la narración con base en los hechos puede a su vez presentarse en tres formas: *fabula, historia, argumentum*[8], donde tanto la fábula como el argumento corresponden al ejemplo de tipo ficcional, sólo que el primero

---

[8] *Ad Herennium*, I, 13 [VIII].

incluye elementos que podrían ser hoy considerados como maravillosos, es decir, ajenos a una concepción empírica de la historia, mientras que el segundo nombra los ejemplos ficcionales de corte realista. De esta importante distinción se tratará luego con mayor detenimiento, cuando se estudien las diferentes especies de ejemplo ficcional. Quede por el momento la certeza de que esta clasificación de la *Rhetorica ad Herennium* implica una distinción fundamental no sólo para la historia de las pruebas ejemplares, sino para la historia de la literatura en su conjunto, pues el reconocimiento de la capacidad retórica de fingir la realidad, y sobre todo la descripción de esta misma capacidad, bien puede ser uno de los orígenes de la reflexión sobre la narrativa literaria. Por lo demás, esta primera sanción del ejemplo ficcional no podía aparecer sino en una retórica cuya consideración del ejemplo no era estrictamente argumental sino ornamental. En suma, con un poco de licencia se podría deducir la siguiente taxonomía, implícita en las consideraciones hechas en diferentes partes de la *Rhetorica ad Herennium*, ajustando opiniones sobre el ejemplo con las vertidas sobre la *narratio* en general:

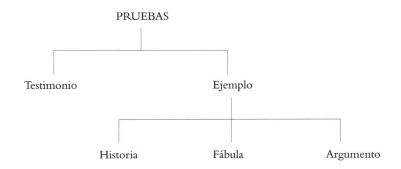

Por su parte Cicerón, aunque también sigue en lo fundamental la taxonomía aristotélica respecto a la argumentación al considerar que «toda argumentación debe ser tratada o por inducción o por raciocinación», lleva las cosas un poco más lejos pues se ocupa en describir asuntos no tocados por aquél, como su preferencia por una comparación no dudosa:

La inducción es el discurso que, con cosas no dudosas, capta el asentimiento de aquel con quien se ha establecido; con estos asentimientos hace que alguna cosa dudosa para aquél, sea probada a causa de la semejanza de aquellas cosas con que asiente[9].

Cicerón se refirió al género de argumentación inductiva como *comparabile* y sus especies fueron para él la *imago* (o *eikon*), la *collatio* y el *exemplum*[10]; es decir, llamó *collatio* a lo que Quintiliano llamará después *similitudo* (en su acepción de especie fabulosa de la prueba inductiva) y *comparabile* a lo que etimológicamente es una prueba por semejanza, es decir, *similitudo* en sentido genérico, añadió la *imago* (forma de inducción ausente de la nomenclatura aristotélica) pero omitió cualquier señalamiento sobre la diferencia entre los ejemplos ficcionales de carácter realista y los fabulosos, que ya había reconocido la *Rhetorica ad Herennium*. Sin embargo, su clasificación pudo prevenir la bisemia que la taxonomía de Quintiliano provocaría después sobre el *exemplum*, al hacerlo exclusivamente especie y no género:

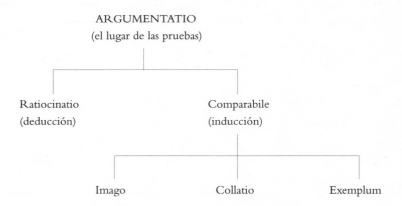

ARGUMENTATIO
(el lugar de las pruebas)

Ratiocinatio   Comparabile
(deducción)   (inducción)

Imago   Collatio   Exemplum

Al inicio del capítulo XI del libro V de la *Institutio oratoria*, que Quintiliano dedica enteramente al ejemplo, se encuentra una definición fundamental para toda la compleja historia posterior de la prueba

---

[9] Cicerón, *De Inventione*, I, 31/51.

[10] «La imagen es el discurso que demuestra la semejanza de cuerpos o de naturalezas. Parangón [*collatio*] es el discurso que compara una cosa con otra por su semejanza. Ejemplo es lo que consolida o debilita una cosa por autoridad o por causalidad de algún hombre o negocio» (Cicerón, *De Inventione*, I, 49).

retórica inductiva, donde hilvana la mayoría de las consideraciones preceptivas anteriores, desde Aristóteles, para sentar las bases de una taxonomía de largo aliento que, sin embargo, conserva aún resabios de las confusiones entre su consideración como género o como especie que parecen no haber abandonado nunca las referencias posteriores del ejemplo. Quintiliano apuntó que los escritores latinos prefirieron llamar *similitudo* a lo que los griegos habían llamado parábola (es decir, una de las especies de la argumentación inductiva aristotélica) y que tradujeron paradigma (el género) como *exemplum*; sin embargo, como el *exemplum* implicaba semejanza podría ser también considerado *similitudo* etimológicamente hablando:

> Nuestros autores latinos han preferido por lo común la denominación de semejanza (*similitudo*) para lo que los griegos llaman propiamente *parabolé*, y la de *exemplum* para esto segundo —*parádeigma*—, aunque también *exemplum* es algo semejante y lo semejante es un *exemplum*. Para hacernos más fácilmente comprensibles en lo que aquí se expone, demos por supuesto nosotros que el término *parádeigma* comprende ambas significaciones y, en este sentido, llamémoslo *exemplum*[11].

En tanto género, el *exemplum* para Quintiliano podía incorporar historias tradicionales (no necesariamente verdaderas), e incluso ficciones inventadas por los poetas. En su más usada definición del ejemplo, parafraseada con frecuencia posteriormente, es posible encontrar de nuevo la aceptación del ejemplo ficcional de corte realista a pesar de su preferencia por las fuentes históricas autorizadas: «lo que propiamente llamamos ejemplo, es decir, la mención de un hecho real o *presuntamente real*, útil para persuadir de aquello que tú pretendes»[12]; aceptación también presente en la recomendación que incluye en el libro XII:

---

[11] Quintiliano, *Institutio*, V, XI, 1-2.
[12] Cursivas mías. Conviene incluir aquí la cita latina dado el enorme uso textual que de ella se hizo posteriormente y cuya parte señalada en cursivas en la traducción (*aut ut gestae*) fue algunas veces mutilada a fin de eliminar precisamente la posibilidad del uso de cualquier otro ejemplo que no fuese el histórico: *quod proprie vocamus exemplum, id est rei gestae, aut ut gestae, utilis ad persuadendum id, quod intenderis, commemoratio* (Quintiliano, *Institutio*, V, XI, 6).

el orador debe tener a su disposición gran riqueza de ejemplos, tanto de los tiempos antiguos como de los modernos, hasta el punto de que no sólo tiene obligación de conocer lo que se halla escrito en las obras de Historia, o lo que en la narración oral se ha trasmitido como de mano en mano y todo lo que diariamente acontece, sino que ni siquiera puede mirar con indiferencia los ejemplos que han imaginado los más egregios poetas[13].

Tal vez sea excesivo redundar en que esto último sin duda permitía también la inclusión de relatos de muy diversa índole, no únicamente históricos o realistas sino aun fabulosos, pues al recomendar el uso de fuentes tradicionales recomendaba también implícitamente el amplio repertorio ficcional de la tradición oral.

Quintiliano era también muy claro sobre lo que consideraba la superioridad de los hechos históricos en cuanto prueba, no obstante justifica el uso de narraciones ficcionales y se detiene en poner ejemplos de tal uso con base en la defensa de Orestes en las *Euménides* de Esquilo, incluso alienta el uso de

aquellas fabulitas, que aunque no tuvieron su origen en Esopo (pues su primer garante parece ser Hesíodo) [...] suelen encantar principalmente los corazones de aldeanos y personas no cultas, quienes escuchan con la mayor sencillez esas cosas inventadas y cautivados por su encanto dan fácilmente asentimiento a los que deben este deleite[14].

Con base en lo dicho, una probable taxonomía ejemplar de Quintiliano quedaría como sigue:

---

[13] Quintiliano, *Institutio*, XII, 4, 1.
[14] Quintiliano, *Institutio*, V, XI, 19. Quintiliano agrega que «mientras que los griegos llaman esto *ainos* (discurso admonitorio) y, como he dicho, *aisopeíous* (historietas esópicas) y *libykoús* (líbicas), algunos de nuestros escritores lo llaman *apologatio*, denominación que realmente no ha pasado al uso común».

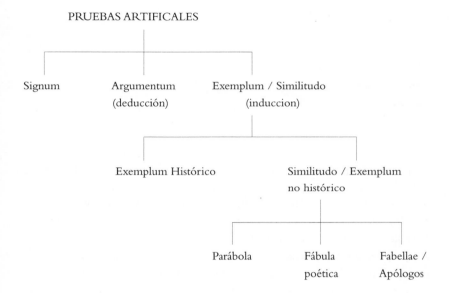

PRUEBAS ARTIFICALES

Signum   Argumentum   Exemplum / Similitudo
          (deducción)   (induccion)

Exemplum Histórico   Similitudo / Exemplum
                      no histórico

Parábola   Fábula   Fabellae /
            poética   Apólogos

En suma, estas consideraciones taxonómicas del ejemplo regirían desde la retórica antigua los usos ejemplares posteriores, a lo que después se añadiría alguna cosa relativa a las nuevas fuentes de los relatos en la elocuencia cristiana, el desprestigio preceptivo y prestigio práctico del ejemplo ficcional o la paulatina (aunque jamás absoluta) reducción de lo histórico al ámbito de la historia sagrada o la tradición hagiográfica. Respecto a lo primero, san Agustín intentó tempranamente establecer una mínima serie de especies ejemplares incluyendo los libros históricos de la Biblia, las vidas y milagros de los mártires, incluso la Antigüedad profana y la experiencia personal[15]. En ello ya se puede ver una marcada preferencia por las fuentes «históricas» que se mantendría en la mayoría de las preceptivas medievales, pues se buscaba lograr el doble propósito de autorizar el discurso y de difundir las historias bíblicas, con la salvedad de que el universo de lo histórico en los discursos religiosos resultaría sin duda de dimensiones muy amplias, como adelante se discutirá.

---

[15] Welter dice que san Agustín había asignado al ejemplo un lugar «généralement après l'exposé doctrinal. [y que] Ses sources son livres historiques de la Bible, la vie et les miracles des martyrs, l'antiquité profane et son expérience personnelle» (Welter, 1927, p. 13).

FUENTES DEL EJEMPLO EN SAN AGUSTÍN

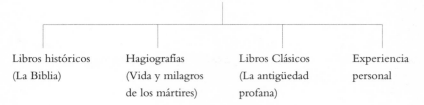

Libros históricos	Hagiografías	Libros Clásicos	Experiencia
(La Biblia)	(Vida y milagros	(La antigüedad	personal
	de los mártires)	profana)	

Junto a la defensa que san Ambrosio y san Agustín habían hecho de la Biblia, como obra que contenía tantas figuras y elocuencia como las mayores clásicas, se le hizo también suma de ejemplos históricos autorizados por la historia sagrada; no obstante, san Isidoro en sus *Etimologías* abriría después la puerta al uso de ejemplos tradicionales al lado de los bíblicos, entendiendo por tradicionales, en este momento, los ejemplos históricos que habían consolidado prestigio desde Cicerón[16]. Esta particular preocupación por el origen de los relatos probatorios ayudó a que el ejemplo pasara paulatinamente de prueba doctrinaria en la preceptiva patrística a una suerte de forma narrativa un tanto autónoma, y a configurar las fuentes de su legitimidad con base en la tradición más que en el canon; o, como dice Bataglia, la literatura ejemplar se alejó de la autoridad bíblica al proponer modelos ejemplares cotidianos, o bien que apostaban a la cotidianidad: «era, in certo senso, l'anti-bibbia: o, tanto voler esser più cauti, la bibbia della vita cuotidiana»[17].

De este modo, durante el florecimiento preceptivo del siglo XIII, la aceptación de la *res fictae* en las preceptivas medievales no estuvo exenta de conflicto, por el contrario, las artes de predicación siempre mostraron una preferencia por las fuentes históricas, cuando no una deliberada ignorancia de cualquier otra fuente[18]. Sin embargo, la práctica

---

[16] Ver Alberte, 2000.

[17] Bataglia, 1959, p. 72.

[18] Muchas fueron las *artes praedicandi* que mantuvieron esta preferencia por lo histórico, lo que sin duda redujo en teoría las posibilidades ejemplares, aunque ello significó también mantener una voluntad de dictar normas sobre el uso del ejemplo en la oratoria cristiana, previa al Concilio de Letrán: a las obras fundadoras de san Agustín (sobre todo *De doctrina Christiana*) y de san Gregorio Magno (*Regula pastoralis*) se pueden agregar las de Rabano Mauro (*De institutione clericorum*),

concreta de la predicación, sobre todo aquella dirigida a auditorios populares, siempre contó con el apoyo de las fuentes tradicionales para hacerse de ejemplos, donde los relatos ficcionales abundaban; tal vez por ello es que en la obra de Ramón Llull se censuraba todo lo relativo a «falses semblances», es decir todas aquellas comparaciones ejemplares que no pudieran proponerse como hechos ciertos[19], del mismo modo en que el rey don Sancho aconsejaba en sus *Castigos e documentos* que «Palabra de fabriella non le debe meter en la predicaçión, ca la predicaçión ofiçio santo e verdadero es, e por eso el que predica non debe ý poner palabra mintrosa nin dubdosa»[20].

En el siglo XV, paralelamente a su censura en preceptivas retóricas, la ficción sufrió serios cuestionamientos en el ámbito de la historiografía. Los humanistas habían ampliado las antiguas tres artes liberales a cinco, formulando e incluyendo la lógica y la historia como disciplinas independientes, y fortaleciendo en esta última la condición de verdad, a fin de lograr aquí también la función ejemplar que a toda historia se atribuía desde antiguo, en tanto *magistra vitae*. Si la historia había de educar a los hombres presentes, lo tendría que hacer con base en experiencias reales de los hombres pasados y no con base en sucesos de dudosa verdad; sin embargo, así como los historiadores humanistas que vituperaban la falsedad de los libros de caballerías no lograron que las historias escritas bajo la pretensión de verdad fuesen alejadas absolutamente del universo de la ficción, del mismo modo la predicación de los siglos XVI y XVII no abandonó del todo la inclusión de los relatos ficcionales en sus argumentos.

Durante el Renacimiento y Barroco pervivió el sentido de la *similitudo* como ejemplo ficcional aunque, inversamente al hecho de que las preceptivas venían dando al ejemplo la dual condición de género y especie histórica, corrientemente era posible llamar ejemplo, o «caso ejemplar», a las *similitudines* fabulosas. La práctica de la predicación en los años del Barroco español volvió pues a poner al *exemplum* al centro de una polémica, en uno de cuyos polos se fortaleció, sobre todo en cuanto a su expresión fabulosa, de manera que, floreciendo poliánteas

Guillermo de Nogent (*Liber quo ordine sermo fieri debet*) o Alain de Lille (*Summa de arte praedicatoria*), entre otros.
[19] Ver Aragüés, 2000, p. 178.
[20] Don Sancho, *Castigos e documentos*, p. 111.

ejemplares, conceptos predicables y censuras conciliares repetidas, el Renacimiento y el Barroco compartieron «una idéntica lectura del símil y del *exemplum* histórico como medios alternativos para el desciframiento, en la naturaleza y en la historia, de aquel complejo haz de semejanzas que explica el "orden del universo"», como dice José Aragüés[21].

Precisamente respecto al ejemplo barroco, Aragüés propuso en 2002 una breve taxonomía tripartita: *exemplum* (histórico), *imago* (breve ilustración por comparación visual) y *similitudo* (en donde hace caber todos los relatos de carácter ficcional)[22]. Se trata de una clasificación de raíz ciceroniana aunque con alguna influencia de Quintiliano, pues sustituye la *collatio* de Cicerón por la *similitudo* de la *Institutio* al tiempo que sostiene aún la doble acepción del *exemplum* (género y especie) propia de Quintiliano:

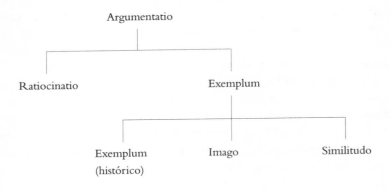

Para Aragüés el *exemplum* es género y especie, la *similitudo* sólo especie: «esa misma consideración de la *similitudo* como especie del *exemplum* apuntada por Quintiliano»; aunque también, como concedería dos años más tarde «la *similitudo* pudo ser sentida como estricta equivalente de aquél [del *exemplum*], como categoría paralela o antagónica del mismo, e incluso, invirtiendo por completo aquel edificio terminológico de la *Institutio oratoria*, como nombre global del género»[23].

[21] Aragüés, 2003, p. 24.
[22] Aragüés, 2002, p. 83.
[23] Aragüés, 2004, pp. 31y 32.

Con todo, resulta difícil armar una taxonomía completa del ejemplo barroco con base en tan escasos elementos preceptivos o estudios de su uso práctico; no obstante, el hilo que une los usos del ejemplo desde la Antigüedad hasta el siglo XVII bien puede advertirse en estos ensayos clasificatorios. En cualquier caso, una descripción de la argumentación ejemplar no quedaría completa si excluye la determinación de los tipos de textos que en ella se usan, y no sólo incluye el modo en que éstos se usan, pues entre tipos de texto y modos de uso existe una relación mucho más consistente que la mera coincidencia, como se ha visto al explicar la diferencia gradual que habría entre mostrar y demostrar, que bien corresponderían a las posibilidades ilustrativas o probatorias del ejemplo ficcional y el histórico respectivamente.

Para una clasificación de los ejemplos insertos en las pláticas de Martínez de la Parra conviene pues tomar como primer criterio el carácter histórico o no del hecho narrado, pues ello permite en primer lugar evaluar la efectiva consideración de las preceptivas por parte de este predicador, las cuales en general establecían como prioritario el uso del ejemplo histórico, así como apreciar también su seguimiento de la tendencia general que frente a la censura preceptiva seguía considerando útil el ejemplo ficcional; en segundo lugar, esta partición da pie también a la determinación de las formas y los usos propios tanto del ejemplo histórico como de la ficción ejemplar, pues ni los unos se reducen al mero recuerdo de historias bíblicas o vidas de santos, ni los otros a la mera inclusión de fábulas o apólogos, sino que por un lado se debe considerar el aporte de la historia profana y, por el otro, el uso de cuentos de corte realista entre los ficcionales, como las parábolas cuya estructura y tono en muy poco se distinguirían de los históricos como no sea en la ausencia de pretensión efectiva de verdad acusada por la autorización, la presencia de personajes históricos o la ubicación temporal y espacial del relato.

Del análisis de los distintos tipos de ejemplo histórico debe desprenderse también la consideración de que la propia concepción de verdad histórica contenida en ellos merece ser tratada con detenimiento pues, en un contexto donde lo sobrenatural puede ser considerado verdadero, habrá que discernir los criterios de verdad de la época e incluir, aunque repugne a las actuales consideraciones al respecto, los relatos sobrenaturales entre los ejemplos históricos, si media en su inserción la autorización que intenta probar su carácter verdadero. Del

mismo modo, el análisis de los distintos tipos de ejemplo ficcional permite entre otras cosas una discusión sobre la idea de verosimilitud que
corresponde usar para la descripción de los relatos ejemplares. Así, una
clasificación de los ejemplos usados por Juan Martínez de la Parra en
su *Luz de verdades Católicas*, quedaría como sigue:

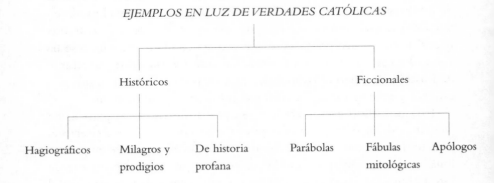

EJEMPLOS EN LUZ DE VERDADES CATÓLICAS

Históricos — Ficcionales

Hagiográficos — Milagros y prodigios — De historia profana — Parábolas — Fábulas mitológicas — Apólogos

Si el criterio principal de clasificación aquí, como sucede desde la
Antigüedad, es la pretensión de verdad histórica que el orador otorga al
relato probatorio, debe advertirse al interior de la clase de ejemplos históricos una diferencia no expresada, más allá de la temática, que corresponde al carácter autorizado o no de los mismos. En este sentido, la diferencia entre los ejemplos históricos autorizados y los fabulosos sería por
demás clara, pues ilustraría los puntos extremos del continuo de posibilidades ejemplares, pero no lo sería tanto la que podría mediar entre los
históricos no suficientemente autorizados y algunos ejemplos ficcionales
de corte realista como las parábolas, pues aquéllos sólo se distinguen de
éstos en la pretensión explícita de verdad histórica.

Por otra parte, con base en esta clasificación conviene hacer notar
una probable diferencia entre los ejemplos fabulosos y los milagros respecto a su relación con lo real, más allá de la condición histórica que el
predicador da a los segundos, pues en ella se implica la distancia que hoy
podríamos reconocer entre relatos fantásticos y maravillosos, en virtud
de su diferente compromiso de credibilidad con el receptor, porque al
igual que los cuentos maravillosos las fábulas ejemplares establecen un
contrato implícito que exime al receptor de toda posibilidad de mezclar
lo real con lo ficticio o, lo que es lo mismo, de considerar eventualmente

que el hecho narrado pudo haber sucedido efectivamente; en cambio, los milagros plantean ante el receptor una extraña relación entre lo natural y lo imposible en términos físicos que seguramente extrañaría a una concepción naturalista del mundo, a juzgar por el adjetivo «prodigioso» que el propio predicador otorga a este tipo de ejemplos.

Esto no quiere decir, por supuesto, que los casos prodigiosos puedan ser considerados literatura fantástica *avant la lettre*, pues la aceptación del prodigio era mucho mayor entre los habitantes de la Ciudad de México hacia fines del siglo XVII, para quienes las apariciones, hechos sobrenaturales o milagros podrían haber sido considerados cosa posible, no así entre los desengañados lectores del siglo XX; sin embargo, la oposición milagro–fábula ilustra una relación texto–receptor planteada en los mismos términos que la oposición cuento fantástico–cuento maravilloso por lo que no parece casualidad que muchos de aquellos ejemplos milagrosos circulen ahora en la tradición oral como leyendas y que incluso hayan sido punto de partida para la escritura de cuentos que son incluidos en antologías de literatura fantástica, como «Lanchitas» de Roa Bárcena, que elabora el motivo de la confesión de un muerto, muy frecuente en los relatos ejemplares sobrenaturales.

OTRAS ESPECIES EJEMPLARES

Además del relato ejemplar, los predicadores del siglo XVII podían hacer uso del abanico de posibilidades que les ofrecía la preceptiva y la práctica retóricas desde Aristóteles hasta la *Ratio Studiorum*, incluyendo el uso de la imagen, la ya citada comparación y otras formas de símil no narrativo.

Cicerón parece ser el primero de los preceptistas antiguos que dio un lugar en su taxonomía ejemplar a las imágenes, para lo que adoptó una nomenclatura particular donde el género de argumentación inductiva era *comparabile* y las especies: *exemplum, collatio* e *imago*; el *exemplum* se reducía a la prueba histórica, la *collatio* era una prueba por similitud que podía ser fabulosa, mientras que la *imago* podía probar por «semejanza de cuerpos o naturalezas»[24]. Aunque esta definición de

---

[24] «Lo comparable es lo que contiene alguna razón símil en cosas diversas; sus partes son tres: imagen, parangón y ejemplo. La imagen es el discurso que demues-

imago es más bien austera, se puede anticipar que su inclusión implicó dar un lugar a formas diversas de ilustración visual, más allá de la mera presentación fisonómica o formal, lo que sin duda daría pie al desarrollo de posibilidades representativas cada vez más complejas hasta llegar a la ilustración emblemática; de este modo, la tradición del emblema nutriría también las posibilidades de una predicación que podía y solía ilustrar con elaboraciones plásticas complejas presentadas vía la palabra, es decir, descripciones de imágenes con valor probatorio o ilustrativo.

La presencia de imágenes en función ejemplar es abundante en las pláticas de Martínez de la Parra, seguramente tal profusión debe tenerse también por lección aprendida de los *Ejercicios* de san Ignacio en los que se proponía la necesidad de «ver» con los ojos de la imaginación tanto los propios pecados como los sufrimientos que ellos causaban a Cristo. Puede decirse en este sentido que los *Ejercicios* apuestan de muchos modos por lo visual a fin de lograr su propósito reflexivo; la composición visual de lugar, por ejemplo, reclama «para la mente la clase de indicaciones que se darían a un pintor», como llega a decir Gauvín A. Bailey[25], a lo que habría que agregar, sin embargo, que se trata de indicaciones más bien vagas, pues buscan ajustarse a diversas culturas o mentalidades, a causa del conocido afán universalista que san Ignacio imprimiría a los *Ejercicios* y a la Compañía. En todo caso, esta influencia sería determinante y evidente en toda la labor pastoral de los jesuitas: sea, por supuesto, en el modo en que la Compañía buscaría imprimir a la pintura devocional un carácter emotivo y didáctico de un modo sistemático, como en el modo en que el recurso de la imagen sería usado en casi en cualquier práctica devocional. El mismo Ignacio reuniría una pequeña colección de pinturas devocionales que le servirían como ayuda e inspiración en plegarias y meditaciones, «práctica que muchos de sus sucesores mantuvieron», según afirma Bailey[26].

Martínez de la Parra, fiel a estas enseñanzas y ejemplo ignaciano, incluye un uso poderoso y constante de las imágenes en su predicación, pues no sólo ellas están presentes en aquellos casos en que constituyen pruebas o ilustraciones de la causa, sino también en las muchas ocasio-

---

tra la semejanza de cuerpos y naturalezas» (Cicerón, *De Inventione*, I, 49). También Quintiliano da lugar a las imágenes ejemplares (Quintiliano, *Institutio*, XII, 10, 6).

[25] Bailey, 2003, p. 125.

[26] Bailey, 2003, p. 125.

nes en que los relatos ejemplares tocan el tema de lo visual, o bien cuando en dichos relatos el predicador se vale del sentido de la vista para persuadir o hace de la imagen el motivo central del ejemplo, como puede leerse en una plática titulada: «De la adoración, que debemos a las imágenes y reliquias de los santos», predicada el 14 de diciembre de 1690:

> Siendo los ojos los jueces de la pintura, pinturas hay que, para celebrar sus perfecciones, solemos decir que no hay ojos con que mirarlas. Encontrose Nicostrato, pintor famoso, con un retrato de Elena, obra antigua de Zeusis, y a su vista quedó Nicostrato tan embelesado a la maravilla del arte, tan pasmado a la admiración, tan suspenso, tan absorto, que por mucho tiempo pareció él una estatua muerta delante de una mujer que parecía viva. Llegósele en esto un rústico: «¿y qué más harías —le dijo— si vieras a la misma Elena? ¿Qué hay aquí que tanto te admira?». El pintor entonces, volviéndose a él entre compasión y desprecio: «Este —le dijo— este no es un cuadro para lechuzas, sácate esos ojos y yo te prestaré los míos, y con ellos sabrás lo que yo admiro y tú no entiendes; que si vieras lo que yo veo nada me preguntaras: *Non id interrogares, si meos oculos haberes*» (II, 8)[27].

Buen ejemplo con el que muestra no sólo la justificación religiosa, sino aun la superioridad estética que implicaría el culto a las imágenes sagradas, por ello glosa: «Oh con cuánta más razón podemos los católicos decirles esto a las lechuzas más ciegas de los impíos herejes que tan rabiosos han perseguido el uso, la veneración y el culto de las santas imágenes».

El uso tácito de la imagen en función ejemplar, es decir cuando ella misma es expuesta como ilustración, roza las funciones del emblema tanto por su función ilustrativa como por la belleza y profusión de detalles con que el predicador las presenta; así sucede en el caso siguiente donde a una afirmación moral sigue la prueba por imagen consistente nada menos que en la descripción de una pintura, lo que resulta sin duda muy adecuado para mostrar esta predilección jesuítica

---

[27] Al parecer se trata de Nicostrato, hijo de Helena y Menelao, aunque no hay noticia de que éste haya sido pintor. Probablemente Martínez de la Parra tomó el pasaje directamente de Claudio Eliano, *Varia Historia* (II, 44) que es quien en la antigüedad lo refiere; aunque se trataba sin duda de un pasaje bien conocido en la época del predicador y aun poco después, porque lo trae también Mayáns en su ensayo sobre *El arte de pintar* (I, 3, 19).

por la ilustración plástica pues presenta una hermosa galería de espejos. Se trata de una hermosa manera de ilustrar la fuerza de la blasfemia mediante un ejemplo cuyo tema es el trabajo de unos pintores, y cuyo desarrollo es en sí mismo el ir pintando un cuadro con palabras:

> No pocas veces lo que no puede la mano lo consigue el ingenio. Apurados se veían los pintores para pintar los vientos, pues estos no teniendo colores mal podían sujetarse a los pinceles. ¿Y qué hacen? Alcance la idea lo que así le niega a la vista. Pintan al canto del lienzo una cara estrechados los labios, hinchados los carrillos en ademán de quien sopla, y de la boca saliendo las líneas, que por todas partes repartidas veréis el cielo encapotado de negras nubes, enlutado el aire de turbias sombras, alborotado el mar, encapillando sus olas: allá una nave que fluctúa, aquí un bajel, que ya se anega, allí un galeón que se trastorna y, esparcidos los hombres por las aguas, nadando a buscar las tablas mientras cruzándose por el aire los rayos confunden con el cielo el mar, con el fuego el agua y con las cumbres los abismos. ¿Qué es esto? Son los vientos pintados por sus efectos, y bien pintados; pero ¿es posible que tanto alboroto, tanta confusión, tal tempestad y tal tormenta la hace sola aquella boca de los carrillos hinchados? ¿Una boca turbando todo el Cielo? ¿Una boca trastornando todo el mar ¿Una boca fulminando rayos? ¿Una boca confundiendo los elementos? Sí, que todo lo hacen los vientos, que furiosos salen de esa boca. Linda idea de los pintores; pero mejor pintarían así una boca blasfema, que toda esa tempestad de los vientos es pintada con las tormentas, que alborota una lengua blasfema (II, 14).

Probablemente la blasfemia sería un problema para la Iglesia novohispana de fines del siglo XVII, pues tal gasto de recursos persuasivos no sería sólo un despilfarro; aunque tal vez ello sólo obedezca al amplio valor ejemplar que Martínez de la Parra concedía a las imágenes, pues no sólo las usa como ejemplos, no sólo usa imágenes en los ejemplos, sino que frecuentemente pondera elogiosamente sus ventajas, como lo hace en la introducción de un ejemplo en la misma plática dedicada a las imágenes y reliquias, que viene de este modo: «Pues nadie tendrá excusa de que no sabe que las imágenes mudas nos están enseñando las virtudes. *Secundo ut Incarnationis mysterium, etc. Sanctorum exempla magis in memoria essente, dum quotidie oculis representantur*»[28]. Después de lo

---

[28] Aunque no lo dice, el predicador cita a santo Tomás, quien en la *Summa Theologica* había dedicado una atención particular a la defensa de las imágenes

cual viene un ejemplo contrario, es decir, traído para ilustrar el defecto o vicio opuesto a la virtud que en ese punto compete: la castidad; el cual es introducido de este modo:

> ¿Qué hace el que pone en su casa una pintura torpe? Poner una escuela, donde la inocencia aprenda la malicia, donde por los ojos beba la doncella el infierno y donde con el alma se aprenda el camino de perder la honra. ¿Y en una materia tan grave, tan escandalosa, tan nociva, tan impía, no se hace escrúpulo? Pues oigan los pintores de esas pinturas, y oigan los que las tienen en su casa este ejemplo (I, 8).

Se trata de un duro ejemplo donde un pintor es contratado por un hombre rico para pintar una de esas «pinturas torpes»: el pintor cumple bien con su trabajo, pinta esos desnudos provocadores, pero poco tiempo después cae en cuenta de la magnitud de su pecado de modo que inicia luego su vida religiosa en un convento, llevando adelante y con virtud la disciplina hasta el fin de sus días; sin embargo, después de su muerte comienza a aparecer a sus hermanos en terribles penas, alegando segura condenación si no era destruida la pintura aquella, «y para que crea mi desdicha dile que por señas de esto, dentro de un mes han de morir sus hijos, y se hará con el más severo castigo si no obedece». El hombre rico, temeroso al recibir el aviso, quemó la pintura aunque de cualquier forma todos sus hijos murieron.

La imagen se presenta así como un poderoso instrumento para persuadir, ya hacia el bien, ya hacia el mal, e incluso hacia el error, pues para Martínez de la Parra la información sensorial, visual, puede sin duda inducir a error: «Mira aquella vara metida en el agua; ¡ay tal! Que torcida está, toda ella está doblada. Pues no, no son sino vuestros ojos los torcidos, y que os engañan» (I, 16), dice en una plática dedicada a tratar «De la inefable certidumbre de nuestra fe y exteriores argumentos que lo confirman», dicha precisamente en la fiesta de san Ignacio; o

sagradas, legitimando su necesidad con base en la utilidad que representaba su uso, para lo cual expuso tres razones: «ad instructionem rudium, ut incarnationis mysterium et sanctorum exempla magis in memoria nostra maneant» y «ad excitandum devotionis affectum»: para la instrucción del principiante, para fijar más en nuestra memoria los misterios de la Encarnación y los ejemplos de los santos, y para estimular el afecto por la devoción (santo Tomás, *Suma Theológica: Commentum in* IV *sententiarum*, III, 9, 1, *art*. 2b).

cuando el predicador ilustra el mismo mediante una comparación visual con la que intenta mostrar cómo hay muchos que buscan a Dios sólo en la bonanza: «¡Ah, señores y señoras! Un cántaro cascado, mientras está dentro del agua lo verán lleno como si estuviera sano: no parece tiene nada; pues sáquenlo del agua, al punto escurrir, escurrir, hasta quedar vacío» (II, 3). En ambos casos, por lo demás, el agua es mediadora del engaño visual.

Sin duda el emblema tenía una historia propia como instrumento didáctico, en tanto que consistía en una imagen susceptible de ser usada en la enseñanza, como ilustración de verdades morales o políticas[29]; sin embargo en estas pláticas jesuíticas la cercanía es clara, pues la ilustración plástica parece recurrente. Véase el siguiente ejemplo donde esta condición emblemática es evidente, hermoso relato que sin duda resulta ilustrativo también de la conciencia del predicador respecto al valor de las imágenes pues crea una ilustración dentro de la ilustración, en la que una misma imagen presenta una enseñanza pertinente al interior del relato ejemplar que la incluye y, por extensión, muestra otra posibilidad interpretativa del mote emblemático que contiene:

> Fingían los poetas que una fierísima serpiente, con quien Hércules peleó, tenía siete cabezas; para vencerla era forzoso cortarle no una, sino todas las siete de un golpe, porque si le cortaban una sola de aquella nacían otras siete. Y así Hércules le segó todas las siete cabezas de un golpe, con que quedó victorioso; pues mucho mejor para las cabezas de las culpas mortales. Lo explicó así un varón espiritual: Pintó a aquella sierpe con sus siete cabezas y púsole por mote: *Aut omnia, aut nullum*, o todas, o ninguna; o cortarlas todas en la confesión, o si una sola se deja, volviendo a renacer las demás en el alma, no se ha cortado ninguna: o todas, o ninguna (III, Penitencia 17).

Al parecer, la época era propicia para valorar de un modo superlativo la fuerza de las imágenes, no sólo desde un punto de vista emocional o intelectual, esto es, apta para conmover o para mostrar, sino aun sus propiedades mágicas podrían haber estado en el ánimo de los receptores, a juzgar por esta pequeña serie de *commemorata*, es decir, ejemplos sólo

---

[29] Un buen estudio sobre la emblemática en los Siglos de Oro es el de Praz, 1989.

mencionados en su motivo central: «Aun en lo natural tiene tal fuerza la vista, que ha sucedido parir una mujer un negro porque lo estaba viendo pintado. En Roma otra parió un oso porque tenía en su casa pintadas esas imágenes. Más: en Flandes parió otra un hijo en la figura horrible de un demonio, que ella tenía pintado a los ojos» (II, 40).

En cuanto a las comparaciones, como ya se adelantó, Cicerón había denominado *comparabile* al género de argumentación inductiva, denotando etimológicamente el proceso fundamental de la inducción y dejando para el *exemplum* la condición de especie de prueba exclusivamente histórica. De las tres especies de *comparabile* ciceroniana, la *collatio* era tal vez la que incluiría otras formas de prueba o ilustración distintas al relato (histórico o ficcional) y distintas también a la imagen, me refiero a formas de prueba inductiva cercanas a la parábola socrática, que bajo el nombre *collatio* pueden encontrar un significado etimológico que describa el proceso por el que se construye la ilustración: el cotejo. Sobra decir que para Martínez de la Parra estas comparaciones son también ejemplos, tal vez cultivando la bisemia que la taxonomía de Quintiliano provocaría sobre el *exemplum*, quien había hecho del mismo especie y género de la prueba inductiva[30]. Dice el predicador:

> Los ejemplos que aquí ponen [los predicadores] de ordinario son: como si uno teniendo escalera por donde bajar sin que sea menester milagro en que no se lastime, se arrojara de esa torre por el aire, fiado en que Dios lo detendría para no matarse. O si uno padeciendo un grave tabardillo u otro achaque tal, ni quisiera llamar médico ni hacerse medicina alguna, fiado en que Dios le daría la salud de milagro (II, 13).

Se trata, he dicho, del uso de la «parábola socrática» en la definición Aristotélica (atendiendo al hecho de que Sócrates acostumbraba discurrir, como se sabe, por comparaciones)[31] que Martínez de la Parra también usa para explicar por qué es necesario estudiar la doctrina cristia-

---

[30] Quintiliano, *Institutio*, XII, 4, 1.
[31] «Y parábola son (las formas) socráticas; cual si alguien dijere que no deben gobernar los elegidos por suerte, pues cosa semejante sería, como si alguien eligiera por suerte a los atletas, no a quienes pueden competir, sino a quienes tocara en suerte, o si por suerte se eligiera a quien debe gobernar a los navegantes, como si debiera ser al que tocara en suerte, mas no el que sabe» (Aristóteles, *Retórica*, II, 1393[b]).

na: compara su enseñanza con un tapiz de Flandes doblado, donde la pintura sigue conservando su mensaje y su valor, aunque sólo desdoblada se pueda comprender y apreciar en toda su magnitud (I, 1)[32]. Se trata de un tapiz que ilustra las guerras de Flandes, comparación bélica que no es de ningún modo casual sino acaso sistemática en las pláticas jesuíticas, si se toma en cuenta el régimen militante que san Ignacio había impreso a la Compañía, claramente manifiesto en la comparación de las dos banderas que usa en sus *Ejercicios* para persuadir al ejercitante a engrosar las filas de los que luchan bajo la bandera de Dios[33]. En otro lugar compara la imposición del nombre en el bautismo con el registro del soldado en una plaza, para pelear precisamente debajo de tal bandera (I, 2); y más adelante trae a colación lo que las madres de Esparta decían a sus hijos al colgarles el escudo y despedirlos para la batalla: «Aut cum hoc, aut in hoc» (III, Confirmación 3)[34], para mostrar las formas, ceremonias y significado del sacramento de la Confirmación.

Hay algunas pláticas en las que toda la inducción se reduce a comparaciones, es decir, en las que no hay un solo relato ejemplar, como la plática 23 del tratado segundo, que se titula: «Del admirable y divino sacrificio de la misa», reducida toda ella a comparaciones sobre el tema; sin embargo, lo corriente es que la comparación y el ejemplo se complementen:

> No puedo negar que muchas se adornarán como la paloma, que opuesta al sol brillan sus plumas, pero paloma. Mas ¿cuántas se pintan y se recaman como la serpiente, que mientras más pinta con más bellos matices peor es, y más mortal su veneno. Vio en una ocasión una buena alma un

---

[32] Conviene señalar que la misma obra de Martínez de la Parra es una «explicación de la doctrina cristiana» de modo que ella misma podría verse como un lienzo que es necesario desdoblar.

[33] «El cuarto día, meditación de dos banderas: la una de Cristo, sumo capitán y Señor nuestro; la otra de Lucifer, mortal enemigo de nuestra humana natura» (Loyola, *Ejercicios*, 2.ª semana, 136).

[34] «O con este o en este»: Plutarco, en el libro III de sus *Moralia*, dice que las madres espartanas despedían así a sus hijos cuando marchaban a la guerra, pues en sus escudos regresaban los muertos y sólo los cobardes abandonarían sus armas (es el dicho 16 correspondiente a los *Lacaenarum apophtegmata*). Aristóteles lo trae también en sus *Aforismos*, lo mismo que Valerio Máximo. Sobre el gusto jesuítico por la *Moralia* de Plutarco conviene decir que Gracián habría traducido al castellano esta obra sin duda famosa entre los humanistas, como asienta Bataillon (1966, p. 623).

camino lleno de resplandor por donde iban muchas almas al cielo [...] (III, Bautismo 8).

El ejemplo que inicia después de la comparación es un relato alegórico en el que dos dragones asolaban el camino al cielo, tendiendo una red y llevando las almas atrapadas al infierno. Se trata de una alegoría explicada[35], donde los dragones son «las galas profanas, torpes y provocativas de las mujeres». En otros lugares, cuando la inducción coexiste con la deducción, el razonamiento condicional que introduce la prueba deductiva puede consistir en una comparación, que consiste en la presentación de una situación hipotética: «Si introducida la falsedad en la moneda sería sin alguna duda la universal destrucción de todo humano comercio, ¿cómo introducida la falsedad en el juramento no será la total ruina del humano trato?» (II, 17), dice Martínez de la Parra en la plática dedicada a tratar el tema del segundo Mandamiento: «no jurarás en nombre de Dios en vano».

Finalmente, resulta notable el origen de las comparaciones que utiliza Martínez de la Parra, pues si bien es cierto que algunas de ellas parten del Antiguo Testamento, conservando su dureza levítica, como aquella que incluye en una plática dedicada al matrimonio en la que explica que había una ley en el Deuteronomio que prohibía juntar un buey y un burro en el arado, por ser desiguales en tamaño y paso: «No paró en eso, dicen no pocos intérpretes: allí puso el ejemplo; pero esa ley donde la quiso cumplida es en el matrimonio, que por eso se llamó conyugo» (III, Matrimonio 3)[36]; sin embargo, la mayoría de las comparaciones son de origen clásico, como el pasaje de la *Eneida* que usa para ilustrar los peligrosos extremos entre los que se mueve el amor:

¡Oh qué dos extremos, católicos, igualmente terribles, igualmente funestos, igualmente peligrosos! ¡Oh qué dos Scilla y Caribdis! ¿No los han oído nombrar? Pues eran dos escollos, uno en frente de otro, en el estre-

---

[35] El material alegórico puede emplearse de tres formas, dice Armando Durán: en la primera, toda la alegoría es una ficción que el autor no explica, como la *Comedia* de Dante o el *Sueño* de Santillana; en la segunda, a medida que van apareciendo los símbolos, el autor ofrece su interpretación, como en *Siervo libre de amor*; y finalmente la alegoría puede ser introductoria y el resto de la obra una exégesis, lo que se conoce como «alegoría explicada» (Durán, 1973, pp. 54-55).
[36] Deuteronomio 22, 1-4: «No ararás con buey y asno juntamente».

cho del mar de Sicilia, que no yendo derecho por el medio el navegante, aquí o allí perecía sorbido en el golfo: *Dextrum Scilla latus, laeuum implacata Charibdis, obsidet*[37] (II, 4).

De Plinio toma también abundantes comparaciones de índole naturalista, como el símil a partir de cómo el calamar se escapa enturbiando el agua con su tinta: «Pues así no escapan, sino que se van al profundo muchas almas en la confesión» (III, Penitencia 16).

FUENTES DE RELATOS EJEMPLARES

Aunque aquí sólo se ha pretendido establecer una mínima tipología de los ejemplos de Martínez de la Parra, como base para un análisis más consistente, conviene tratar también, aunque sea sólo un poco, los diferentes tipos de textos en que el predicador abrevaría para nutrir sus pláticas, pues entre tipo de ejemplo utilizado y tipo de fuente recurrida para encontrarlo hay una relación muy estrecha y sin duda significativa; por ejemplo, en principio se podría decir que a diferencia de las fuentes de las comparaciones que, como se ha visto, son en su mayoría de origen clásico, la materia con que nutre sus relatos ejemplares es mucho más respetuosa de los preceptos dedicados al respecto en los manuales de predicación, que reiteradamente exigieron la primacía del ejemplo bíblico o del hagiográfico, por lo que estos tipos de ejemplos resultan dominantes. En suma, las fuentes de los ejemplos de Martínez de la Parra podrían clasificarse en función de su presencia e importancia en estas pláticas de la siguiente manera: en primer lugar las hagiografías, luego los ejemplarios y sermonarios, después las Sagradas Escrituras, y al final varios temas clásicos e incluso la realidad social.

Las hagiografías fueron desde los primeros tiempos del cristianismo fuentes privilegiadas de historias ejemplares, pues las vidas de santos constituían el paradigma por excelencia, el mejor modo de vida a imitar en cualquier circunstancia, a excepción por supuesto de la vida de Cristo. En los años en que Martínez de la Parra predicaba sus pláticas en

---

[37] «El diestro lado, Escila; el izquierdo, no aplacada, Caribdis / habita» (Virgilio, *Eneida*, III, pp. 420-421).

la Casa Profesa, un orador sagrado tenía a su disposición una amplísima gama de posibilidades ejemplarizantes a partir de muchas y variadas colecciones hagiográficas, adaptadas prácticamente para cada situación. No es este el momento de detenerse en el tema de las vidas de santos y su uso ejemplar en la predicación, pues ello se hará cuando se trate concretamente del ejemplo hagiográfico, sólo quede dicho ahora que entre las fuentes hagiográficas citadas por Martínez de la Parra se encuentran algunas de las obras más divulgadas desde la Baja Edad Media, como la *Legenda aurea* de Jacobo de Vorágine, o la mucho más reciente *Acta sanctorum* del jesuita Jean Bolland; el predicador inserta también muchos ejemplos tomados de las vidas de Padres de la Iglesia, particularmente san Bernardo y san Agustín, y en conjunto constituyen una de las fuentes más acudidas en busca de ejemplos en estas pláticas.

Entre los ejemplarios conocidos en la época ocupa un lugar especial el *Magnum Speculum Exemplorum* (Colonia, 1618), reedición que haría el jesuita Juan Mayor de aquel *Speculum Exemplorum* anónimo de 1487, primera gran suma sistemática de relatos ejemplares. Martínez de la Parra lo cita en reiteradas ocasiones llamándolo «el espejo grande de ejemplos». Del mismo modo, muchísimos sermonarios o tratados de materias doctrinarias o espirituales funcionaban como ejemplarios para otros predicadores, como el *Itinerario historial* de Alonso de Andrade[38], la *Declaración copiosa de la doctrina christiana* del cardenal Bellarmino[39] o la *Practica del cathecismo romano* de Eusebio Nierember[40], entre otros, todos textos de gran difusión en la Nueva España. El propio sermonario de Martínez de la Parra, texto que fue reimpreso muchas veces en España y en México, al parecer fue usado con posterioridad como ejemplario por otros predicadores hasta bien entrado el siglo XIX: el ejemplar de la edición de 1724 que se conserva en la John Carter Brown Library tiene marcas en tinta roja sobre buena parte de los ini-

---

[38] El *Itinerario historial que debe guardar el hombre para caminar al cielo*, impreso en Madrid (1648) es un tratado espiritual consistente en 33 «pasos» para alcanzar el cielo, ilustrados con ejemplos.

[39] La *princeps* en italiano de la *Declaración copiosa de la doctrina Christiana: para instruir los idiotas, y niños en las cosas de nuestra santa fe catholica* (1598), y muchas otras ediciones, circularon en Nueva España; la más tardía de Madrid, 1775.

[40] También de la *Práctica del catecismo romano* (1639) circularon muchas ediciones en la Nueva España; la más tardía de Madrid, 1747.

cios de ejemplos, y marcas en tinta café con apostillas que indican presuntas fuentes o correspondencias de los mismos; en esa misma tinta café, en la portada interior, lleva anotada la fecha de «4 Feb° 1837».

Aunque tal vez la Biblia debiera ser la fuente por excelencia para los relatos ejemplares en una pieza de oratoria sagrada, su uso como tal en estas pláticas no es numéricamente mayor que los ejemplarios, los sermonarios o que las hagiografías, lo cual no sucedería con los sermones propiamente dichos, sino sólo en estos discursos de estructura más libre y temas fundamentalmente didácticos. Por muestra, como ya ha sido dicho, en los sermones de Cuaresma de Martínez de la Parra únicamente es posible encontrar ejemplos bíblicos, sólo que expuestos algunos de un modo notable, pues en ellos no se respeta el modo narrativo en que se encuentran en el texto sagrado sino que se los suele someter a una paráfrasis que bien podríamos llamar literaria, lo que representa una suerte de ligereza en su tratamiento y sin duda una búsqueda del deleite.

Por su parte, el uso de textos clásicos de diversos temas revela, entre otras cosas, la sólida formación humanística del predicador jesuita que, como se ha visto al tratar la influencia de la *Ratio Studiorum* en la predicación, no era pobre ni mucho menos improvisada. Los nombres de Séneca, Plinio, Plutarco o Virgilio recorren buena parte de las pláticas alimentando con relatos, comparaciones o reflexiones la persuasión moral de Martínez de la Parra. Una afirmación de Séneca, por ejemplo, es base para una comparación que inicia una plática dedicada a exponer la necesidad del examen de conciencia previo a la confesión: *Initium salutis notitia peccati*[41]. La comparación dice que un cazador sorprendido por la noche y la tormenta, encuentra un castillo en ruinas y, en medio de la oscuridad, allí se guarece; pero cuando amanece puede ver que ha dormido entre fieras y alimañas. Huye despavorido: «¿Quién te descuidó en tanto riesgo? La ignorancia del peligro. ¿Quién ahora te hace temblar en el peligro? El conocimiento del riesgo» (III, Penitencia 5).

O bien este bello ejemplo que el predicador dice traer de Plutarco para explicar el regalo de la Eucaristía:

---

[41] «El inicio de la salud es el reconocimiento del pecado» (Séneca, *Epístolas morales*, 28).

¡Qué noble empleo de toda una vida! ¡Qué feliz empresa de toda una alma! ¡Qué dichoso logro de todo un ser! ¡Si el conseguirlo no pareciera imposible! Pues para mostrarlo fácil atendemos primero a Plutarco. Cierto Canio, valentísimo músico y en tocar una flauta de primor incomparable, vivía por eso de andarse por las casas de poderosos tocando en los festines su instrumento, que le pagaban al paso que suspensos los deleitaba con su armonía. Pero era tanto mayor el deleite que el mismo Canio sentía al oír él su mismo instrumento, que solía decir en secreto que si los oyentes le espiaran el corazón, le vieran el alma, cuando él estaba escuchando su misma música, en vez de pagarle a él le hicieran a él pagar el oírla, le dieran por premio de lo que ellos gozaban lo que él mayor gozo recibía. Nada mejor explica cuánto más se goza Dios al hacernos bien que nosotros al recibirlo (III, Eucaristía 11)[42].

Finalmente, una de las fuentes de ejemplos y comparaciones que no parece frecuente en otros predicadores, a pesar de las recomendaciones antiguas de sacarlos también de la propia experiencia, es la realidad social de Martínez de la Parra y de su auditorio, lo que corresponde a una intención de educación cívica que recorre buena parte de la obra; ello es particularmente claro cuando el predicador pretende tomar algunos hechos que observa en la vida cotidiana de la Ciudad de México para ilustrar pecados y vicios sociales. De este modo, para mostrar por comparación el concepto de «blasfemia heretical» (que en su partición es una de las especies de la blasfemia en general), recurre a lo que la ya entonces ruidosa vida de la ciudad le ofrecía:

Pero no hemos puesto hasta ahora un ejemplo de la que es blasfemia heretical. ¿Qué ejemplo he de poner? Que pluguiera a Dios no se oyeran cada día tantos en esas casas de juego, en esas cavernas infernales, en esas cuevas de dragones, en esas habitaciones de los demonios, que nos apestan, que nos enficionan y que son la causa de todas las desdichas. ¡Oh México! ¡Cómo temo por las casas del juego tu total ruina! (II, 14).

Aquí con justicia puede decirse lo que Eloísa Palafox dedujo para el ejemplo medieval: que el ejemplo «más que un género en sí, más que

---

[42] No he encontrado la fuente real de donde el predicador tomaría este relato, tal vez del tratado «Sobre la música», aunque su atribución a Plutarco está todavía sujeta a discusión.

un conjunto finito de historias y de motivos [...] fue, para la sociedad medieval, una manera particular de pensar el pasado y de utilizarlo»[43], lo que efectivamente puede decirse también para el contexto novohispano del siglo XVII, pues por momentos pareciera que el recurso del ejemplo es para Martínez de la Parra mucho más que una de las formas de la prueba, que puede llegar a convertirse en un modo completo de pensamiento y de aprendizaje, donde buena parte de los conocimientos, buenos y malos, se aprenderían vía la observación de modelos, esto es, el seguimiento de ejemplos en su más amplio sentido; de este modo, siguiendo una comparación del río que al llegar al mar vuelve sus dulces aguas salobres, Martínez de la Parra concluye:

> ¡Ah, juventud de México! ¡Arroyos en medio de este mar de escándalos! [...] Si ve el mancebo tales ejemplos, si ve la doncella tanta libertad, y si ven todos tan común y tan hechos costumbre los pecados ¿qué esperamos? *Definit esse remedio locus, ubi, quae fuerunt, vitia, mores fiunt*[44]. Cada uno vea en su conciencia qué efectos ha hecho tal vez una palabra deshonesta que oyó, qué le ha causado en su alma el ejemplo de lo que vio hacer (II, 40).

De más está decir que esta cita de Séneca podría resumir el peligro para México que parece enfrentar la predicación de Martínez de la Parra, y tal vez de la Compañía de Jesús en su conjunto: la posibilidad de que el vicio se hiciera al fin costumbre, impermeable ya a cualquier intento de reforma.

---

[43] Palafox, 1998, p. 5.

[44] Séneca, *Epístolas morales*, 39: «Tunc autem est consummata infelicitas, ubi turpia non solum delectant, sed etiam pacent, et desinit esse remedio locus, ubi quae fuerant vitia, mores sunt»: «Porque entonces se consuma la desgracia cuando las cosas vergonzosas no sólo deleitan, sino complacen, y deja de haber lugar para el remedio donde lo que fue vicio es ya costumbre».

Capítulo 4

EL PRESTIGIO DE LOS HECHOS PASADOS

Entre los preceptistas antiguos era claro el valor superior de la historia como fuente de relatos ejemplares, pues para ellos no cabía duda en el hecho de que la prueba más cabal era aquella que tenía como base acontecimientos efectivamente sucedidos. En los discursos judiciales, origen en muchos sentidos de la reflexión retórica, esto era obvio: la prueba mayor, para condenación o absolución, era aquella que remitía a los hechos más que cualquiera que tomara como base alguna conjetura o ilustración; es decir, se prefería indudablemente una prueba perfecta de la comisión efectiva del delito o bien la coartada demostrable de la imposibilidad circunstancial de ello. De ahí que si por inexistencia de pruebas históricas o por alguna razón de elocuencia debiera intentarse probar mediante un paradigma ilustrativo, éste debería tener también como base acontecimientos «no dudosos», como había asentado Cicerón[1].

Esta contundente valoración preceptiva se trasladaría a los demás géneros discursivos, conformando un creciente prestigio argumental del ejemplo histórico que alcanzaría a la oratoria cristiana; de este modo, el valor moral de la historia cultivado en la Antigüedad se mantuvo vigente en la Edad Media y épocas posteriores de vida del ejemplo, aunque la historia sea vista desde el punto de vista religioso de un modo algo diferente. En cualquier caso, la diferencia fundamental entre el ejemplo histórico y el ficcional radicaría en su diferente grado de función probatoria pues, retomando la distinción formulada en capítu-

---

[1] Cicerón, *De Inventione*, I, 32/53.

los anteriores, se puede decir que mientras el ejemplo ficcional sólo muestra una verdad moral el ejemplo histórico es capaz de demostrarla cabalmente ya que como había asentado Quintiliano, los ejemplos ficcionales pueden ser usados como prueba pero «con la salvedad de que a estas narraciones se les da menos valor probativo»[2].

Se ha dicho que los ejemplos históricos de la predicación fundamentan su capacidad ejemplar en el hecho de tratarse de sucesos realmente acaecidos, que sientan precedente respecto a los beneficios, materiales o espirituales, de la práctica de una virtud determinada, de modo que resulta de capital importancia determinar precisamente este carácter verdadero ante el auditorio. El modo en que se asegura la verdad de lo narrado, los medios que hacen posible que el predicador construya la veracidad del relato ante los oyentes, son los propios de la historiografía clásica y humanística: el uso de fuentes autorizadas, la referencia a testigos de vista, el aval de autoridades religiosas en el caso de los milagros, la presencia de personajes históricos o la precisa ubicación temporal y espacial del relato; sin embargo, ello no quiere decir que cualquier ejemplo histórico incluya el cuadro completo de estas características, de manera que por ejemplos históricos en su sentido amplio habrá de entenderse aquellos en donde es explícita la intención de veracidad por todos o por algunos de los métodos dichos.

La autorización, en particular, es uno de los elementos más importantes para dotar de veracidad histórica los relatos ejemplares de la predicación, pues la mención de una autoridad que certificara la historicidad del relato (generalmente antiguos predicadores, autores prestigiados, aun de la Antigüedad clásica, o bien la autoridad de las hagiografías) cumplía el doble propósito de ilustrar una causa concreta y de instruir en los rudimentos de la historia y las autoridades religiosas. En los sermones de Martínez de la Parra es posible encontrar tanto ejemplos recogidos de los Padres de la Iglesia y de algunos otros autores cristianos, algunos de ellos contemporáneos del predicador como Alejandro

---

[2] Quintiliano, *Institutio*, V, XI, 17.Y en el libro X, tratando de la utilidad para el orador de la lectura de obras de historia, dice que «la utilidad proveniente del conocimiento de hechos reales y de los ejemplos [...] [deriva] de su exacto conocimiento del tiempo pasado, ya que por esto son los más eficaces, porque sólo éstos están libres de las imputaciones de odiosidad y agradecido favoritismo» (Quintiliano, *Institutio*, X, 1, 34).

Faya, Eusebio Nieremberg o Engelgrave[3], todos ellos jesuitas, como también son abundantes los ejemplos tomados de Jenofonte, Macrobio, Plutarco o Plinio, pues la historia clásica para esos años estaba ya perfectamente adaptada a las necesidades morales del cristianismo.

Seguro que un relato cuyo tema y causa estaban relacionados con el dogma, debía por un lado quedar restringido en cuanto a sus posibilidades de interpretación y, por otro, asentarse el aval institucional a fin de educar con propiedad al auditorio, previniendo cualquier riesgo de caer en errores que pudiesen confundir y, a la postre, ser el mismo predicador denunciado, como solía ocurrir. Sin embargo, junto a este pretendido rigor resulta corriente la inclusión en ejemplos históricos de afirmaciones no probadas o de difícil conocimiento por parte de un narrador testigo, que es el preferible en los relatos históricos, de modo que se puede pasar del discurso histórico estricto a la interpretación del mismo sin mediación alguna, como cabría esperar pues un ejemplo histórico no es en sí mismo una historia sino sólo un uso moral de la misma, de modo que sentada la autorización de las fuentes el relato podía alejarse un poco del rigor historiográfico. Esto es más claro en los ejemplos históricos que incluyen hechos sobrenaturales, como los milagros o los relatos hagiográficos, lo que debe conducir a la determinación de un tipo de verdad histórica singular en los discursos religiosos, de lo que adelante se tratará con mayor detenimiento.

Los ejemplos históricos tomados de autoridades clásicas están, por el contrario, desprovistos de toda presencia sobrenatural, pues en ellos todos los hechos suceden en coherencia con el mundo físico aunque, dicho sea de paso, proponen enseñanzas de índole civil o de convivencia social más que religiosa, tal vez a ello se deba que el discurso historiográfico sea incluso menos riguroso en este tipo de ejemplos. Podría pensarse que las autoridades grecolatinas no gozaban para el predicador y su auditorio del mismo crédito que las cristianas, sin embargo es seguro que los temas antiguos fueron bien explotados sobre todo por predicadores con una amplia formación clásica como es el caso de los miembros de la Compañía de Jesús.

---

[3] De Faya usa la *Suma de exemplos de virtudes y vicios*, de la profusa obra de Nieremberg recoge ejemplos de *Causa y remedio de los males públicos* e *Ideas de virtud en algunos claros varones de la Compañia de Iesus*, y de Engelgrave su *Caeleste Pantheon sive, Caelum novum, in festa et gesta sanctorum totius anni, morali doctrina, ac profana historia*.

Por lo demás, hay ejemplos que deben ser considerados históricos aunque no sean autorizados ni convoquen testigos de vista o autoridades religiosas para legitimar su verdad, en virtud de que su personaje principal es histórico y de que los hechos que narran podrían ser bien conocidos y tenidos por el auditorio como hechos ciertamente sucedidos; de modo que sin declaración del predicador anunciando sus fuentes autorizadas es posible suponer que tales relatos gozaban del crédito de una historia verdadera, pues el gran prestigio del personaje haría con toda probabilidad innecesaria la autoridad o el testigo de vista.

LA *RES GESTA*: HAGIOGRAFÍAS, MILAGROS Y DE HISTORIA PROFANA

Los santos eran ejemplares en su sentido más completo, pues las hagiografías incluían el doble carácter de relato como prueba retórica y de construcción de personaje modélico, es decir, por un lado los santos eran personajes dignos de imitación, y por otro sus acciones se recogían en relatos que ilustraban los mejores caminos para alcanzar la perfección moral y espiritual; de modo que la intención ejemplar ya contenida en las vidas de santos[4], haría sin duda que una hagiografía pudiese servir perfectamente al predicador como ejemplario. Esta noción amplia de lo ejemplar parece concretarse en las pláticas de Martínez de la Parra cuando ilustra las ventajas de la penitencia con un poderoso ejemplo tomado de la vida de fray Luis de Granada, ilustre preceptista y predicador quien, ahora lo sabemos, supo también predicar con su ejemplo personal:

> En la vida del admirable varón fray Luis de Granada, bien conocido por sus provechosísimos escritos, se refiere que una noche, yendo dos mancebos a la perdición de su torpeza y a la torpeza de su perdición, pasaron por la ventana de fray Luis a tiempo que tomaba una tan recia disciplina que a los golpes, detenidos y atónitos, volviendo sobre sí y viendo cuánto mejor merecían ellos aquella penitencia, dejaron al punto su intento. Volviéronse.

---

[4] Ya Antonio Rubial señalaba esta condición de la hagiografía, su carácter en sí misma ejemplar, apoyado en una cita de Michel de Certau: «la hagiografía tiene una estructura propia independiente de la historia, pues no se refiere esencialmente a lo que pasó, sino a lo que es ejemplar» (Rubial, 1993, p. 287).

Y a la mañana, habiendo observado bien la ventana vinieron al Convento, preguntaron quién vivía allí, y entrando con muchas lágrimas se confesaron con fr. Luis de Granada, y desde allí vivieron una ajustadísima vida. Tanto pudo un ejemplo santo (III, Confesión 2).

Sin embargo, no siempre puede decirse que los hechos de los santos se ofrecían en la predicación como modelos para la imitación, pues sin duda hay mucho en dichos hechos que escapa a toda posibilidad humana de emulación, por ejemplo sus milagros; a lo sumo se podría decir que el milagro puede enseñar un camino para llegar a ser merecedor o beneficiario de un favor divino aunque fuese infinitamente menor, sin embargo, en la mayoría de los casos, el milagro hagiográfico sólo se proponía para suscitar la alabanza al poder de Dios. Ya José Aragüés se detenía en la diferencia que se debe marcar entre los propósitos de admiración e imitación atribuibles a los milagros hagiográficos y a los ejemplos respectivamente, pues «el carácter excepcional del milagro desvirtuaba, en efecto, la mencionada identificación entre el protagonista del ejemplo y el oyente, cuando no favorecía la desesperación de este último ante la imposibilidad de observar una conducta acorde con la expuesta desde el púlpito», por lo que el carácter maravilloso del milagro no debía ser presentado sólo para procurar la admiración por sí misma, sino que debía ser conducido a la edificación del auditorio con base en la identificación con el beneficiario del milagro (pues con el autor resultaba imposible)[5].

Sin duda la tradición del relato hagiográfico es una de las más antiguas del cristianismo, pues ya en el siglo IV habían comenzado a compilarse vidas de mártires que también vinieron a engrosar aquellos sermones primitivos, pues su evidente carácter de «gesta», como dice Antonio Rubial[6], favorecería su incorporación a la batería de recursos ejemplares. Podría pensarse que desde cualquier punto de vista resultaba del todo conveniente para los propósitos de aquella evangelización

---

[5] Con el propósito de distinguir sin diferenciar el milagro del ejemplo, Aragüés retoma una terminología áurea que podía cruzar ambos géneros de relato y ambos propósitos persuasivos: «Ejemplos para admirar» *vs.* «Milagros para imitar» (Aragüés, 1999, pp. 90-94).

[6] «el siglo IV vio nacer también un tipo de literatura panegírica llamada hagiografía, que contaba las "leyendas" o gestas de los santos» (Rubial, 1999, p. 22).

difundir el culto a esos personajes excepcionales, sin embargo ello debe ser leído con cautela puesto que sólo un poco después del inicio de esta tradición, en el siglo V, el papa Gelasio ya prohibiría dichas gestas instaurando así también la tradición de resistencia oficial a las manifestaciones religiosas populares vinculadas a lo sobrenatural, pues la capacidad de hacer milagros fue adjudicada extraoficialmente a los santos desde un principio.

La presencia del diablo, de ángeles, de almas en pena, resulta pues algo corriente en las hagiografías, presencia sobrenatural que, podría pensarse, dotaría de una solemnidad y grandilocuencia no menor a las pláticas en que ellas se incluían como ejemplos; sin embargo, podía ocurrir con frecuencia que la ilustración de la enseñanza fuese hecha sin solemnidad alguna y, en ciertos casos, incluso con algo de humor, como sucede en un ejemplo muy gracioso en el que san Leufrido azota al diablo que se ha colado a la iglesia, después de haber sellado las puertas y ventanas con la señal de la cruz, «para que viesen la virtud de la señal de la cruz, pues teniendo patentes las puertas, sólo porque había hecho en ellas la señal de la cruz las tuvo el demonio cerradas» (I, IX); el diablo corría con la cola entre las patas, literalmente, hasta que puede escapar colgándose al cordón de la campana para salir por la torre del campanario, que san Leufrido había olvidado señalar.

De hecho, en las pláticas de Martínez de la Parra sólo hay un ejemplo hagiográfico que no incluye hechos sobrenaturales: es el ingenioso relato donde san Gil, discípulo de san Francisco, estando retirado en una gruta recibe la visita de dos hombres ricos que le rogaban los encomendara a Dios, a lo que el anacoreta responde que habría de ser al revés: ellos tendrían que abogar por él ante Dios pues con hacer terribles penitencias «siempre estoy temblando si me he de condenar, y a cada paso temo caer en el infierno. Y vosotros, vestidos de holandas y púrpuras [...], vivís confiadísimos que habéis de ir al cielo. Encomendadme a Dios, señores, que más fe y más esperanza tenéis que yo» (I, XIX), con lo que deja san Gil a los ricos hombres escarmentados, al igual que al auditorio de Martínez de la Parra, y a nosotros nos deja con uno de los pocos ejemplos de un santo que no precisa de milagros para mostrar un camino al cielo.

Puede hablarse también de casos prodigiosos asociados a las vidas de santos que no ilustran virtudes consumadas, sino que muestran el lado opuesto ejemplificando el castigo al que no las busca; se trata de ejemplos en relación contraria con la causa donde el personaje principal no suele ser un santo aunque el ejemplo siga siendo fragmento de la biografía de alguno. De este tipo es uno que el predicador refiere de la vida de san Pedro Damiano sobre un religioso que muere y vuelve del purgatorio, apareciéndose después a un amigo para declarar su culpa y su castigo: había sido condenado por no inclinar la cabeza al decir el «gloria patri» en los rezos cotidianos; ahora, su castigo era proporcionado al gran descuido: «cien veces cada día, y otras cien veces cada noche, me obligan a inclinar tan profundamente la cabeza desde esta columna que, estremeciendo a la terrible vehemencia de dolores que estas inclinaciones me causan, me parece que a cada una baja hasta lo más hondo de el mar [...] y a estos terribles tormentos estoy condenado hasta el día del juicio» (II, VI).

Sin duda esta recurrente presencia de lo sobrenatural en las hagiografías concentraría la atención preceptiva o rectora de la Iglesia, en concordancia con los momentos de mayor auge de la literatura hagiográfica; pues si entre los siglos XI y XV la difusión de materiales hagiográficos se vino intensificando, nutrida por los *libelli miraculorum* (que eran recopilaciones de los milagros realizados por las reliquias de los santos) y, sobre todo, por el paradigma de todas las hagiografías: la *Legenda Aurea* de Vorágine, para el siglo XIII el papa Gregorio IX habría vuelto sobre los fueros eclesiásticos en esa materia al decretar que sólo el pontífice tenía derecho a elevar a una persona al culto público. Este control eclesiástico se habría mantenido, de un modo o de otro, hasta los años en que Martínez de la Parra predicaba sus pláticas, porque después de Trento pareció aflorar de nuevo (aunque tal vez ahora con mayor fuerza) la conciencia de los peligros del uso desordenado de lo sobrenatural, cuidado que puede advertirse en el hecho de que en 1625 Urbano VIII declarara la beatificación de los santos prerrogativa exclusiva de la Santa Sede, y prohibiera con ello la impresión de sus milagros o revelaciones para, en cambio, promover con vigor la impresión de vidas de santos avaladas por la Iglesia[7].

Por lo demás, este control sobre lo hagiográfico y, por extensión, sobre lo milagroso, no haría sino fortalecer la necesidad de una mayor

---

[7] En la bula *In Eminente*, fechada el 30 de octubre de 1625, Urbano VIII también prohibió la representación con el halo de santidad de personas no beatificadas o canonizadas, la colocación de velas o retablos ante sus sepulcros y otras prácticas

autorización de las historias de santos traídas como ejemplos, de modo
que los relatos hagiográficos insertos en las pláticas de Martínez de la
Parra vienen a ser los más autorizados y en los que se puede encontrar
el mayor número de elementos de legitimación historiográfica; lo que
también puede deberse al hecho de que, al ser ampliamente recomen-
dados por los preceptistas, eran también profusamente difundidos en
textos avalados por el *canon* eclesiástico y, por tanto, de fácil y apropiada
consulta para el predicador, de modo que el auditorio podría tener en
la mayor estima una enseñanza probada en la vida de un personaje al
que daba culto en los templos y al que le pedía grandes favores, tempo-
rales y eternos.

En cuanto a los milagros, las manifestaciones más antiguas de su uso
persuasivo que se conocen en Europa son del siglo IX, cuando se multiplicaron las recopilaciones latinas, tres siglos después aparecerían los
primeros milagros en lengua vulgar (siglo XII) y muy pronto se llegaría
a la gran efervescencia de los milagros marianos. En España, los *Milagros
de Nuestra Señora* de Berceo y las *Cantigas de Santa María* de Alfonso X
son los referentes de esa tradición[8]; obras que no significaban sólo el
florecimiento de la difusión, sino también de la reflexión sobre este
tipo de relatos edificantes, pues de ahí nos viene una definición canónica del milagro medieval, en la obra de Alfonso X: «Milagro tanto
quiere decir como obra de Dios maravillosa, que es sobre la natura
usada de cada día, y por ende acaece pocas veces»[9].

Se trata de una temprana definición que ya ofrece dos elementos
para su caracterización: que es obra de Dios y que es maravillosa. De
hecho, una misma es la etimología para milagro y maravilla, ambas
voces devenidas de la raíz latina *MIR* que remite a lo asombroso, a lo
admirable; pues así como el verbo «*mir*or, *mir*ari» significa 'maravillarse',
'admirar', el adjetivo «*mir*us, *mir*a, *mir*um» significa 'admirable', 'asom-

---

de culto popular; después, en la constitución *Sanctissimus* expondría el procedimiento para nombrar santos (puede verse el estudio de Aristizabal y Splendiani,
2002, pp. 19-20).

   [8] Para un informe completo o puntual del milagro medieval remito a *Las colecciones de milagros de la Virgen en la Edad Media (El milagro literario)* de Montoya
(1981), a la introducción de Cacho Blecua a su edición de los *Milagros de Nuestra
Señora* (1990) o, igualmente, al artículo de Carmen Mora (2003, 62-82).

   [9] Alfonso X, *Las siete Partidas*: «Cuantas cosas ha menester el milagro para ser
verdadero» (Partida I, Ley CXXIV).

broso', 'maravilloso'; de donde tanto *mirabilis* como *miraculum* reciben el sentido de hechos admirables, maravillosos[10]. Al parecer fue en la Edad Media cuando el adjetivo *miraculosus* comenzaría a referirse exclusivamente a las maravillas de origen divino, por lo que los milagros se singularizaron frente a las otras maravillas de distinto signo que poblaban la imaginación y la realidad medievales; es decir, todo milagro era en este sentido una maravilla, aunque no toda maravilla era un milagro. En todo caso, para encontrar el lugar del milagro entre las maravillas se tiene ya el camino propuesto por Jacques Le Goff, pues su tipología establece las posibilidades de lo maravilloso en el contexto medieval, según la cual lo sobrenatural se dividiría en occidente, entre los siglos XII y XIII, en tres dominios: *mirabilis*, que nombra lo maravilloso con orígenes precristianos; *magicus*, lo sobrenatural maléfico, satánico y, finalmente, *miraculosus*, lo maravilloso cristiano[11].

Hay que decir, sin embargo, que la recuperación latina del vocablo griego μαγιχυσ (*magicus*) remite más a lo meramente misterioso que a lo satánico, lo que sin duda llevaría a Le Goff a sugerir que en esta categoría podía caber también la magia «blanca»; sea como fuere, esta tipología señala con precisión un lugar especial para el milagro, diferente al de las otras maravillas, lo que puede complementarse con el hecho de que no todo lo maravilloso o extraordinario era sobrenatural en la Edad Media, pues sin duda los prodigios, seres deformes o demás monstruosidades podrían no salir del ámbito de lo aceptado como natural aunque no fuesen hechos cotidianos, lo mismo podría decirse de algunas obras humanas sorprendentes, fruto del arte o del ingenio, de modo que en suma puede aceptarse que el milagro viene a ser un hecho maravilloso no humano, ni natural, ni mucho menos satánico, sino fundamentalmente divino. No obstante, hay que decir que para el siglo XVII la diferencia entre lo milagroso y lo diabólico no parece tan

---

[10] Es sin duda una etimología que se mantiene en el siglo XVII, pues Covarrubias todavía trae una definición en ese sentido: «Maravilla es cosa que causa admiración, del verbo latino miror-aris, por admirarse» (*Tesoro*, *s.v.* 'MARAVILLA'). Por lo demás, *miraculum* parece haber estado en un principio más cercano al prodigio o al portento, pues podría pensarse en el mundo romano era asociado a cuestiones corporales ya que *miracula* es, para Plauto, una mujer feísima, un «portento de fealdad», como apunta Varron (*Nuevo diccionario Latino-Español etimológico*, *s.v.* MIRACULUM).

[11] Le Goff, 1985.

acusada como sugiere Le Goff que lo era en la Edad Media, pues en más de un milagro de Martínez de la Parra aparece el diablo ayudando a la salvación de las almas; con todo, se trata de un problema mayúsculo cuya consideración resultaría imposible en este breve espacio. Quede sólo el registro de la insistencia crítica en adjudicar un maniqueísmo a la determinación de la causa eficiente de la maravilla medieval, como hace Martha Haro al oponer «la maldad del diablo al poder absoluto del Creador», y al hacerlo incluso al centro de un juego de oposiciones mayor: Dios *versus* demonio, premio *versus* castigo, vida eterna *versus* vida mortal, alma *versus* cuerpo[12].

En cualquier caso, el carácter divino de los milagros obligaba a la defensa de su carácter verdadero, pues resultaría necesario asentar la verdad de un acto devenido de la voluntad de Dios; además, de otro modo, su desacato de las leyes naturales o del sentido común no lograría el propósito impresionante del milagro ya que podría ser leído en el marco de alguna licencia dada a la ficción. En ello se distinguen justamente el *miraculum* de la *mirabilia*, en la tipología de Le Goff pues «lo sobrenatural y lo milagroso que son propio del cristianismo [...] parecen diferentes por su naturaleza y función de lo maravilloso, aun cuando haya marcado con su sello lo maravilloso cristiano»[13]; de modo que las reminiscencias del mundo maravilloso precristiano en la *mirabilia* medieval estarían presentes sobre todo en relatos breves como el *lai* o el *fabliau*, el primero de los cuales, para Wolfram Krömer, se diferencia del milagro precisamente por su ausencia de carácter histórico, pues en el *lai* lo maravilloso «es algo extraordinario [...] [que] significa pasar el umbral de otro mundo», mientras que el milagro podría ser considerado ordinario aunque se tratase de un hecho antinatural[14].

Aquí viene bien volver a la definición alfonsina de milagro, aunque expuesta ahora en toda su amplitud:

> Milagro tanto quiere decir como obra de Dios maravillosa, que es sobre la natura usada de cada día, y por ende acaece pocas veces. Y para ser tenido por verdadero ha menester que haya en él cuatro cosas: la primera, que venga del poder de Dios y no por arte; la segunda, que el milagro sea contra natura, que

---

[12] Haro, 2004, p. 201.
[13] Le Goff, 1985, p. 11.
[14] Krömer, 1979, p. 45.

de otra guisa no se maravillarían los hombres de él; la tercera, que venga por merecimiento de santidad y de bondad que haya en sí aquel por quien Dios lo hace; la cuarta, que aquel milagro acaezca sobre cosa que sea a confirmamiento de la fe[15].

Estos cuatro elementos presentan el abanico completo de características para reconocer una maravilla milagrosa en la Edad Media: que se trata de una obra divina, sobrenatural, merecida por el destinatario y que sirve para confirmar la fe[16]; pero no sólo eso, sino que tal definición significa también la presentación de los requisitos suficientes para que el milagro sea considerado verdadero. No obstante que entre tales requisitos no se incluye la necesidad de la prueba empírica o de la sanción institucional del hecho, que serían norma en el siglo XVII, se puede reconocer con Le Goff que ya esta consideración medieval reglamentaba y «racionalizaba» la *mirabilia* pues «el carácter imprevisible, esencial de lo maravilloso, es sustituido por una ortodoxia de lo sobrenatural»[17].

Un milagro muy célebre en el siglo XVII, predicado por Juan Martínez de la Parra, fue el de unas cédulas o papeletas que comenzaron a circular en Roma algunas décadas antes de que el padre Juan pronunciara sus pláticas (aquí el predicador indica una fecha exacta para uno de ellos: 13 de noviembre de 1652); dicho milagro se atribuía a la Inmaculada Concepción de María cuya devoción por entonces se promovía, pues con sólo escribir en una cédula «conceptio inmaculata» ella era capaz de curar cualquier mal si era ingerida en agua. Voló la fama del prodigio, dice Martínez de la Parra, «mas no faltaron otros que quisieron oscurecer su verdad. Pero con testigos de toda excepción, autenticado el milagro, corrió luego en escritos por toda Italia». No obstante la autorización que Martínez de la Parra adjudica a este prodigio, el religioso que inició esta piadosa costumbre (cuyo nombre no se menciona) padeció persecución por ese motivo «como si en haber dado un tan saludable remedio hubiera cometido algún delito,

---

[15] Alfonso X, *Las siete Partidas* (Partida I, Ley CXXIV).

[16] Richard Swinburne incluye, tal vez excesivamente, las dos últimas características en una sola de modo que el milagro queda definido como un hecho extraordinario, causado por «un dios» y con significado religioso: «is an event of an extraordinary kind, brought about by a god, and of religious significance» (Swinburne, 1970, p. 1).

[17] Le Goff, 1985, p. 19.

privándolo de oficio lo desterraron sus prelados de Roma, con pena que le impusieron de perpetua cárcel» (II, VII), hasta que un cardenal es curado por este medio, el 12 de febrero de 1657, lo que inicia un proceso de aceptación tanto del prodigio como de la devoción en cuestión. Ello muestra entre otras cosas que a pesar de la muy probable existencia de una cultura que aceptaba sin problemas lo sobrenatural en la época, su aceptación por parte de la autoridad no resultaba de igual modo irrestricta, y mucho menos si se trataba de un asunto trascendente; en tales casos llegaba a aceptarse sólo bajo ciertas condiciones de prueba que daban al ejemplo milagroso el carácter autorizado.

En cuanto a los ejemplos históricos tomados de la historia profana, a diferencia de los ejemplos hagiográficos y milagrosos, por lo general no incluyen hechos sobrenaturales, y tal vez por ello son en mucha menor medida sujetos de autorización; ello podría indicar en primer lugar que los ejemplos históricos de temas sagrados debían ser tratados con mayor rigor y cuidado que el dispensado a los relatos ejemplares de tema no religioso, pero también implica que los ejemplos hagiográficos, tan poblados de prodigios, precisaban de mayor justificación justamente por su desafío a las leyes del mundo natural.

No obstante, esto no significa que con ejemplos no autorizados, o incluso con temas paganos, no pudiera ser ilustrada una verdad dogmática de la mayor importancia; es decir, una cosa puede ser el tema del ejemplo y otra la causa a probar: si el tema era importante entonces tal vez debería acudirse a la autorización rigurosa, pero con ejemplos de temas religiosamente triviales o nulos bien podían ser ilustradas verdades fundamentales de la fe cristiana, la diferencia radicaría en el grado de demostración adjudicada al ejemplo: la prueba estricta de una verdad dogmática parece reservada a ejemplos autorizados y preferentemente hagiográficos; en cambio, la mera ilustración de una verdad quizá de la misma importancia podía ser hecha con un relato no autorizado.

Para ilustrar en qué medida las palabras de la consagración son verdaderas, Martínez de la Parra acude a un ejemplo que narra cómo Arquímedes, con su magno ingenio, pudo poner en el agua un enorme barco que Hierón, «tirano de Zaragoza»[18] había construido para regalar

---

[18] Se refiere a Siracusa de Sicilia, que en el reinado de Hierón II se alió a Roma contra Cartago en la Primera Guerra Púnica; seguramente se trata de una errata producida al momento de la impresión.

a Tolomeo, rey de Egipto; los ingenieros de Hierón se habían ocupado de la gran construcción, pero después no supieron cómo botar la mole y Arquímedes construyó una máquina «que reducida toda a una pequeña rueda, puso todo aquel monte de madera en el agua», por ello Hierón «pronunció por ley que desde aquel día, a cuanto dijera Arquímedes, se le diera entera fe y crédito» (II, 4); y así mismo, por ley cristiana, debía darse entera fe a las palabras de la consagración. En este ejemplo se puede apreciar que, por un lado, tal vez no fuera necesario mostrar la historicidad de Arquímedes, pues parece ser un personaje bien conocido, y por otro el argumento no busca la prueba absoluta de la obligación cristiana de dar entera fe a las palabras de la consagración, sino sólo la ilustración por semejanza. Además, tan conocido parece Arquímedes para el predicador y para su auditorio, que aparece en otro ejemplo donde resulta ingeniosa la relación que el predicador logra entre la conclusión del ejemplo y la causa a ilustrar, que se refiere al modo en que el examen de conciencia preparatorio de la confesión debe incluir también los pecados ajenos causados o inspirados por acciones propias. Es el célebre relato de cómo Arquímedes defiende su ciudad con espejos y lupas, logrando que los rayos del sol como «bombardas mudamente eficaces» incendiaran la flota enemiga «hasta que de los bajeles no quedaron sino sobre las ondas nadando las cenizas»; el ejemplo concluye relacionando su tema con el asunto a ilustrar: «¿quién fue la causa? El sol por mano ajena» (III, 8)[19].

Julio César, Demóstenes, Sócrates o la asamblea de Atenas son personajes de relatos con que el predicador ilustra sacramentos y mandamientos de un modo ligero y hasta cierto punto humorístico, como el ejemplo en que Sócrates, después de recibir «palabras fulminadas de furia [de parte de su mujer Jantipa], al bajar luego él la escalera le echó encima un cántaro de agua, y él respondió: "Ya yo sabía que después de los truenos viene el aguacero"» (II, 7), con el cual el predicador ilustra el modo heroico en que los esposos deben ceder a las impertinencias de sus mujeres. Aquí resulta notable la manera en que el predicador justifica el haber elegido a Sócrates como ejemplo: «Lo que sé es que Sócrates, digna admiración de Grecia, cedía no pocas veces a una Jantipa, mujer loca y fiera»; la virtud

---

[19] Tal vez el predicador tomó este relato de las *Vidas* de Plutarco, pues el relato se encuentra en la vida de «Marcelo» (Plutarco, *Vidas*, XIV).

que se pretende inculcar resulta pues antes humana y aun pagana que cristiana, y si Sócrates sólo sabía que nada sabía, aquí Martínez de la Parra sólo sabe que Sócrates sabía ceder, por lo que resulta ejemplar y digna admiración ya no sólo de Grecia.

Ejemplos de personajes de la historia moderna, cercanos al tiempo del predicador, también están presentes en estas pláticas (entre ellos algunos monarcas cercanos a los años en que Martínez de la Parra predicaba, como Fernando II, Carlos V o Luis XI de Francia), cuyo relato resulta por lo general de ritmo fluido y algunos también son de corte humorístico; de igual modo, con ellos es posible ilustrar tanto temas graves como ligeros. En el menos gracioso Martínez de la Parra expone la ejemplar firmeza de Fernando II para cumplir con sus obligaciones religiosas, a costa incluso de su salud (es aquel ejemplo ya citado de la procesión del *Corpus*); el más gracioso recuerda la aventura de los galeotes del Quijote, pues «visitando las galeras el duque de Osuna, virrey de Nápoles, como era de buen humor, viendo aquella chusma de galeotes quísose entretener un rato», de modo que fue preguntando a cada uno los delitos que los habían llevado allí y, mientras todos se declaraban inocentes alegando venganzas o mala fortuna, llegó a uno que le respondió: Yo, señor, con mucha razon estoy aquí, porque desde muchacho tuve perverso natural, huime de mis padres y toda mi vida la he gastado en robos, muertes y atrocidades» a lo que el duque respondió: «pues andad, le dijo, idos de aquí libre desde luego, que no es razón que un tan mal hombre esté entre tantos inocentes» (III, 20). Con este ejemplo el predicador intenta ilustrar cómo es mejor confesar verdaderamente que mentir en la confesión, y lo hace conscientemente de un modo humorístico pues termina: «Chanza fue esta que con gracia nos dio a entender una importantísima verdad».

EL TEMA DE LA VERDAD HISTÓRICA EN LOS DISCURSOS RELIGIOSOS

El hecho de que dos de las tres clases de ejemplos históricos descritas aquí puedan incluir elementos sobrenaturales en su relato, obliga a ampliar el examen del marco conceptual de lo histórico en la predicación del siglo XVII, a fin de poder determinar bajo qué circunstancias una idea de historia permite lo sobrenatural aun a costa de que ello le granjee un cuestionamiento sobre su valor justamente como texto histórico, pues dicha idea de historia está en discusión en la época y se ha deteriorado ya el paradigma medieval donde lo sobrenatural se aceptaba con relativa facilidad. Porque la aceptación de lo sobrenatural que compartiría un auditorio que escuchase milagros en algún sermón novohispano del siglo XVII, no haría al predicador olvidar que la inclusión de un ejemplo histórico implicaba ya de sí ciertos compromisos con la demostración, pues con probabilidad conocería y tendría en cuenta las polémicas sobre la verdad sostenidas durante el siglo XVI; o bien, en caso de que se tratase de un predicador poco ilustrado, con seguridad encontraría el recurso de lo milagroso sujeto a una preceptiva rigurosa que privilegiaba lo histórico.

En la Edad Media el carácter histórico de los milagros podía darse por sentado, pues se partía de un concepto de realidad en el que cómodamente cabría lo maravilloso sin necesidad de acotación alguna; dicho concepto queda expuesto, mejor que en ninguna parte, en aquello que escribiera san Agustín en *La Ciudad de Dios*: que la ignorancia de la causa crea la admiración y construye el milagro, pues para san Agustín el mundo en sí, la vida, es ya un milagro, y por tanto los milagros no son en esencia contrarios a la naturaleza sino sólo a lo que podemos conocer de la ella:

> ¿Por qué no podrá hacer Dios que resuciten los cuerpos de los muertos, y que padezcan con fuego eterno los cuerpos de los condenados? Siendo así que es el que hizo el mundo lleno de tantas maravillas y prodigios en el cielo, en la tierra, en el aire y en las aguas, siendo la fábrica y la estructura prodigiosa del mismo mundo el mayor y más excelente milagro de cuantos milagros en él se contienen, y de que está tan lleno[20].

afirmación que se complementa con el título del capítulo siguiente: «No es contra la naturaleza que en alguna cosa, cuya naturaleza se sabe, comience a haber algo diferente de lo que se sabía»[21]. De manera que la única diferencia entre un milagro y otro hecho cualquiera narrado como histórico es que el milagro, al ser extraordinario, debe ser asignado a causas diferentes que los hechos ordinarios y, por lo mismo, viene a ser más poderoso para la persuasión pues resulta inexpugnable a la razón.

---

[20] San Agustín, *La ciudad de Dios*, 21, 7.
[21] San Agustín, *La Ciudad de Dios*, 21, 8.

Para la hermenéutica medieval existían dos posibilidades interpretativas del mundo: una literal o «histórica» y otra espiritual, que llevaba a entenderlo de manera alegórica, anagógica o moral[22]. En principio dicho sentido espiritual se encontraba expresado sobre todo en la Biblia y no tanto en la vida cotidiana; sin embargo, al parecer la interpretación espiritual terminaría aplicándose también a los hechos consuetudinarios de modo que ello abriría la puerta a la aceptación y proliferación del milagro como forma cotidiana e histórica de intervención divina en los asuntos humanos. Es decir, aunque la posición ortodoxa sobre la irrupción de lo sobrenatural en la existencia temporal daba por sentada la participación de Dios sólo en momentos precisos (los portentos del Antiguo Testamento, la encarnación, muerte y resurrección de Jesús, y al final de los tiempos en la segunda y definitiva venida), la aceptación del milagro fue desde los primeros tiempos del cristianismo al parecer cosa corriente pues ya entonces se insistía en el poder y la libertad de Dios respecto de las leyes naturales, insistencia que tenía como base la afirmación de Pablo de que Cristo nos había salvado de la naturaleza: que antes de la resurrección, por la idolatría, todos los hombres habían sido esclavos de los principios elementales del mundo[23].

Esta tolerancia de lo maravilloso en la historia se mantendría de un modo más o menos constante a lo largo de toda la Edad Media, aunque después del Concilio de Trento y sobre todo bajo la dirección del papa Urbano VIII, como ya se adelantó, la Iglesia tomaría un control determinante sobre las representaciones de milagros y prodigios, no sólo aquellos asociados a los procesos de canonización sino en general la difusión de todo tipo de maravillas, pues para entonces eran ya más que claras las virtudes persuasivas de lo sobrenatural y más que preocupantes los posibles usos perniciosos de tales virtudes. Téngase en cuenta cómo, al calor de las graves disputas religiosas y políticas de la época, se había iniciado «la era de las interpretaciones polémicas [en la que] Lutero utilizará en abundancia idénticos procedimientos [la ridiculización monstruosa del adversario] con un tono más panfletario», como dice Claude Kappler refiriéndose a

---

[22] Santo Tomás, *Suma Teológica*, I, q. 1, art. 10, 1-3.

[23] Ver: Rom 1, 25-26. Este es, como dice Robert Grant, el primer elemento para la aceptación de los milagros: «early Christians thus insisted upon the power and the freedom of God [respecto a las leyes naturales]. This is the primary factor in all the miracles stories» (Grant, 1952, p. 265).

la supuesta aparición en Alemania de animales con rostro o figura de papas o frailes, como el Papa-asno (*Papst-Esel*) o el fraile-becerro (*Mönchkalb*)[24]. El control eclesiástico se extendía incluso a la censura de las creencias populares respecto de lo sobrenatural, al punto de declarar hereje a todo aquel que pretendiera adjudicar carácter verídico a, por ejemplo, las transformaciones y metamorfosis que no tuvieran como fin mostrar la gloria de Dios, como aparece en los tratados sobre lo anormal o monstruoso que se multiplicaron por esos años[25].

Sin embargo la cultura no cambia por decreto, de modo que incluso durante el siglo XVII, ciertamente tal vez en menor medida que en la Edad Media, en el mundo hispánico los hechos sobrenaturales seguían gozando de un amplio margen de aceptación cultural, pues la participación de los santos o del diablo en la vida cotidiana de las personas podría llegar a ser considerada un hecho corriente, como sucedía en la Nueva España, donde baste recordar el caso de mentalidad supersticiosa que cita Solange Alberro, ocurrido por esos años en los alrededores de Acapulco: un hombre es puesto preso por haber matado un caimán en el momento en que una anciana moría cerca de ahí; no es que fuese delito matar caimanes sino que la anciana gritó, en el momento de su muerte, que la mataba aquel que mataba el caimán, y esta mera afirmación —junto a la fama de hechicera que la anciana tenía— fue suficiente para considerar al señalado como sospechoso mayor[26]. La acusación podía apoyarse tanto en la probabilidad de una manifestación del «nahual» de la hechicera, pues seguía viva la creencia indígena en la doble alma de ciertas personas poderosas (una alma humana y otra animal), tanto como de la antigua costumbre europea de atribuir a las brujas el poder de transformarse en animales; en cualquier caso ello muestra entre otras cosas el valor jurídico que podía tener una creencia popular, pues la propia autoridad la acepta como base de la prueba para procesar al inculpado.

<hr />

[24] Kappler, 1986, p. 273.

[25] Como el *Canon Episcopi* citado por Kramer y Sprenger en su *Malleus Maleficarum*. Ciertamente el *Martillo de los brujos* podría tener muy poca representatividad respecto de la ortodoxia religiosa, al ser como se sabe un texto más o menos fraudulento; sin embargo, sin duda sí la podría tener respecto de la probable visión de mundo de la época.

[26] Alberro, 1997, p. 105.

No obstante esta tolerancia cultural a la presentación de hechos sobrenaturales, esta especie de indiferencia frente a la condición paranormal de los mismos, la presentación de los milagros solía hacerse justificando su carácter verdadero, como si tal tolerancia no existiera, como si se temiese despertar alguna curiosidad o recelo. Naturalmente, ello no significa ninguna novedad en el siglo XVII, pues el ofrecimiento de argumentos sobre el carácter histórico de los milagros ya parece propio de la Edad Media, como ha señalado Juan Manuel Cacho respecto de los *Milagros de Nuestra Señora* donde, entre otras cosas, el discurso «notarial» de Berceo podría tener ese propósito[27]; sin embargo, en el siglo XVII tal justificación parecía ser una necesidad más apremiante que antaño, pues la demostración histórica se hacía ahora de un modo más acusado, más riguroso, empleando escrupulosamente los elementos de prueba de la historiografía humanística: presentación de testigos de vista, documentos inquisitoriales y de otras autoridades e incluso la experiencia personal, con lo que se generaba una tensión entre dos concepciones de realidad en cierto punto excluyentes: una concepción empírica que necesitaba explicar o justificar racionalmente la presencia de lo sobrenatural, y otra metafísica que lo permitía, es decir, una concepción humanista de la verdad histórica y otra de raíces medievales, en cuya fusión (y confusión) surgía una nueva verdad, que tal vez podamos llamar barroca[28].

El XVI había sido un siglo fecundo en historias y en tratados sobre su escritura donde la idea de verdad empírica resultaba determinante, pues en esta renacida preceptiva era el carácter verdadero de las obras históricas su rasgo distintivo frente a otros tipos de narración, por ello es que las historias religiosas del siglo XVII no podían constituirse enteramente a espaldas de esta recuperación de la noción clásica de la verdad histórica

---

[27] Cacho Blecua, 1990.

[28] Víctor Frankl (1963) supone que el Manierismo tiene como base precisamente lo que llama una perturbación del sentido de realidad, que se origina al combinar lo que ha descrito como cuatro esferas de lo real: la esfera de los hechos empíricos, la de las leyes generales, la de los valores normativos y la de los hechos sobrenaturales. Sin entrar a la probable distinción entre Manierismo y Barroco, que para este caso vendría a ser lo mismo, es un hecho que el sentido de realidad está en conflicto en estos años, aunque me parece también que llamar perturbación a la tensión entre diferentes sentidos de lo real puede implicar un prejuicio que no abona a su comprensión.

cuya base puede resumirse muy bien en la contundente afirmación de Vives de 1533: «la primera ley de la historia es que sea veraz»[29]. Esta pretensión humanista de verdad enfrentaba a sus signatarios con los historiadores religiosos cuyas obras dejaban ver una cierta languidez en cuanto a los criterios de verdad que seguían, pues parecían apoyarse en todo caso en una concepción muy amplia de lo verdadero; las dimensiones de dicho enfrentamiento quedarían de manifiesto en el debate por escrito que protagonizaron el humanista Pedro de Rhua y el cronista Alonso de Guevara, obispo de Mondoñedo, a quien dice Rhua: «Escribí a Vuestra Señoría que, entre otras cosas que en sus obras culpan los lectores, es una la más fea e intolerable que puede caer en escritos de autoridad, como Vuestra Señoría lo es, y es que da fábulas por historias y ficciones propias por narraciones ajenas» a lo que el obispo de Mondoñedo respondería que no haga caso de ello pues al cabo todas las historias gentilicias son mentiras, que de ellas en definitiva no se podría mostrar con absoluta certeza su verdad, y que:

> los [preceptos] divinos son enviados de lo alto y enseñados por Dios y por sus medianeros, y estriban en fe que sobrepuja toda ciencia; y los [preceptos] humanos en razón y en buena policía [...] [de manera que] El conocimiento que tenemos de lo divino y de la verdad de todo el universo [...] ni tiene necesidad de doctrina inventada por los hombres, sino de sola la persuasión de la autoridad de quien lo dijo, porque esta es ciencia de principios inmediatos y por eso es indemostrable.

A lo que Rhua respondería terminante que «el fin de la historia es solo el provecho que de sola la verdad se coge»[30].

Se trata del inicio de una censura de las historias religiosas que por lo demás se mantiene entre muchos estudiosos contemporáneos, para quienes dichas historias son mucho menos fieles a los hechos que las dedicadas a asuntos civiles o militares, lo que para Esteve Barba se debe, por ejemplo, a que el historiador religioso al ser «educado en el cultivo de la oratoria, se deja llevar con frecuencia al terreno del sermón, y por

---

[29] Vives, *Del arte de hablar*, III, 13.
[30] Rhua incluye en sus cartas los argumentos de su oponente, como era corriente según las normas de la *disputatio* medieval (*Cartas de Rhua lector en Soria sobre las obras del Reverendísimo señor Obispo de Mondoñedo dirigidas al mesmo*, fols. 37v, 41 y 45v).

eso tal vez es, en su estilo, presa mucho más fácil del barroco [*sic*]»[31]. Este reproche a la poca verdad de las historias religiosas, explicado por su cercanía al sermón, no puede ser más oportuno, pues ilustra justamente la naturaleza del problema, en cuanto a la definición de las difíciles fronteras entre la realidad y la ficción, tanto en las historias religiosas como en la predicación de esos años. El rechazo humanista a la presencia de cualquier asunto que no pudiera ser demostrado como verdadero en los escritos históricos, se relaciona al menos en dos sentidos con las discusiones respecto a la importancia y prioridad de la historia como prueba ejemplar en el terreno de la predicación: en primer lugar, tanto en historiografía como en predicación está en conflicto la superioridad de lo verdadero, aunque tomando como base dos conceptos distintos de verdad; en segundo lugar, en ambos casos el uso de la verdad se defiende con base en una utilidad de carácter moral, pues al centro de las argumentaciones de los historiadores humanistas está el valor ejemplar de la historia en sí misma, no sólo dentro de discursos de carácter persuasivo.

En efecto, la concepción moral de la historia fue tópica entre los preceptistas del siglo XVI, pues del mismo modo en que Vives la defiende, Juan Costa sostuvo que «la Historia no es otra que la evidente y lúcida demostración de las virtudes y los vicios, cuyo estudio abraza la filosofía moral»[32], y siguiendo a Montero Díaz se podría agregar que Fox Morcillo «como sus contemporáneos, fiel a los modelos clásicos [...] [proclamó] el carácter ejemplar de la Historia, su calidad de *magistra vitae*, aleccionadora de pueblos e individuos»[33]; incluso en el siglo XVII Luis Cabrera de Córdoba subrayaría la finalidad ejemplar de la historia que «no es escribir las cosas para que no se olviden, sino para que enseñen a vivir con la experiencia [...] [pues] El fin de la historia es la utilidad pública»[34]. Hay que decir que, en todos los casos, los historiadores humanistas no hacían otra cosa que glosar el tópico cicero-

---

[31] Esteve Barba considera, además, que estos historiadores suelen exagerar la nota al referir milagros, o al dejar incompleta, por discreción, las biografías y las historias, y que para ellos «lo fantástico no suele ser sino una parte de la realidad» (Barba, 1964, p. 9).

[32] Costa, *De conscribenda historia libri duo*, fol. 4r.

[33] Montero, 1941, p. 18.

[34] Cabrera, *De historia, para entenderla y escribirla*, p. 35.

niano, escrito más como preceptiva retórica que historiográfica, que se puede leer en *De oratore*: «La historia es testigo de los tiempos, luz de la verdad, vida de la memoria, maestra de la vida, mensajera de la antigüedad»[35].

Para encontrar el lugar de la historia humanística dentro de los diferentes tipos de relatos de hechos pasados, Vives explicaría la naturaleza del relato histórico por su causa teleológica, es decir, clasificaría las narraciones por su finalidad en tres tipos: las que sirven para explicar, que requieren veracidad y que llama propiamente historia; las que sirven para persuadir, que conviene sean verosímiles y bien simuladas, y las que sólo sirven para deleitar, que considera bastante libres[36], con lo que otorgó a la historia el propósito didáctico más elevado, explicar, lo que exige veracidad, mientras que a los discursos persuasivos les permitió la inserción de relatos verosímiles. Como puede apreciarse, Vives trata aquí de la historiografía y de la elocuencia sagrada simultáneamente, lo que resulta comprensible si se toma en cuenta que en estos años los fundamentos conceptuales de la historiografía se deducían de la retórica; de modo que a partir de esta doble referencialidad se están plantando también los cimientos para una distinción de la historia frente a la retórica, con base en el énfasis sobre lo verdadero, lo que Pedro de Rhua dejó en claro cuando afirmó que «en esto difiere el orador del historiador: que el orador más procura decir lo verosímil y creíble que lo verdadero; pero el historiador sola la verdad desnuda pretende de escribir, sencilla, sin afeites ni sospecha de ellos»[37].

El concepto humanista de la historiografía deriva pues de las consideraciones retóricas clásicas sobre la historia contenidas en las particiones de la *narratio* y de la *argumentatio*, es decir, en las clasificaciones de los modos de exposición de la causa y de su defensa en los discursos persuasivos[38]. En el seno de la retórica clásica el concepto de historia admite, sin embargo, una ambigüedad no presente en los textos huma-

---

[35] Cicerón, *De oratore*, II, 32, 1.

[36] «La narración destinada a explicar requiere veracidad; a ésta la llamamos historia. La destinada a persuadir, si queremos convencer de lo que se narra, conviene que sea probable [...] Pero si se la destina al deleite y al entretenimiento del espíritu, ésta goza de mayor permisividad» (Vives, *Del arte de hablar*, III, pp. 10-12).

[37] Rhua, *Cartas*, fols. 45 v y 45 r.

[38] Ver Kohut, 1990, pp. 345-374.

nistas de historiografía, como la contenida por ejemplo en la propia definición ciceroniana de la historia que reza «narración verdadera de hechos pasados»[39], donde puede caber duda sobre si lo verdadero en la historia son los hechos sucedidos o el informe que los organiza, lo que llevaría a muchos historiadores, sobre todo religiosos, a considerar que si el valor de verdad de una historia reside no sólo en la adecuación a los hechos sino en un «estilo verdadero», en cierta manera podría prescindirse de los hechos pues con cuidar dicho estilo verdadero sería suficiente.

En cambio, la historiografía religiosa tiene como fundamento un concepto de historia diferente al humanístico y también de larga tradición, fundado sobre todo en la Biblia y en los Padres de la Iglesia. Los mismos tratadistas religiosos de la historia del siglo XVII se encargarían de señalar este diferente concepto, como Jerónimo de San José, historiador carmelita, quien parte de una definición de historia «en su más amplia y dilatada significación» consistente en «cualquier narración de algún suceso o cosa [...] ora sea verdadera o falsa», para luego proponer una división de la misma en humana y divina, correspondiendo sólo a la primera la posibilidad de ser falsa o verdadera pues la divina será por definición siempre verdadera, aunque no sujeta a las leyes físicas de comprobación de verdad porque en ellas «no puede caber falsedad alguna». Para afirmar su dicho, propone una jerarquía de las historias donde el primer lugar sería ocupado por lo que él llama «Historia Divina», el segundo por las historias religiosas porque «en ellas, como muy próximas a la divina, se contiene mucho de lo que más importa para la enseñanza de la virtud y gobierno de la vida temporal en orden a la eterna», y al final quedarían las historias profanas[40].

Esta suerte de resistencia de la historia religiosa frente a la verdad empírica resulta similar a la que es posible observar en la elocuencia sagrada, donde la práctica concreta de la predicación parece defenderse de la censura preceptiva de la ficción profana como recurso ilustrativo. El punto de comparación para dicha similitud implica, por lo demás, un doble valor del prodigio, pues los milagros y hechos sobrenaturales que en el cuerpo de una historia religiosa son tachados como falsos

[39] Cicerón, *De oratore*, II, 36, 32.
[40] San José, *Genio de la historia*, V, 1; V, 2; V, 5 y X, 5.

por los historiadores humanistas, son los mismos que los preceptistas de retórica exigen como ejemplos históricos a los predicadores en lugar de las «*nugas*» y fábulas. Esto conduce sin duda a una interesante paradoja, pues mientras que durante buena parte de la historia de la preceptiva retórica cristiana se vino exigiendo persistentemente el uso de la historia como fuente de relatos ejemplares, ya que ella proveía el rigor de los hechos efectivamente acaecidos, por el contrario cuando surge la ocasión de discutir una definición y un método para la historia, la mayoría de los historiadores religiosos rechazaron el rigor de la noción clásica de verdad histórica que fortalecía justamente ese valor factual, pues excluía los hechos que la tradición religiosa venía reputando como históricos.

De este modo, si un milagro ha ser presentado como un acontecimiento histórico, ello tendría que ser sobre la base de un concepto de realidad distinta al que surge de la posibilidad de comprobación empírica, pues se trata de hechos de carácter no natural que deben ser interpretados a partir de las posibilidades hermenéuticas adjudicadas al universo de lo espiritual. Dicho concepto tal vez pueda formularse volviendo a las afirmaciones aristotélicas sobre la verdad contenidas en la *Metafísica*, de acuerdo con las cuales ésta consistiría en la conformidad de un juicio con la realidad a que este juicio se refiere[41], es decir, la verdad no es una cualidad intrínseca a las cosas sino un discurso o juicio sobre ellas hecho con base en una comparación con la realidad: un discurso es verdadero si se ajusta a la realidad, pero ¿qué viene a ser exactamente la realidad? Aristóteles mismo da dos posibilidades, ahora en su *Poética*: la realidad empírica, accesible a nuestros sentidos, y la realidad metafísica o general, accesible sólo a las potencias superiores; allí mismo concede Aristóteles a la historia la función de dar cuenta de la primera de estas dos clases de realidades, es decir, la realidad empírica, y a la poesía la capacidad de expresar las verdades trascendentes[42].

---

[41] «se ajusta a la verdad el que piensa que lo separado está separado y que lo junto está junto, y yerra aquel cuyo pensamiento está en contradicción con las cosas [...] Pues tú no eres blanco porque nosotros pensemos verdaderamente que eres blanco, sino que, porque tú eres blanco, nosotros, los que lo afirmamos, nos ajustamos a la verdad» (Aristóteles, *Metafísica*, IX, 10 [1051^b]).

[42] «Por esto también la poesía es más filosófica y elevada que la historia; pues la poesía dice más bien lo general, y la historia, lo particular» (Aristóteles, *Poética*, 1451^a, pp. 38-47).

Para determinar las particularidades y los límites del concepto religioso de la historia, resulta útil el discernimiento de las tres formas de entender la historiografía en Occidente propuestas por Reinhold Niebuhr. La primera forma consiste en una aproximación clásica a la noción de historia que la equipara con el mundo natural y que permite, por tanto, deducir sus leyes como espejo de las leyes naturales; la segunda sería la aproximación religiosa o bíblica que parte de una concepción trascendente de la vida y del tiempo, «which found man's historic existence both meaningful and mysterious and which regarded the freedom of man, which distinguished history from nature, as the source of evil as well as of good»; y la tercera es la aproximación moderna, que implica una perspectiva evolutiva y cuya atención se centra en el desarrollo histórico del poder y la libertad humana[43]. En esta clasificación, la historia religiosa quedaría como una ínsula entre dos concepciones de la historia cuyos horizontes son más bien humanos y cuyas leyes son comprensibles para la razón; es decir, desde los discursos religiosos se conforma una historia cuya singularidad radicaría en su carácter maniqueo y en la institucionalización de la imposibilidad humana para regir y aun conocer completamente un devenir que lo trasciende.

En particular la concepción religiosa de la historia se expresa en Occidente, a decir de Víctor Frankl, también en tres formas principales: en primer lugar, como conducción del mundo llevada a cabo por Dios, narrada en la Biblia y, se podría agregar, sustentada después en el magisterio de la Iglesia; en segundo lugar, como ilustración del devenir humano en tanto escenario de una lucha superior entre el bien y el mal; y, en tercer lugar, como interpretación mesiánico-escatológica de la historia, que implica la aceptación de la transformación del presente histórico por la irrupción mística del poder divino[44]. En las tres formas

---

[43] Niebuhr, 1949, p. 15.

[44] Es posible encontrar las bases conceptuales de una historia entendida como escenario de la lucha entre el bien y el mal, en el Nuevo Testamento y *La Ciudad de Dios* de san Agustín. Si san Pablo había escrito a los cristianos de Corinto «porque las armas de nuestra milicia no son carnales, sino poderosas en Dios para la destrucción de fortalezas, derribando argumentos y toda altivez que se levanta contra el conocimiento de Dios, y llevando cautivo todo pensamiento a la obediencia a Cristo» (2Cor 10, 4-5), sin duda un historiador religioso del siglo XVII

se advierte una suerte de indiferencia por lo terrenal que alejaría definitivamente la historia religiosa de cualquier pretensión de estricta fidelidad a los hechos humanamente observables; y es que si el devenir humano es sólo circunstancial, en una historia entendida como expresión temporal del plan divino universal, sus leyes y la noción humana de realidad no comprenden sino sólo las formas imperfectas de esa realidad trascendente, por lo que importaría poco intentar descubrir sus leyes o ajustar el relato historiográfico a dicha noción humana de la realidad pues, en todo caso, la verdad que una historia religiosa pretende no estaría al alcance de la inteligencia o de los sentidos, sino sólo de la fe, como defendía el obispo de Mondoñedo en su disputa con Pedro de Rhua.

En la historia religiosa, el relato de los hechos humanos se encuentra siempre subordinado a una estructura narrativa superior, pues se adjudica al hombre, en tanto sujeto histórico, un lugar como personaje del relato ya iniciado con la caída en el Paraíso y que terminará en el Juicio Final o «el fin de los tiempos»; por ello, el sentido moral de la historia no queda establecido por su capacidad de otorgar elementos de aprendizaje sobre la experiencia de los hombres pasados, como pretendía la historiografía clásica y la humanística, sino que, como los profetas, el historiador religioso justifica el carácter moral de su visión de los acontecimientos como expresión del juicio de Dios, como dice Niebuhr[45]. Esta forma de justificación moral de la historia implica una interpretación maniquea de los actos de los hombres, quienes sólo pueden asimilarse o rebelarse al plan divino de salvación, donde la muerte y el infierno no son otra cosa que la consecuencia de la rebeldía y el mal. En este sentido, una aproximación historiográfica religiosa puede implicar un juicio parcial de los acontecimientos, de la mano del juicio

encontraría en su labor intelectual un fortísimo compromiso a subordinar su presentación de los hechos a los requerimientos de este combate trascendente, de modo que se ocuparía más bien de procurar la descripción de una de «las dos ciudades en la tierra», como reza el título del libro XV de *La ciudad de Dios* de san Agustín, en cuyo capítulo XXVIII dice «Dos amores han dado origen a dos ciudades: el amor de sí mismo hasta el desprecio de Dios, la terrena; y el amor de Dios hasta el desprecio de sí, la celestial».

[45] Quien además reconoce que «only under the judgement of God do they recognize the universality of this human situation of sin and guilt» y que «a "last judgement" stand at the end of all human achievements» (Niebuhr, 1949, pp. 124 y 126).

de Dios, aunque la historia como devenir humano espera sin duda el definitivo juicio divino al final de los tiempos.

Para observar cómo se resuelven estos conflictos entre una noción humanística y otra religiosa de verdad histórica, en el tratamiento concreto de los milagros, conviene traer a cuento uno muy famoso que tuvo lugar en Puebla de los Ángeles en el siglo XVII, consistente en la reintegración de un pan (previamente pulverizado) al ponerlo en agua, al parecer sólo por virtud del nombre que llevaba impreso: Jesús o Santa Teresa; milagro que vino repitiéndose por casi cuarenta años en la casa de la hermana del deán de la catedral, a partir del 17 de noviembre de 1648. Martha Lilia Tenorio, en su documentado estudio sobre este curioso acontecimiento novohispano cita el *Teatro mexicano* de Agustín de Betancourt (1698)[46], donde puede verse cómo la noticia de un milagro era en principio recibida con cautela, sin la probable inocencia de la recepción medieval: «varios religiosos más fueron a casa del señor deán para dar fe del milagro (con escribanos y demás aparato). La averiguación se llevó a cabo con todo cuidado: una vez que doña María echó los polvos en el jarro de agua, los escribanos taparon y sellaron el recipiente, esperaron media hora y pudieron comprobar la reintegración»[47]. Ello iniciaría un arduo proceso de calificación del milagro que no estuvo exento de algunas denuncias sobre la falsedad del mismo, aunque, para fortuna de la causa del deán y de su hermana, el fiscal de la calificación fue Alberto de Velasco, si bien un vigilante celoso de la ortodoxia también un activo trabajador de las causas maravillosas.

En el largo proceso de calificación, para el que se citaban testigos y se volvía a corroborar notarialmente la repetición del hecho, puede advertirse cómo el necesario escepticismo iba siendo poco a poco vencido, hasta que finalmente el arzobispo de México, fray Payo de Rivera, proclamó el milagro el 9 de octubre de 1677. Sin embargo, la muerte del deán en 1680 y el cambio de titular en el arzobispado dieron pie al fortalecimiento de las objeciones contra la calificación (que nunca desaparecieron por completo aunque permanecieran a la sombra después de su promulgación); de modo que cuando ascendió el nuevo arzobispo, Francisco Aguiar y Seixas, se iniciaron en toda forma procesos en

---

[46] Tenorio, 2001.
[47] Tenorio, 2001, p. 22.

contra del milagro calificado denunciándolo de inútil y gratuito, señalando la poca calidad moral del instrumento (es decir, la hermana del deán que era quien pulverizaba el pan y lo ponía en agua, y quien al parecer no se distinguía por su conducta virtuosa), señalando también la impiedad en los modos de preparación del milagro, la ausencia de consecuencias o efectos benéficos del mismo (que lo panes no tenían poderes curativos y que, por añadidura, salían feos después de la reintegración) y, sobre todo, que había habido falsos testimonios en el proceso de calificación.

El proceso inquisitorial, por fraude, se alargó de 1681 a 1685, año en que muere la hermana del deán quien al parecer siguió reintegrando panes hasta el final; dicho proceso quedaría a la postre inconcluso, entre un estira y afloja de inquisidores y fiscales, estos últimos temerosos de la «mucha jerarquía» de los testigos que se veían obligados a convocar. Ello ilustra, entre otras cosas, que la aceptación del milagro en el siglo XVII novohispano era cuestión conflictiva, al menos para las autoridades eclesiásticas, hecho que sin duda tendría muy en cuenta un predicador que se valiera de milagros para ilustrar su sermón; además, el complicado y azaroso camino que debían seguir los milagros para encontrar su sanción institucional en esos años permite observar una situación paradójica, originada en el hecho de que el predicador que los trae al sermón se ve obligado a intentar probar los hechos de fe, lo que en principio resulta contradictorio pues pretender autorizar la veracidad de los hechos sobrenaturales mediante recursos probatorios propios de la historiografía humanística crea una tensión entre una concepción religiosa de la historia cuya base es la fe y, por tanto, no precisaría de la demostración de los hechos originados en la voluntad divina, y una concepción todavía humanista que buscaría dar más peso a la razón en la lectura de los acontecimientos.

Si un milagro es en esencia un hecho contrario a la naturaleza y a la razón, y su verdad es distinta en definitiva a la verdad empírica, como argumentaba el obispo de Mondoñedo, difícilmente se justifica el consecutivo esfuerzo del predicador encaminado precisamente a explicar dichos hechos o, al menos, a hacerlos coherentes con el sentido empírico de realidad, pues si se acepta que el punto de partida de la verdad de los milagros es la omnipotencia de Dios, su conocimiento supondría la superioridad de la fe sobre la razón y haría el uso de esta última innecesario[48]. Esto resulta, como se ha dicho, en una contradicción ya que estando la verdad de los milagros fuera de la razón humana no podría en definitiva ser explicada por medios racionales; sin embargo, la forma de autorizar los milagros en la predicación del siglo XVII novohispano parece dar cuenta de un esfuerzo por explicar lo inexplicable dada la contundencia de las pruebas a que se acude, como sucede en los ejemplos milagrosos de Martínez de la Parra: «Ya, pues, este fanal lucimiento de nuestra fe pienso que nos lo quiso dar a estimar con un prodigio tan estupendo, que antes de contarlo asiento que ha estado a la pública vista de todo el numeroso reino de Flandes y, fuera de referirlo muy graves autores que cita nuestro Engelgrave, afirma que lo aprobaron dos Sumos Pontífices: Sixto IV y Clemente VIII» (I, XIV). El prodigio era tan estupendo, dice el predicador, que era necesario probar su veracidad.

SOBRE EL CARÁCTER POÉTICO DE LAS HISTORIAS RELIGIOSAS

La presencia de lo no comprobable empíricamente no es exclusiva de las historias religiosas en los siglos XVI o XVII, pues ello también se encuentra en no pocas historias profanas como la *Historia de la conquista de México* de Francisco López de Gómara, que incluye el bien conocido episodio de la batalla de Cintla donde los españoles al parecer fueron asistidos por una milagrosa aparición[49]. Tal vez, entre otras cosas, a ello se deba que la Crónica de Indias venga siendo considerada por parte de no pocos estudiosos víctima de una contaminación por elementos literarios, y por ello mismo cuestionada en cuanto al necesario mantenimiento en toda historia del carácter verdadero de los hechos

---

[48] «Christ can not be known as the revelation of God except by faith and repentance; but a faith not quite sure of itself always hopes to suppress its scepticism by establishing the revelatory depth of a fact through its miraculous character. This type of miracle is in opposition to the true faith», dice Niebuhr (1949, p. 148).

[49] De lo que Bernal Díaz del Castillo se burla en su *Historia verdadera [...]*, escrita, como se sabe, en respuesta a las «falsedades» de Gómara: «pudiera ser que como dice Gómara fueran los gloriosos apóstoles señor Santiago o señor San Pedro; y yo, como pecador, no fuese digno de ver» (Díaz del Castillo, *Historia verdadera de la conquista de la Nueva España*, XXXIV).

que narra o bien, por el contrario, elogiada como documento de carácter poético. En todo caso, es preciso reconocer primeramente que los posibles elementos de carácter literario adjudicados por cierta crítica a las historias americanas escritas entre los siglos XVI y XVII, derivan principalmente de la cercanía estructural de estas con discursos de corte persuasivo.

La búsqueda de elementos literarios en la prosa historiográfica ha venido incrementándose a partir de los estudios de Hayden White, *Metahistory* (1973) y *Tropics of discourse* (1978) y de Paul Ricoeur, *Temps et récit* (1974), quienes han intentado por un lado cuestionar el ideal de objetividad de la historia y, por otro, apuntalar una consideración literaria de los textos históricos con base en el supuesto de que todo relato histórico es, finalmente, representación, y que por tanto incluye la construcción de un efecto de realidad; es decir, que el relato histórico se limita a hacer inteligible el devenir al punto en que se puede imaginar, dice White citando a Nietzsche, «un relato perfectamente verdadero de una serie de acontecimientos pasados que, sin embargo, no contenga un solo hecho específicamente histórico»[50], o bien, como concluyó Ricoeur, la constitución de una crónica puede ser más poética que científica en virtud de que el discurso historiográfico es más «tropológico» que lógico. Con base en estos postulados se ha pretendido determinar el carácter literario (e incluso un presunto carácter ficcional) de la Crónica de Indias, aunque pasando por alto el necesario estudio de las preceptivas historiográficas de la época en que fueron escritas; así, Pupo-Walker escribe, por ejemplo, que en *El Carnero* y los *Comentarios reales*[51] «la ficción es ahora la unidad que resume y ordena imaginativamente el espacio historiable»[52], afirmación sin duda sugerente aunque parece no tomar en cuenta que lo que llama «ficcionalización» no es otra cosa que la presencia de textos ejemplares en discursos de corte historiográfico, lo cual es perfectamente aceptable bajo el concepto moral de historia vigente en esos años.

---

[50] White, 2003, p. 48.

[51] La bien conocida obra de José Rodríguez Freyle, *Conquista y descubrimiento del Nuevo Reino de Granada,* mejor conocida como «El Carnero», fue escrita entre 1638-1639, e impresa en 1859. De Garcilaso de la Vega, «El Inca», la *Primera parte de los comentarios reales que tratan del origen de los yncas, reyes que fueron del Perú, de su idolatría, leyes, y govierno de paz y en guerra [...],* fue impreso en Lisboa, 1609.

[52] Pupo-Walker, 1982, p. 154.

En realidad, en su excesiva fidelidad a White y Ricoeur, las pruebas que estos estudios han aportado para acreditar el carácter literario de las historias barrocas americanas se limitan a cuestiones propias del ornato, pues se pondera sobre todo la profusa presencia en ellas de amplificaciones y figuras retóricas de diverso signo como muestra de que se trata de discursos figurados, es decir «más tropológicos que lógicos», como hace James Ray Green Jr., al estudiar la *Historia verdadera* de Bernal en la que sólo encuentra, en términos retóricos, *amplificatio*, es decir, sólo observa desde el valor elocutivo del discurso[53]. En todo caso, si con base en estos razonamientos hubiera de buscarse la clase de historias americanas más cercanas a la literatura por su valor ornamental, se tendría que reconocer que, en efecto, las historias religiosas pueden ser más literarias que las «científicas», pues aunque Bernal pueda incluir en su obra metáforas o comparaciones (aun con tiempos y espacios ficcionales como los del *Amadís*)[54] su pretensión de verdad empírica sigue vigente y expuesta con claridad en el título de su obra, lo mismo que la búsqueda de un estilo austero acorde con la presentación desnuda de los hechos, lo que no sucede en la gran mayoría de las crónicas religiosas cuya cercanía al sermón y sus amplios recursos persuasivos las distinguen con claridad de cualquier otro tipo de historias en la época, pues aun cuando en todas puede haber lenguaje figurado en las religiosas puede darse una verdadera explosión de colores retóricos del más variado signo.

Sin embargo, afirmar el carácter literario de este o de cualquier texto historiográfico sólo en virtud de su uso de lenguaje figurado, constituye un razonamiento a la postre limitado pues obliga a reconocer que casi todo el discurso humano vendría a ser literario, en razón de que las figuras retóricas son de uso corriente aun en el discurso científico y mucho más, por supuesto, en el coloquial. Además, resulta necesario distinguir entre lo «literario» y lo «ficcional», pues aun cuando la función de un texto histórico puede ser considerada más estética

---

[53] Green, 1986, t. I, pp. 645-651.

[54] «Y desde que vimos tantas ciudades y villas pobladas en el agua, y en tierra firme otras grandes poblaciones, y aquella calzada tan derecha y por nivel como iba a México, nos quedamos admirados; y decíamos que parecía a las cosas de encantamiento que cuentan en el libro de Amadís» (Díaz del Castillo, *Historia verdadera*, LXXXVII, pp. 20-23).

que descriptiva, de ahí no se deriva necesariamente su carácter ficcional, como pretende Pupo-Walker.

Si la ficción tiene lugar en la historiografía barroca, ello no es demostrable sólo con la presencia del exacerbado ornato o de los referentes literarios sino, en todo caso, mediante la consideración de un aspecto no siempre contemplado en los estudios sobre la historiografía de la época: el valor moral de las historias, que implica la presencia en ellas de argumentaciones inductivas que suelen hacerse mediante la inserción de relatos ejemplares, los cuales no precisan del mismo compromiso con la verdad histórica que podría tener la *narratio* mayor de la crónica pues su fin es sólo ilustrar un aspecto moral en particular. Precisamente Catherine Poupeney, buscando un modo de mostrar el carácter ficcional en las Crónicas de Indias, propone la observación de cinco procesos de «ficcionalización»: del hablante, del destinatario, del espacio, los juegos de temporalidad y «el valor de ejemplo —justificación moral de la escritura— del relato de los eventos»[55]; aunque parece que estos procesos corren el riesgo de diluirse en la mera constatación de la unidad de toda narración, histórica o ficticia, en torno a las técnicas desarrolladas para la *narratio* de los discursos persuasivos, el último indica una dirección que vale la pena considerar con atención.

En las crónicas religiosas de la época es fácil encontrar relatos ejemplares intercalados con la narración mayor, como el cuento que entresaca José Juan Arrom de «una vetusta crónica de la Orden de San Agustín en el Perú»[56], sobre el cual se ocupa en describir cómo la vida cotidiana, según él, va haciéndose literatura:

> el autor presta oídos a estas nuevas habladurías de claustro y refectorio. Las ficcionaliza refiriendo lances que no ha visto y diálogos que no ha escuchado. Las enriquece con pormenores descriptivos y rasgos psicológicos. Las encadena en un argumento que lógicamente progresa hasta culminar en escenas de implacable justicia. Procede así a transformar el chisme en caso, el caso en cuento y el cuento en sombría materia ejemplar[57].

---

[55] Poupeney, 1991, p. 510.
[56] Cuyos autores fueron Antonio de la Calancha (1584-1654), quien llegó a publicar dos tomos (Barcelona, 1638 y Lima, 1653); y Bernardo Torres, que la continuó y publicó un tercer tomo (Lima, 1657) en el que se encuentra este cuento.
[57] Arrom, 1978, pp. 79 y 93.

Pupo-Walker dice que «la concepción literaria más refinada de aquellas aventuras y desastres se logró en los *Comentarios reales* del Inca Garcilazo. [ya que] Su relato en torno a "El naufragio de Pedro Serrano" es en todos los órdenes, una estructura narrativa que trasciende las restricciones impuestas por el marco histórico»[58]; sin embargo, con un poco de cuidado podría verse cómo estos relatos se insertan en la crónica con base en las formas de la argumentación inductiva, y se escriben con base en los modelos del relato ejemplar. Tal vez las «restricciones impuestas por el marco histórico» a que alude Pupo-Walker no son en realidad propias de la época, o bien están aún en formación, pues por la cercanía estructural de las crónicas y sermones en tanto textos de carácter persuasivo, cabía la inclusión de relatos de naufragios o de cautivos como ejemplos dilatadores, tal como podría suceder en un sermón o en una plática, como en las de Martínez de la Parra quien para ilustrar los extremos a que debe llegar la fidelidad conyugal inserta un «amenísimo suceso» consistente en el prolongado cautiverio en Tierra Santa de Bertulfo, caballero alemán cuya esposa no sólo esperó paciente sino que aun decidió, contra todos sus parientes, ir a Tierra Santa para rescatar a su marido del cautiverio: disfrazado de joven logró el favor del rey moro tocando la cítara y con ello luego la libertad de Bertulfo. Caminaron juntos de regreso a casa sin que la identidad de la mujer fuese descubierta, sólo hasta que llegaron y el caballero no encontró a su mujer en casa, entonces, mientras colérico reclamaba venganza, se despojó la esposa de su disfraz y

> quitándose el sombrero el citarista, y con él todo el color y el disfraz que lo ocultaba, halló que era Ausberta su mujer en aquel traje la que con tanta discreción, para librarlo, había mostrado en las cuerdas de su instrumento la mejor correspondencia de su fidelidad, que cuando allá dulces a los oídos del bárbaro, aquí más suaves al corazón y al alma de su esposo no cabían ya en ambos, ni en todos, los regocijos, las alegrías y los aplausos (III, Matrimonio 5)

Tal vez donde pudiera hablarse con mayores posibilidades de sustento de una identidad literaria del discurso histórico, es en los relatos sobrenaturales traídos como ejemplos históricos en la predicación,

---

[58] Pupo-Walker, 1982, p. 56.

sobre todo a partir de lo que Wayne C. Booth ha llamado la «retórica de la ficción»; pues el modo en que un acontecimiento, por su carácter sobrenatural, debe remitir a la existencia de una realidad metafísica o, como se ha dicho anteriormente, a una estructura narrativa superior que inicia en el Paraíso y terminará en el Juicio, supone efectivamente el uso de modos de narrar que han sido reconocido como propios de la ficción literaria. El predicador, como el historiador religioso, articula un modo de presentación de los hechos que se podría llamar «autoritario», en virtud del amplio control del autor sobre la recepción del mismo, muy similar al que se atribuye a la ficción desde sus épocas primitivas; lo que Booth llama la «autoridad artificial» de los narradores de ficción, se basa en el hecho de que éstos ofrecen información no comprobable que debe, por el artificio del autor y la suprema legitimidad de la forma de realidad a que alude, ser considerada verdadera: «whenever the author tells us what no one in so-called real life could possibly know»[59]. Por ejemplo, dice Booth, cuando el narrador del libro de Job emite juicios sobre el personaje Job, estos resultan imposibles de ser sustentados en un plano de realidad empírica: «How do we know that Job sinned not? Who is to pronounce on such a question? Only God himself could know with certainty whether Job charged God foolishly. Yet the author pronounces judgment, and we accept his judgment without question», dice Booth; y a ello agrega que: «This form of artificial authority has been present in most narrative until recent times»[60]. Ciertamente el libro de Job no resulta el mejor ejemplo de ficción narrativa pues es ante todo un libro que ostenta en el contexto bíblico un carácter histórico, pero viene perfecto a nuestro propósito el que Booth lo haya citado como ejemplo de relato ficcional, pues es histórico aunque religioso (como los milagros) y por ello es también un buen ejemplo del control que un narrador de textos de índole religiosa suele instrumentar sobre sus relatos.

En un ejemplo que Martínez de la Parra dice recoger de Alexandro Faya, el predicador incluye también la certeza de un hecho cuyo conocimiento no justifica en modo alguno: se trata de un suceso «bien moderno» —aclara— en que un joven, maldecido de su madre por

[59] Booth, 1983, p. 3.
[60] Booth, 1983, p. 4.

haberla golpeado («plegue a Dios que vivas deshonrado y mueras sin confesión»), padece un rosario de infortunios durante su corta vida, no sale del vicio y sus calamidades, para terminar sus días siendo tragado por un lagarto cuando pasaba un río; el animal, dice el predicador, «lo metió en el profundo del agua y en el profundo del infierno» (II, 31). Sin duda que no es posible asegurar que el lagarto metió al joven en lo profundo del río de la misma manera en que el predicador asegura que lo llevó al fondo del infierno, pues de lo primero el testigo de vista podría dar fe pero de lo segundo no; así mismo, el narrador del libro de Job cuenta los hechos de una manera en que el receptor sólo puede aceptar el relato, sin la posibilidad de un juicio sobre la verdad factual de los acontecimientos. Es necesario decir que este no es el modo constante de narrar de Martínez de la Parra, pues en otros ejemplos, cuando intenta mostrar que alguien ya está condenado generalmente incluye la aparición del alma en pena que lo dice o alguna señal prodigiosa que le permita asegurarse; no obstante en este ejemplo, el hecho de afirmar el conocimiento de la salvación o condenación de un alma resulta gratuito u obedece a una interpretación de los sucesos que continúa el relato en una voz narrativa sin duda más sapiente que la del resto del relato, aunque los designios de Dios en cuanto a la salvación o condenación de las almas ¿quién podría saberlo? ¿Podría el predicador saberlo y probarlo sin ayuda de un hecho sobrenatural susceptible de ser propuesto como verdadero? La última afirmación del ejemplo sugiere que sí, aunque ello no puede ser considerado, me parece, correspondiente al mismo nivel de realidad que la afirmación inmediatamente anterior, pues constituye más una interpretación de los hechos que una descripción cabal de lo efectivamente acontecido.

La imposición del juicio del narrador sobre el relato, tanto en ficciones literarias como en ejemplos milagrosos o sobrenaturales, se logra mediante la aplicación de un criterio de selección de los elementos del mismo; es decir, lo que Booth llama «mostrar» (*showing*) y que reconoce como un procedimiento genuinamente artístico, mientras que el mero contar (*telling*) puede no serlo en absoluto. De hecho, los ejemplos sobrenaturales de la predicación participan de una selección en cuanto a sus partes constitutivas, pues no se cuenta sino lo que sirve para lograr el mayor efecto patético a fin de que la enseñanza moral sea aceptada de un modo más efectivo, pues se busca aquí más el *movere* que el *delectare*, de modo que se suele prescindir de contar exhaustivamente lo que la rigurosa cronología exigiría. Se trata de un control narrativo con propósitos morales: control de los elementos del discurso y control de la recepción pues el narrador de ejemplos en todo momento «is controlling rigorously our belief, our interests, and our sympathies», como dice Booth refiriéndose a Homero[61].

Efectivamente, los ejemplos milagrosos de Martínez de la Parra ejercen una autoridad artística sobre el relato y sobre la recepción con el fin de proponer una dirección a los actos de los receptores, consecuente a la enseñanza derivada del sermón; así parece suceder cuando relata un hecho sucedido en México, consignado en las *Cartas anuas* de la Compañía y de allí traídas por Alejandro Faya: un preso no cesaba de blasfemar, tanto que «aun a sus compañeros, con no ser muy santos, los tenía horrorizados su lengua», de modo que el confesor jesuita de la cárcel intentó reducirlo, no logrando sino que aquél incrementase el tono y la cantidad de sus malas palabras. Sin embargo por la noche, para su castigo y para escarmiento de los demás presos (que serían usados posteriormente en el relato como testigos de vista) «de un rincón de el calabozo salieron dos demonios, el uno con una hacha encendida en la mano, no para ver ellos sino para que vieran los hombres», con el propósito de golpear y torturar al preso blasfemo: a puñetazos en la boca lo levantaban hasta el techo, luego le cosieron la lengua al paladar, así que «quedó como un buey bramando, sin poder pronunciar ni una palabra» (II, 15); como no hubo cirujano capaz de deshacer el trabajo de los demonios, que se fueron en cuanto terminaron su obra, murió al amanecer sin confesión aquel preso deslenguado[62].

[61] Es decir, al final cualquier relato ficcional representaría una manipulación ya en los modos en que el receptor debe relacionarse con los hechos narrados, como dice Booth: «The authors have simply tried to make clear to us the nature of the dramatic object itself, by giving us the hard facts, by establishing a world of norms, by relating particulars to those norms, or by relating the story to general truths» (Booth, 1983, pp. 5 y 200).

[62] Respecto a la señalada participación de lo demoníaco en los hechos milagrosos conviene recordar que esta labor «divina» del diablo no sería nueva en el siglo XVII, pues desde el Antiguo Testamento Dios le había permitido, por ejemplo (y para seguir con la comparación de Booth), varias terribles tentaciones y pruebas sobre Job, a fin de lograr tanto una mayor gloria para sí como la salvación del hombre atribulado; de donde podría deducirse que, si bien Dios usa a Job para derrotar al diablo, también usa al diablo para la salvación de Job.

La exposición detallada del horroroso castigo sin duda llevaba la intención de impresionar afectivamente al auditorio para persuadirlo de evitar, por temor, la tentación de la blasfemia. Se trata de un procedimiento patético usado con frecuencia en los ejemplos de Martínez de la Parra, presente también cuando cuenta la infernal justicia aplicada sobre una «señora bailadora» que escandalizaba a toda la villa de «Bravancia», aun en domingos y fiestas de guardar, con sus «juntas y academias en su casa de mozuelos casquilucios y de mujercillas bailadoras, truhanes y coplistas». Una tarde, mientras ella bailaba con sus amigos, quiso salir al balcón a ver el juego de pelota que algunos muchachos hacían en la calle pero, para su desgracia, la pelota «gobernada de soberano impulso se coló por el balcón, y dándole a la señora dama santificadora de tales fiestas en la frente, la estrelló en la pared los sesos rotos, y en menudos pedazos los cascos». El castigo no quedó ahí, pues mientras la mujer era velada en el mismo lugar donde antes se bailaba «rompiendo por la gente y llenando de horrores y bramidos el aire, un feísimo negro toro echando fuego y humo por los ojos y narices, corriendo hacia las andas, a testeradas, a manotadas, a bocados destrozando en menudas piezas el cuerpo, lo hizo el demonio que bailara al son de sus bramidos. Y dejándolo así se desapareció» (II, 27). La descripción de esta espantosa muerte y el desmembramiento posterior del cuerpo, con profusión de detalles, logra un efecto terrorífico similar al que buscarían posteriormente los cuentos góticos, a decir de Booth, para quien «For Poe's special kind of morbid horror, a psychological detail, has conveyed by an emotionally charged adjective, is more effective than mere sensual description in any form»[63].

Estos relatos ejemplares de horror, contados a los asistentes a un sermón predicado en el siglo XVII, justo cuando se comenzó a pensar de nuevo en que las cosas del mundo eran gobernadas por leyes naturales, implica un concepto muy singular de lo real que se montaba sobre el empirismo antiguo moralizando la idea de ley natural, no entendiéndola ahora como un estado de cosas verificable empíricamente sino asumiendo su «naturalidad» en términos de lo que debe suceder de acuerdo con un plan divino; a partir de ello se crearían relatos pretendidamente históricos que podrían resultar más bien poéticos, en térmi-

---

[63] Booth, 1983, p. 203.

nos aristotélicos, en virtud precisamente de su carácter sobrenatural. No obstante, aunque sea posible acreditar el carácter poético de estos relatos sobrenaturales, por el artificio que justifica su pretensión de historicidad, justamente por esa pretensión habrá que seguir considerándolos históricos, dado el uso que se les da, es decir la intención histórica con que el predicador los inserta, y la aceptación cultural de lo sobrenatural en la época.

Capítulo 5

LA UTILIDAD MORAL DE LA FICCIÓN

Sin lugar a dudas la Edad Media fue la época dorada del ejemplo ficcional, pues aun cuando la preceptiva exigía el exclusivo empleo del ejemplo histórico en la predicación, la práctica discursiva supuso el uso (y aun el abuso) del ejemplo ficcional, lo que contribuyó a la construcción de una enorme amplitud semántica del concepto ejemplo, pues en la Edad Media, como dice Bataglia: «L'arco degli esempi è perciò immenso, e abbraccia lo storico e il tradizionale, il reale e il poetico, il cuotidiano e il favoloso», con lo que podemos acercarnos a la comprensión de la doble calidad del ejemplo medieval: «C'è in nuce la situazione fondamentale dell'*exemplum* medievale e la sua duplice qualita: idealistica e realistica insieme»[1]. Así, en el ejemplo medieval la historia y la ficción popular vieron unidas sus utilidades morales en la medida en que se vino fortaleciendo el carácter ilustrativo del relato en detrimento de su carácter autorizado, pues la práctica oratoria de esos años fundó su argumentación en la dualidad «fin moral-narratividad» excluyendo cualquier consideración sobre la diferencia que podría haber entre los distintos tipos de narratividad e incluso poniendo en duda la misma pertenencia del género al universo de lo retórico, al punto en que en la obra de Llull, dice Aragüés, la voz *exemplum* oscila «entre su aceptación más general, ajena a cualquier pretensión retórica y su valor específico para definir un argumento literario concreto»[2].

---

[1] Bataglia, 1959, p. 58.
[2] Aragüés, 1996, p. 305.

Una de las causas de esta expansión del concepto y uso del ejemplo es la intensa labor predicadora de los frailes mendicantes, sobre todo a partir del siglo XIII que se ha distinguido no sólo por el florecimiento preceptivo sino que justamente se le ha llamado también el «siglo de oro» del ejemplo, epíteto para cuya concesión colaboraría sin duda la traducción castellana de los dos grandes textos de la literatura sapiencial hispano-oriental: el *Calila e Dimna* y el *Sendebar*, que pronto se convertirían en fuentes favoritas de ejemplos para la predicación al tratarse de textos muy adaptables a cualquier ilustración pues en su origen esa había sido precisamente su primera utilidad, como puede mostrar el hecho de que del mismo modo habían sido usados en la persuasión por los predicadores hindúes[3]. Sin embargo, estos cuentos no fueron útiles únicamente para la predicación, sino que por esos mismos años comenzaron también a ser utilizados para la educación de los hijos del estamento gobernante, aspecto bien estudiado por María Jesús Lacarra para quien la llegada de las traducciones al Occidente europeo en el siglo XIII «coincidirá con la moda de la literatura didáctica, dedicada especialmente a la educación de reyes y príncipes»[4].

Esto implica sin duda uno de los aspectos de la bien conocida interacción entre la cultura popular y la cultura letrada presente en la Edad Media, cuando una parte del estamento de la clerecía se sirvió de un género de prueba de larga vida en la retórica (la que no podía ser sino dominio de los grupos sociales dedicados al cultivo de los bienes culturales superiores) para inculcar un sistema de valores al pueblo llano; y por el contrario, gracias a las mismas grandes posibilidades ilustrativas de los géneros ejemplares, la mismas élites podían servirse de una serie de motivos muy bien recibidos y tradicionalizados en la cultura popular para conformar una literatura didáctica dedicada a educar en la virtud a los hijos del estamento gobernante. Se trata de uno de los rostros

---

[3] En la predicación budista se usaban las *jatakas*, que eran en su gran mayoría fábulas con una finalidad ilustrativa similar a la del *exemplum* y que son el origen de colecciones como el *Panchatantra* o el *Hitopadeza*, de donde proceden obras como el *Calila e Dimna* castellano. Ver el estudio de Garrett 1979; o el artículo de Lacarra, 2002, pp. 119-127.

[4] Lacarra, 1986, p. 35. María Jesús Lacarra es, por lo demás, quien mejor ha expuesto esta profusión del ejemplo fabuloso en la España medieval; véanse sus trabajos *Cuentos de la Edad Media* (1989) o «El libro de los gatos: hacia una tipología del "enxiemplo"» (1986, pp. 19-34).

de lo que Aaron Gourevitch llama la «paradoja de la cultura medieval», refiriéndose a la compleja interacción entre la cultura letrada (latina y clerical) y la cultura folclórica (oral y popular)[5]. En suma, las colecciones orientales aportaron un rico material de *res ficta* susceptible de ser empleado como ejemplo tanto en la predicación popular como en los espejos de príncipes, lo que trajo a que los motivos de la tradición oriental se movieran pronto con libertad en Europa, tanto en la tradición oral como en la escrita.

Ya Robert Ricard había señalado la inconsistencia de la afirmación de Welter en cuanto a la presunta decadencia del ejemplo ficcional hacia el siglo XV[6], sobre todo si nos referimos al ámbito hispano, donde los sermones siguieron poblándose de fabulillas y apólogos por lo menos hasta entrado el siglo XVIII; la insistencia normativa de preferir el ejemplo histórico ciertamente permanecía en esos años, aunque ello era justamente porque permanecía también la mala costumbre de los predicadores de apoyarse en pruebas vanas y ajenas a la verdad. Hay que decir que ni siquiera con el renovado interés por las autoridades clásicas, en la España del siglo XVI, la preceptiva retórica avanzaría hacia la aceptación o al menos tolerancia de la ficción; más bien puede decirse lo contrario, pues resulta difícil encontrar consideraciones sobre la probable pertinencia del ejemplo no histórico aunque fuese sólo por imitación de griegos o latinos. Es cierto que las retóricas renacentistas sí habían retomado de la *Rhetorica ad Herennium* la consideración del ejemplo como un elemento amplificatorio, sin embargo también minimizaron sistemáticamente las cualidades probatorias de la ficción ejemplar expuestas en aquellas preceptivas antiguas[7].

A partir del Concilio de Trento, y sobre todo gracias a su reforma de la predicación, la censura sobre el uso de la ficción en la predicación renovaría e incluso aumentaría sus fuerzas; sin embargo, es claro que

---

[5] Gourevitch, 1983.

[6] Ricard, 1964, pp. 200-216.

[7] La consideración del ejemplo por parte de la retórica renacentista, su consecuente imitación y diferenciación frente a las consideraciones clásicas, ha sido ya muy bien descrita por Aragüés como un proceso que incluye su desplazamiento desde la *probatio* a la *amplificatio* del discurso, es decir, de la prueba al adorno, así como un mayor énfasis en la preferencia por el relato de carácter histórico (Aragüés, 1994, p. 127).

dichas censuras no serían del todo escuchadas pues debieron repetirse en concilios regionales hasta el de Burdeos, en 1624[8]. El Humanismo había producido ya más de una actitud ambivalente frente a la ficción, como la de Vives, quien después de manifestar en más de una ocasión su rechazo a los relatos probatorios no históricos, llega a recomendar el ejemplo ficcional en su *De consultatione*; también Erasmo podría ser él mismo un ejemplo de esta contradicción entre uso y convicciones preceptivas incluso en la obra de un mismo autor, pues si en el capítulo XLV de su *Elogio de la locura* censura el uso de ejemplos ficcionales al lamentar cómo en la predicación lo serio aburre y lo divertido despabila[9], él mismo llegaría a utilizar fábulas en sus sermones, e incluso en *De conscribendis epistolis* vuelve a Quintiliano la autoridad completa en esta materia ejemplar; autoridad que, dicho sea de paso, otro humanista de gran talla como Nebrija había diezmado. Dice Erasmo:

> aunque como denominación propia solamente hablamos de ejemplo cuando se propone un hecho cierto o presentado como cierto, sin embargo, los dichos graves de ilustres varones, las paradojas de los filósofos, las ficciones de los poetas, las sentencias de autores célebres, los refranes escuchados al vulgo, las alegorías, las parábolas, cualquier cosa afín a los símiles, todo ello tiene carácter de ejemplo, y es comprendido por Fabio [Quintiliano] dentro de este género[10].

[8] Según Welter (1927) el ejemplo ficcional fue prohibido en los concilios provinciales de Sens (1529), Milán (1565) y Burdeos (1624). María Rosa Lida (1941) afirma que fue en el Concilio de Burgos de 1624, aunque no más hay noticia de la realización de tal concilio; tal vez su afirmación se debe a alguna confusión tipográfica que haría confundir «Burdeos» con «Burgos».

[9] Cierto que esta obra no es ni mucho menos un tratado retórico, pero sí ilustra una reiterada posición erasmiana frente a la prueba ejemplar. Dice el texto: «el espíritu humano está hecho de tal manera, que le es más accesible la ficción que la verdad. Si alguien desea una prueba palpable y evidente de esto, no tiene más que entrar en una iglesia cuando haya sermón, y allí verá que si se habla de algo serio, la gente bosteza, se aburre y acaba por dormirse; pero si el voceador (me he equivocado, quise decir el orador) comienza, como es frecuente, a contar algún cuento de viejas, todos despiertan, atienden y abren un palmo de boca» (Rotterdam, *Elogio de la locura*, p. 100).

[10] *De conscribendis epistolis*, 331; tr. Aragüés, *Deus concionator*, n.23., p.53. Nebrija amputaría en su *Ars rethorica* la célebre definición del ejemplo de Quintiliano («quod proprie vocamus exemplum, id est rei gestae, aut ut gestae, utilis ad persuadendum id, quod intenderis, commemoratio»: Quintiliano, *Institutio*, V, XI, 6), eliminando el sintagma *aut ut gestae*, donde cabía justamente lo no histórico, para

Esta contradicción entre preceptiva retórica y práctica oratoria, respecto al uso de la ficción ejemplar, pareciera no formar en los Siglos de Oro sino parte de una polémica mayor sobre la legitimidad moral de la ficción y de la creación artística en general, pues es claro que no se trata de un asunto circunscrito a la retórica o a los discursos persuasivos sino también (y sobre todo) a la creación poética, la que desde el pensamiento religioso y desde el historiográfico de reciente cuño era asimismo severamente cuestionada a partir de su vinculación con la mentira, retomando para ello algunos de los antiguos vituperios platónicos contra los poetas[11]. Es decir, el rechazo de la ficción no fue un fenómeno propio de las preceptivas retóricas, sino ante todo un proceso cultural amplio donde convergieron una idea religiosa y moral de la creación artística junto a un descubrimiento a contrapelo de las enormes posibilidades, incluso didácticas, de la ficción.

Tal vez para comprender esta coexistencia de censuras conciliares, preceptivas y sermones en contradicción respecto a la prueba ejemplar de carácter ficcional, sea necesario observar la dialéctica relación que puede existir entre preceptiva y práctica retórica, pues el hecho de que los manuales de predicación se multipliquen a lo largo de toda la historia de la predicación cristiana podría indicar, además de la necesidad de instruir a la nuevas generaciones de predicadores, que la práctica oratoria continuamente desbordaba los cauces preceptivos y por ende resultaba necesario contenerla. En el caso del uso del ejemplo ficcional tal contradicción aparece clara, pues a pesar de las continuas recomendaciones en su contra estos ejemplos sobrevivieron al parecer sin demasiados problemas, pues infinidad de cuentos, fábulas y parábolas continuaron poblando los sermones y dando a estos una enorme importancia como difusores de relatos ficcionales de tipo tradicional.

definir: «exemplum est rei gestae utilis ad persuadendum id quod intenderis commemoratio» (*Ars rethorica*, 17). Adelante se volverá sobre esta definición de Quintiliano; quede ahora sólo la muestra del tipo de recuperación selectiva que de los clásicos griegos y latinos harían los humanistas del siglo XVI.

[11] En el siglo XVI este rechazo llegó incluso al terreno educativo, donde el humanismo «silenció en gran medida el problema de la literatura de ficción, significativamente en sus manuales y tratados educativos, en los que se estaba planteando la formación de los modernos sujetos cultos», como dice Pedro Ruiz Pérez, para quien la poesía, por mentirosa e inútil, encontró en ello su más radical forma de destierro: el absoluto silencio (Ruiz, 1995, pp. 329 y 324).

Lo anterior es particularmente claro en la predicación popular de la Compañía de Jesús, pues de la aceptación erasmiana de la ficción ejemplar a la interpretación de Quintiliano por parte de preceptistas y comentaristas jesuitas del siglo XVII, hubo sólo un paso para la aceptación total de los ejemplos de corte ficcional. Gérard Pelletier, jesuita francés y comentarista de textos retóricos, en su *Regina Palatium Eloquentiae [...]* glosa «el ejemplo es definido por Quintiliano como la "evocación de un hecho cierto o presentado como cierto, válido para persuadir acerca de aquello que pretendes", en cuya definición adviertes que están comprendidas las fábulas». Mientras que otro jesuita, Rodrigo de Arriaga, en su *De oratore* es mucho más directo en la aceptación: «se puede deducir que existen dos géneros de ejemplos, uno verdadero, el segundo, inventado»[12]. La predicación de Martínez de la Parra, particularmente en sus pláticas, incluye un uso del ejemplo ficcional que se ajusta muy bien a los tipos que había marcado Quintiliano quien, a su vez, seguía las taxonomías aristotélicas aunque llamando apólogos a lo que Aristóteles había llamado fábulas líbicas, pues en sus pláticas tres son los tipos de ejemplos de *res ficta* que se pueden encontrar: apólogos, fábulas mitológicas (la fábula poética de Quintiliano), pero sobre todo parábolas.

Por lo demás, ya quedó dicho que estos ejemplos tienen sin duda un menor valor probatorio que los históricos, pues muestran más que demostrar definitivamente una verdad moral; sin embargo, su utilidad no es poca pues además de tratarse de un excelente recurso ornamental, al favorecer la pronunciación de un discurso de ritmo ágil y atractivo, sirven eficientemente para el mantenimiento de la atención y, sobre todo, permiten al predicador un menor compromiso frente al hecho narrado, de modo que si se trata de una denuncia social comprometida nadie podría acusarlo de afectar intereses concretos, pues no expone pruebas que luego deba sostener.

---

[12] Pelletier, *Regina Palatium Eloquentiae*, III, 145 y Arriaga, *De oratore*, III.

LA *RES FICTA*: PARÁBOLAS, FÁBULAS MITOLÓGICAS Y APÓLOGOS

Una de las retóricas latinas que más influencia tuvo sobre la elocuencia cristiana, la *Rhetorica ad Herennium*, sentó las bases de una distinción que permanecería durante siglos, y que sin duda representa la
taxonomía más adecuada a los ejemplos cristianos, sobre todo en lo
que respecta a las fuentes de los relatos ejemplares y su relación con lo
real. Para el anónimo autor, como ya se adelantó, los ejemplos pueden
ser de tres clases: *fabula, historia* o *argumenta*:

> El relato legendario [*fabula*] contiene hechos que no son ni verdaderos
> ni verosímiles, como los que aparecen en las tragedias. La historia contiene
> sucesos reales pero alejados de nuestra época. La ficción [*argumenta*] trata
> acontecimientos inventados que sin embargo podrían haber ocurrido,
> como los argumentos de las comedias[13].

Resulta curiosa la traducción que Salvador Núñez hace de *fabula*
como 'relato legendario', aunque se refiera concretamente a la fábula
mitológica, como aclara en nota a pie: «el *relato legendario* corresponde
fundamentalmente al *mythos* griego; cf. Arist., *Poét.* 1451ª, y el ejemplo
de fabula en Cic., *De Inv.* I 19, 27. A este tipo de narraciones les falta la
verosimilitud; de ahí su falta de defendibilidad»[14].

Esta traducción de *fabula* como leyenda y la adjudicación de un
carácter «inverosímil», aunque justificada, podría no ajustarse del todo a
la acepción contemporánea que entiende por leyenda un relato no
siempre inverosímil pues como tal pueden tenerse algunos hechos no
del todo comprobados de héroes nacionales; sin embargo, para la tradición helénica ello puede ser pertinente. Tal vez su traducción de *argumentum* como 'ficción' obligó al traductor a forzar un poco el sentido
contemporáneo de «leyenda» a fin de abarcar el abanico completo de
posibilidades ejemplares que propone el texto latino pues, contraria-
mente a lo sucedido con *fabula*, esta misma acepción de ficción resulta

---

[13] *Ad Herennium*, I, 13 [VIII]. El texto latino diría: «Id quod in negotiorum expo-
sitione positum est tres habet partes: fabulam, historiam, argumentum. Fabula est
quae neque veras neque veri similes continet res, ut eae sunt quae tragoediis traditae
sunt. Historia est gesta res, sed ab aetatis nostrae memoria remota. Argumentum est
ficta res quae tamen fieri potuit, velut argumenta comoediarum».
[14] Núñez, 1997, n. 24.

limitada tomando en cuenta que se refiere sólo al relato realista y que por tanto excluye de tal categoría el relato maravilloso, tan frecuente en los ejemplos medievales. De cualquier modo, las especies ejemplares de *res ficta* que usa Martínez de la Parra se ajustan muy bien a esta clasificación, pues incluye las parábolas, las fábulas mitológicas y los apólogos, antiguamente llamados fábulas líbicas.

A las parábolas es a lo que mejor se ajusta la sugerencia de Quintiliano contenida en el permisivo «ut gestae», pues ellas corresponden al relato de tipo realista dentro del universo de los ejemplos ficcionales; además, en ellas también es donde mejor concuerda una definición retórica de lo verosímil, como la que usa Aragüés al referirse a los antecedentes evangélicos del uso de la parábola para ilustrar enseñanzas morales: «si la imaginación humana podía idear nuevas narraciones verosímiles y fabulosas, *exempla ficta* al fin, había de hacerlo para remediar una tarea en esencia divina, y aun aquí eran las parábolas de Cristo el referente más acabado de esa labor poética»; donde la parábola resulta ser la narración verosímil y protagonizada por seres humanos. Aragüés distingue las narraciones verosímiles de las fabulosas dentro del universo de la *res ficta* ejemplar, lo que implica que estas últimas deben ser consideradas en cierto modo inverosímiles. Se trata de un problema no menor, sobre todo a la luz del muy difundido concepto poético de lo verosímil, cuya base es más constructiva que referencial y que por tanto no aceptaría la inverosimilitud de la fábula mitológica o el apólogo; sobre ello se tratará detenidamente en un apartado posterior. Por necesidades expositivas aquí se adjudicará la exclusiva calidad de verosímil a las parábolas, pues ello permitirá evaluar el diferente uso que el predicador pueda dar a cada uno de estos tipos de ejemplos ficcionales.

En tanto relato verosímil, las parábolas suelen simular las formas discursivas con que los relatos históricos buscan probar su carácter verdadero aunque, por supuesto, lo hacen de un modo impreciso; por ejemplo, aunque la parábola sea narrada de un modo realista no suele haber señalamiento alguno que permita ubicar el relato como probablemente sucedido en algún lugar o tiempo, de modo que son comunes los inicios «en cierta ciudad», «en algún lugar». Esta condición parece hacer necesario proponer (en mayor medida incluso que en las fábulas), un criterio de interpretación ante el auditorio pues se trata de ejemplos cuyos hechos narrados podrían ser tomados por verdaderos, como en una parábola que cuenta Martínez de la Parra en la que un hombre

poderoso, habiendo establecido en su testamento una extrañísima cláusula en la que ordenaba que su fortuna fuese entregada en su totalidad
al más necio de los hombres, ordenó a sus pobres albaceas recorrer literalmente medio mundo buscando al posible heredero, hasta que al fin
lo encontraron en una ciudad lejana donde se ejecutaba por ley a la
máxima autoridad cada año, y aun así cada año muchos gastaban fortu-
nas intentando conseguir esa posición. Después del relato, el predicador debe apuntar: «Padre, me dirán ¿dónde sucedió eso? ¿Saben dónde?
Aquí está sucediendo hoy, hoy y está sucediendo en todo el mundo.
Aquel poderoso que hace su testamento es el mundo, que cada día se
va muriendo» (I, 11), con lo que expone de manera clara la mayor utilidad y razón de ser de la ficción en los discursos religiosos: su valor
alegórico.

Entre las parábolas que usa Martínez de la Parra hay muchos relatos
tradicionales bastante difundidos, como el célebre cuento del viejo, el
niño y el jumento, donde el hombre viejo, por prestar oídos a las personas que los ven de camino, va cambiando de lugares con el niño a fin
no ofender el juicio ajeno, o el ya citado de la leche del rústico, mejor
conocido como la lechera. También se puede mencionar el muy conocido cuento de raíz oriental que narra el pago solicitado por un servidor a un dignatario, sólo consistente en ir llenando un tablero de aje-
drez con granos de trigo, doblando la cantidad a cada cuadro; en la
versión de Martínez de la Parra se trata de la venta de un caballo, donde
el propietario pone el precio en reales al comprador: «me habéis de
pagar sólo los clavos de las herraduras, con esta ley: que por el primer
clavo me habéis de dar un real, uno solo; por el segundo dos, por el
tercero cuatro, y así habéis de ir doblando siempre el precio a cada
clavo, hasta treinta y dos»; al final no es posible saber si el ignorante soldado que buscaba comprar el caballo pagó el precio, pues el predicador
se apresura a explicar: «Eso es ir doblando los números sólo en espacio
de treinta y dos. Pues ¿qué suma saldrá si se doblan desde un ángel
hasta millones de ángeles? Pues sobre toda esa suma, es suma la gracia
de María en su primer instante» (II, 7).

Se trata pues de historias ficticias cuyos hechos y personajes podrían resultar no lejanos a las expectativas del auditorio; de hecho, en el
pláticas de Martínez de la Parra es posible encontrar un tipo de parábola que podría considerarse tomada «de la experiencia personal»,
como recomendaba san Agustín, construida sobre la base de un tiempo

y espacio verdaderamente muy cercanos a los del predicador y su auditorio. El predicador suele dar el nombre de «casos» a estos breves relatos de corte realista, que narran hechos que podrían suceder en cualquiera de las ciudades o zonas rurales del virreinato, pero que no muestran intención alguna de asentar la verdad histórica de lo narrado; es decir, son cuentos verosímiles que narran sucesos de muy diversa índole pero signados todos por la ligereza, el humor y la brevedad.

Si estas parábolas son verosímiles (en el sentido que pueda tomar dicho valor en los usos retóricos del ejemplo), serían «similares a la verdad» de los ejemplos históricos traídos por el mismo Martínez de la Parra, por lo que no debe resultar extraña la presencia aquí también de elementos sobrenaturales que, como ya se vio, no repugnan al sentido religioso de la historia. Sin embargo, en las parábolas hay un tratamiento ligero de lo sobrenatural que contrasta con el riguroso y temeroso tratamiento dado a lo mismo en los milagros y prodigios presentados como históricos; incluso en algunos casos el predicador se burla abiertamente de las supersticiones creando una base racional para la explicación de ciertas enseñanzas morales. En uno de ellos se mofa del uso supersticioso de los objetos religiosos, con el cuento de un hombre que era atacado por los perros cada noche cuando regresaba a casa; cansado el hombre de aquella reiterada persecución acude a sus amigos en busca de consejo, uno de los cuales recomienda llevar siempre consigo el Evangelio de san Juan. El hombre sigue el consejo pero los perros parecen no darse cuenta de su carga prodigiosa, por lo que luego acude de nuevo a reclamar a su amigo tan fallido consejo, a lo que éste responde: «señor mío, yo no dije que el Evangelio de san Juan solo, sino junto con una docena de piedras: este es lindo remedio» (II, 11).

Sin duda estos ejemplos, aunque contradigan la aceptación del prodigio y lo sobrenatural (de manera muy distinta a lo que sucede en la narración de los ejemplos hagiográficos y milagrosos) resultan coherentes a una intención persuasiva asociada en lo esencial con lo doctrinal: la crítica a la ignorancia, no sólo referida a las materias religiosas, sino incluso a cuestiones de sentido común. Con todo, resulta curioso que al menos en una ocasión el predicador no considere que en rigor estas parábolas sean ejemplos, sino sólo que pueden servir como tales; como lo hace en un sermón dedicado vituperar la vanidad del mundo, donde introduce el correspondiente relato probatorio de este modo: «Ahora, cristianos, antes de hallar el fin último que hoy buscamos, pongo fin a esta doctrina con una parábola que servirá de ejemplo» (I, 9).

La presencia de fábulas mitológicas en las pláticas de Martínez de la Parra podría resultar anacrónica e incluso opuesta al universo conceptual en que aquellas tenían sentido literal, aunque ello no significa necesariamente contradicción al interior del sermón pues si bien se trata de una inducción retórica que implica ilustrar enseñanzas cristianas con motivos de la mitología pagana antigua, por lo general dichas enseñanzas no eran de muy grave envergadura y siempre quedaban presentadas bajo el amparo de un sentido alegórico conferido al relato[15]; no obstante, la inserción de fábulas mitológicas como argumento de la idea moral o doctrinal suponía una necesidad más acusada de vincular el precepto con la moraleja, es decir la causa del discurso con el sentido del ejemplo, pues en estos casos era necesario eliminar cualquier ambigüedad en la interpretación. Cuando el predicador ilustra alguna información con una historia religiosa, el tránsito del precepto al argumento —y viceversa— es fluido y coherente, no así cuando se introduce un elemento probatorio tan aparentemente lejano a la causa como ajeno a la visión cristiana del mundo; es decir, si el relato ejemplar parte de universos mitológicos ajenos al cristianismo se precisa hacer explícitos los vínculos racionales que hacen su inserción pertinente y aceptable, y tales vínculos se encuentran por supuesto en la moraleja o glosa del ejemplo, lo que otorga a este tipo de inserción una suerte de independencia estructural o menor fusión con el tema general del discurso. De este modo sucede en la inserción de una fábula que cuenta la competencia entre el viento y el sol por la mayor efectividad y rapidez en despojar a un caminante de su capa, en la que finalmente resulta victoriosa la paciencia del sol frente al ímpetu del viento; allí el predicador se ve obligado a cerrar el ejemplo explicando puntualmente el sentido de su argumentación:

> ¿Que no está en lo furioso, no en lo violento la fuerza que llega hasta quitarle a un hombre la capa? No. Pues ¿a quién digo yo esto? ¿A un mari-

---

[15] Como había dicho el Pinciano en su *Philosophia antigua poetica*, justificando la creación literaria: «porque las cosas en lo literal falsas, muchas veces se miran verdaderas en la alegoría» (2, 3), y más explícitamente adelante: «para el enseñar basta que [la fábula] tenga alegoría, cual la tienen los poemas mythológicos o apologéticos, el príncipe de los cuales fue Esopo» (5, 4).

do que en lo rústico del genio pone en violentas furias su mando? ¿O a una mujer que en lo terco de un natural voluntarioso piensa con necias porfías atropellar lo justo de su sujeción? A uno y a otro se lo dice con bien moral enseñanza Plutarco, sea la mujer o sea el marido (II, 7).

En cuanto a los apólogos, baste decir que Martínez de la Parra sólo usa dos en todas sus pláticas, lo que ilustra el poco aprecio que el predicador podría tener por ellos como recurso ejemplar. No obstante, resulta por lo menos significativo que ambos apólogos sean usados con propósitos de denuncia de ciertos vicios sociales, particularmente referidos al ejercicio de la autoridad, lo que podría resultar riesgoso para el predicador pues podría ofender a más de un poderoso; ello que muestra al menos las virtudes de este tipo de ejemplos como mitigadores del compromiso del predicador frente a lo que se predica, pues sin duda que una prueba ficcional de esta naturaleza podría comprometer al orador en mucha menor medida que el acudir a un ejemplo histórico para mostrar, por ejemplo, el modo injusto en que muchos señores trataban a sus subordinados, en especial a los indios. Por ello es que en esta ocasión he preferido tratar algunas particularidades de la inserción de fábulas y apólogos en el capítulo siguiente, referido a los propósitos persuasivos en que se enmarcaba el uso de los ejemplos por parte de Martínez de la Parra, pues es ahí justamente donde puede verse la utilidad específica que el uso de estos ejemplos ficcionales podía prestar al predicador.

Con todo, eran las fábulas y apólogos los tipos de ejemplo que causaban en mayor medida la censura aplicada a los ejemplos ficcionales en general, tanto por parte de los tratadistas medievales como de las preceptivas humanistas del siglo XVI; seguramente eso también explica su reducida presencia en estas pláticas pues aunque los tratados de predicación de la Compañía, como se ha visto, se mostraban permisivos en cuanto al uso de la ficción ejemplar, ello concernía sobre todo a las parábolas y no tanto a la más pura ficción, la cual siguió siendo vista con un poco de desconfianza.

El tema de la verosimilitud en los relatos ejemplares

El tratamiento que aquí se dispensa a las parábolas como ejemplos verosímiles hace necesaria al menos una breve revisión de las definiciones de verosimilitud que se podrían tener en los Siglos de Oro, habida cuenta de que se trata de un concepto cardinal para comprender la narrativa de la época, fundacional en más de un sentido, y que por ende, a fin de evitar confusiones, su consideración en esta investigación debe ser acotada a la dimensión de lo retórico-religioso, es decir, referida exclusivamente al uso de la ficción en discursos persuasivos de carácter moral.

Conviene recordar que en el marco de la intolerancia que la preceptiva retórica cristiana había mostrado frente a las licencias sobre el uso de la ficción dadas a los oradores antiguos, ya en la copiosa producción preceptiva originada en la reforma lateranense se había pretendido ajustar la ficción poética a la teología a fin de salvarla de la condición de mentira, de modo que el único espacio donde podría circular con libertad fue en la alegoría[16]; valoración negativa del arte poético que para don Marcelino Menéndez Pelayo no fue en modo alguno una circunstancia lamentable, pues en su opinión «esta desestimación suya casi debe agradecérsele [...] puesto que, gracias a ella, emancipaban el arte de la pedantesca tiranía de lo útil y de lo científico»[17].

El resultado de esta censura de la ficción poética, llevada a la condición de vil mentira, sería para gozo de don Marcelino una toma de posición contraria de parte de quienes se sintieron obligados a defender el arte poético, y que buscaron hacerlo con base justamente en la negación del pecado que se le imputaba: su poca cercanía a la verdad, defensa que García Berrio llama «uno de los tópicos más firmemente activos del Renacimiento»[18]. La traducción latina de la *Poética* de

---

[16] Paradigma de ello sin duda la *Divina comedia*, como bien apunta Porqueras Mayo (1972, p. 98). Por su parte, García Berrio también apunta el origen medieval de esta censura, señalando «las controversias en torno a la licitud estética y moral del alegorismo, tan generalizado en la literatura medieval como típico fenómeno límite del realismo verosímil» (García Berrio, 1977, p. 169).

[17] Menéndez Pelayo, 1974, t. I, p. 618.

[18] En otra parte enfatizaría el modo en que tal discusión se acentuó a fines del XVI, dando el toque al desarrollo de la cuestión en todo el siglo XVII: «Las acusaciones

Aristóteles (por Giorgio Valla, en 1498) vino a ofrecer una oportunísi-
ma herramienta (sería mejor decir arma) para «emancipar la poesía de
las viejas cadenas de la literatura patrística, la subordinación a la religión, la lectura alegórica y el repudio de la ficción», como resume
Pedro Ruiz Pérez[19]; arma, valga decirlo, especialmente filosa por el
lado de su definición de verosimilitud, concepto cardinal en esta justificación de la ficción.

Y qué mejor defensor de la ficción en esos años que don Quijote.
Del escrutinio de la biblioteca de Alonso Quijano es posible deducir
este preciso aprovechamiento del concepto aristotélico de verosimilitud poética por parte de Cervantes, pues a los escrutadores —cura y
barbero— de aquella bien nutrida colección parecía no importar
demasiado algún criterio de verdad o falsedad de los libros de caballe-
ría para decidir su futuro: la hoguera o el estante, ya que cuando toca el
turno a la *Historia del invencible caballero don Olivante de Laura*, de
Antonio de Torquemada, dice el cura: «El autor de ese libro fue el
mismo que compuso a *Jardín de flores*, y en verdad que no sepa determinar cuál de los dos libros es más verdadero o, por decir mejor, menos
mentiroso; sólo sé decir que éste irá al corral, por disparatado y arro-
gante»[20]. Al parecer al cura le escandalizaba más la inverosimilitud poética que la mentira en sí, entendiendo por verosimilitud la buena composición y decoro, como la había definido Aristóteles en su *Poética*; por
tanto, una historia inverosímil sería aquella que no guardase propor-
ción entre sus elementos constitutivos, y no necesariamente la que no
guardase similitud con lo verdadero en términos factuales.

Para Cervantes, cuya obra puede ser considerada la ficción literaria
por excelencia en el Siglo de Oro, «la ficción debe buscar su verdad y
su legitimidad en sí misma, y no en referentes externos tales como la
historia o la teología», como dice Rogelio Miñana[21], de modo que la
verdad de esta ficción no resultaría referencial, es decir, no tendría

de paganización del arte, que ya habían resonado con Savonarola, estaban puestas al
tablero desde que la Iglesia se hubo planteado la cuestión del arte de la
Contrarreforma» (García Berrio, 1977, pp. 166 y 169).

[19] Ruiz, 1993, p. 133.

[20] Cervantes, *Don Quijote*, I, VI. Precisamente el *Jardín de flores* es una colección
de noticias curiosas que venía a ser una fuente muy recurrida por los predicadores
en busca de ejemplos; el mismo Martínez de la Parra lo utiliza.

[21] Miñana, 2001, p. 174.

como base una relación con lo real, con lo que podría ser puesta a salvo de cualquier consideración negativa, sea historiográfica o religiosa. Dicho de otro modo, de los dos componentes de la dicotomía fundamental que rigió en los Siglos de Oro la producción de arte con base en la lengua: la *res* y la *verba*, en cuya relación (*rerum verborumque ligamen*) se fundamentaba también la filosofía y en general toda epistemología, en la época y desde la Antigüedad, la verosimilitud poética parecería atender solamente la *verba*, excluyendo los «referentes externos» no sólo referidos a discursos provenientes de otras disciplinas sino por supuesto y fundamentalmente a la *res*, la dimensión de las cosas concretas y de los significados.

Aristóteles no sólo había escrito en su *Poética* que «no es obra de un poeta el decir lo que ha sucedido, sino qué podría suceder, y lo que es posible según lo que es verosímil o necesario»[22], sino incluso concedió que «es preciso preferir lo imposible que es verosímil a lo posible que es increíble»[23], con lo que sentaría las bases de la aceptación de la mentira como verosímil que defiende Cervantes:

> Hanse de casar las fábulas mentirosas con el entendimiento de los que las leyeren, escribiéndose de suerte que facilitando los imposibles, allanando las grandezas, suspendiendo los ánimos, admiten, suspendan, alborocen y entretengan, de modo que anden a un mismo paso la admiración y la alegría juntas; y todas estas cosas no podrá hacer el que huyere de la verisimilitud y de la imitación, en quien consiste la perfección de lo que se escribe[24].

Se trata pues de un concepto poético de lo verosímil que estaría referido al sistema de efectos de posibilidad que todo buen escritor articula, donde la condición clave viene a ser la credibilidad textual, pues se trata de una verosimilitud dada por el texto mismo, por la coherencia y seguimiento de los postulados iniciales y el tipo de compromiso establecido con el receptor, en tanto el texto sea coherente y sus elementos sean todos necesarios; en consecuencia, en este concepto de verosimilitud no resulta relevante la efectiva similitud con lo real que acusa el sentido etimológico de la palabra, pues atiende sobre todo a la

---

[22] Aristóteles, *Poética*, 1451[a-b].
[23] Aristóteles, *Poética*, 1460[a].
[24] Cervantes, *Don Quijote*, I, 47.

verba. Un concepto, hay que insistir, que debe entenderse en el marco de la lucha que Cervantes y otros escritores auriseculares libraban por hacer valer la aceptación del estagirita de lo imposible dentro de lo verosímil, adoptando una noción constructiva y no referencial de la verosimilitud y proponiendo con ello una verdad literaria distinta a la verdad histórica, empírica o documental; pues si la verdad histórica debe entenderse como la exacta correspondencia de lo dicho con lo efectivamente ocurrido, de donde deriva su virtud ilustrativa y moral, la verdad poética consistiría en la eficacia de la expresión de una verdad superior, donde la verosimilitud vendría a ser el criterio fundamental, entendida como la correspondencia interna entre los medios poéticos usados para transmitir dicha verdad.

Fue sin duda un hallazgo fundamental y una sutileza sumamente fértil, no obstante daría pie también la lexicalización del concepto con base en su identificación con la creación literaria, y ocultaría con ello otros probables sentidos de la palabra y otras formas de usar la ficción; por ejemplo, dejaría fuera de toda consideración justamente la forma negada en ese debate: aquella ficción cuyos fines eran exclusivamente morales. Para desbrozar un poco y encontrar la sutil diferencia entre un concepto amplio de verosimilitud, referencial y recto en el sentido etimológico, y el aristotélico-poético, composicional, restringido e identificado con la creación poética, conviene tener en cuenta la concepción realista griega de la invención artística desde donde partía Aristóteles, para quien la *mimesis* era la virtud máxima del arte[25]. El estagirita daría por sentado que el arte debía ser verosímil en el sentido recto, que debía imitar la realidad, así que en el fragmento que conocemos de su *Poética* se ocuparía en mostrar aspectos más delicados de la construcción poética de dicha verosimilitud, particularmente en la tragedia, pues se debe recordar que sólo conservamos el primero de los libros de la *Poética* (de dos o más), que incluye una introducción general seguida de un estudio sobre la tragedia y la epopeya. Ello en principio nos impide conocer la noción de verosimilitud que Aristóteles adecuaría al estudio de la comedia, por ejemplo, siendo que los Siglos

---

[25] Con ello Aristóteles peleaba su propia batalla en contra de las objeciones de Platón a la poesía vertidas en la *República*, referidas justamente a la mentira e inmoralidad del arte implícitas en su búsqueda de la imitación (y una imitación en tercer grado) en lugar de emplearse en la verdad.

de Oro se singularizaron justamente por una abundante producción de comedia y lírica[26]; en todo caso, tal vez en sus apreciaciones sobre la comedia sí hubiera sido posible encontrar alguna aceptación de lo desproporcionado, a juzgar por la aceptación de ello en la epopeya[27].

Ello obliga a buscar también las diferencias del pensamiento estético renacentista respecto del clásico, alguna de ellas referida precisamente al diferente lugar que para las artes se busca en los siglos XVI y XVII, como bien lo expone García Berrio: «Aristóteles y Horacio, o mejor la concepción clásica del arte mimético, conciben el arte como un equivalente o réplica del mundo real con pretensiones de exacta fidelidad y aceptan en aquel idénticas leyes a las que gobierna este», en cambio, en el pensamiento estético renacentista «el universo de la ficción tiene sus normas peculiares»[28]. En este sentido, pretender que las definiciones dadas en la *Poética* son absolutas implicaría aceptar también que la que ahí se ofrece de *fabula* debiera ser la única, excluyendo la posibilidad de nombrar del mismo modo a los breves cuentos moralizantes que ya en tiempos de Aristóteles circulaban; es decir, si para Aristóteles en su *Poética* lo verosímil es sinónimo de necesario, y ello se aplica perfectamente a la fábula, no debe pasarse por alto que aquí su concepto de fábula no corresponde a la de un relato ilustrativo con probable carácter moral, sino a la relación consecutiva de los hechos que conforman una trama; dice el estagirita:

> La fábula es un remedo de la acción, porque doy este nombre de fábula a la ordenación de los sucesos [...] [pues] lo más prioritario de todo es la ordenación de los sucesos. Porque la tragedia es imitación[29].

---

[26] «géneros ínfimos, no respaldados por la autoridad de Aristóteles», en la opinión de Porqueras (1972, p. 96).

[27] Aunque tal vez esta aceptación sólo se deba a que, a diferencia de la tragedia, la epopeya no implica representación y, por tanto, su obligación mimética es menor: «Sin duda es preciso tratar en las tragedias lo maravilloso, pero que se acoja preferentemente en la epopeya lo irracional, que es por lo que ocurre casi siempre lo maravilloso, porque no se ve al que actúa, pues lo relacionado con la persecución de Héctor parecería ridículo en escena, unos permaneciendo inmóviles y no persiguiéndolos, mientras el otro les hace señales de prohibición, pero en la epopeya pasa desapercibido» (Aristóteles, *Poética*, 1460ª).

[28] García Berrio, 1977, pp. 184-185.

[29] Aristóteles, *Poética*, 1451ª.

Sin duda Aristóteles, como en su momento Cervantes, fue selectivo en el uso de definiciones y conceptos en su lucha por justificar la imaginación narradora sin los lastres morales, ejemplarizantes, por lo que en principio la ficción literaria que defiende resulta distinta de otros tipos de ficción cuyo valor era justamente moral, más que estético, como la ficción ejemplar. Es decir, la presencia de la ficción en los Siglos de Oro no se reduce al ámbito de la creación poética pues por supuesto existen otros escenarios donde ella tenía lugar, sobre todo aquellos referidos al lugar que la ortodoxia religiosa señalaba como propios para ella: su uso moral-alegórico; en este caso se trata no de poetas inventando ficciones que deben presentarse respetables ya que no por su realismo sí por su coherencia estructural, sino de moralistas de distinto signo que sacaban provecho de la existencia de textos mostrencos a fin de enriquecer sus discursos con amenas pruebas de carácter ficcional, como se venía haciendo en la oratoria sagrada, preferentemente la de estilo humilde, que ha sido por esa vía sin duda vehículo privilegiado de tipos y motivos narrativos tradicionales.

Una de las diferencias más claras entre estos dos usos de la ficción refiere a la presencia de lo maravilloso, pues si en el ámbito estrictamente poético podría caber lo imposible (como había asentado Aristóteles y había con tanto brío defendido Cervantes) siempre y cuando su inclusión resultara coherente y necesaria al relato en su conjunto, la aceptación de lo imposible en una ficción cuyo propósito era esencialmente moral tuvo muchos más límites. Vives, por ejemplo, prohibió el uso moral de la mitología: «Existiendo muchos géneros de mentira, que no entrañan demasiado mal, esta mentira con que me enmascarasteis es la peor de todas, puesto que trae consigo una nefanda impiedad [...] Como si la medicina no pudiera darse sino mezclada con veneno»[30]; en todo caso, si se ha de usar la ficción mitológica, que se le «distinga por alguna insignia visible; désele ciudadanía en alguna

---

[30] Vives, *La verdad embadurnada*, I, 282. Se trata de una obra juvenil (1522) escrita bajo el signo del rigor religioso, donde reproduce la tópica identificación de la verdad con lo divino y la mentira con lo diabólico: «¿Cuándo el hombre se hace más semejante a Dios (como respondió a una pregunta Pitágoras) sino al hablar cosas verdaderas? ¿Y cuándo es más semejante al príncipe de las tinieblas, sino al derramar mentiras, que son las verdaderas tinieblas de los entendimientos? El manjar de los demonios, dice mi Jerónimo, son las creaciones de los poetas; a saber: de

villa milesia, amena y regalada; vayan con ello risas y donaires; vayan con ellos las dos esposas de Vulcano y vivan con Luciano, Apuleyo y Clodio Albino»[31], aunque ello mejor en ficciones que no tengan utilidad moral alguna. Por el contrario, en las ficciones morales cabe lo que escribió el Pinciano: «que se guarde la costumbre para que la narración sea verisímil; porque si uno hiciese una épica del rey don Fernando el Sancto y dijese en ella que el dios Júpiter y Mercurio y los demás entraron en concilio, no será creído, antes debría ser reído»[32]; es decir, se presenta un concepto de lo verosímil que implica un ajuste extrínseco a la verdad histórica, ajuste que no soportaría lo «verosímil imposible» aristotélico.

El Pinciano no fue el único autor de poéticas auriseculares que se acercó al sentido moral de la verosimilitud, también Carvallo, en su *Cisne de Apolo*, probablemente la poética más original de esos años a decir de Porqueras Mayo, rechaza el uso de ficciones imposibles: «las [ficciones] verisímiles son las que cuentan algo, que si no fue, pudo ser, o podrá suceder, y estas han de ser muy aparentes, y semejantes a verdad, sin que cuente en ellas cosas imposibles, que repugnen el entendimiento, y orden ordinario de sucesos, ni a la naturaleza», como sucede con las parábolas[33]. En ello estaba muy cerca de Vives, para quien resultaba claro que la verosimilitud era una propiedad distinta de la congruencia o el mero decoro poético, como aparece en el siguiente juego de enumeraciones de *La verdad embadurnada*: «Si en la compostura y afeite de la verdad no existe verosimilitud ni congruencia ni decoro, la obra disonante, absurda, ridícula, que de ahí naciere, debe ser pateada, debe ser silbada, debe ser rechazada inexorablemente»[34]; más aún,

los que aprendieron a mentir y enseñar a mentir a otros, como dice Dión Prusense, cuyo corifeo es aquel desvariado e insano viejo de Homero, que siempre se deleitó en la mentira».

[31] Vives, *La verdad embadurnada*, I, 892

[32] López Pinciano, *Philosophia antigua poetica*, III, pp. 167-68.

[33] En otro lugar diría: «Las ficciones son de dos maneras: verisímiles y fabulosas; pero en todas ellas la poesía mira siempre, como a último blanco, a la verdad, escondiéndola bajo tropos, alegorías y parábolas de moral sentido y fructuosa enseñanza» (en Porqueras, 1972, p. 104). Probablemente Carvallo no sólo es más original, sino también más moral que otros preceptistas y teóricos de la época, pues años más tarde ingresaría a la Compañía de Jesús.

[34] Vives, *La verdad embadurnada*, I, 892.

como parte de su conocida preferencia por la ejemplaridad de la historia, y su recurrente y contradictorio rechazo de la ficción,Vives preten-
dió en alguna ocasión excluir los apólogos y las fábulas mitológicas de
esta función pues: «no conviene que esas fábulas sean falsas hasta tal
punto que no retengan sombra de semejanza con la verdad y que no se
diga de ellas que son imposibles, que son increíbles»[35].

Naturalmente, atendiendo a la preceptiva retórica es posible encontrar un significado de verosimilitud más cercano a su sentido etimológico y a la noción de verdad histórica (y, por tanto, más cercano al uso
moral de la ficción), sobre todo en las consideraciones referentes a la
necesidad de encontrar puntos de partida posibles o probables de las
comparaciones argumentativas, pues ahí la verosimilitud es entendida
estrictamente como la propiedad de ser similar a lo verdadero, cuyo
referente es la verdad histórico-factual y no algún tipo de verdad superior. No se debe olvidar que la retórica fue la fuente de donde tomarían preceptos las dos disciplinas añadidas por los humanistas al antiguo
trivium clásico: la poética y la historia[36], por lo que en la preceptiva
retórica las consideraciones históricas o poéticas pueden aparecer poco
diferenciadas, siempre con un mayor prestigio las primeras dada su
fuerza y autoridad para cualquier fin persuasivo.

Esta «otra» definición de verosimilitud, sin duda más cercana a la *res*
que a la *verba*, curiosamente pudo haber nacido en la misma cuna que
aquella de origen y signo poético: el pensamiento de Aristóteles, pues
en su *Retórica* habría escrito: «Lo verosímil, por tanto, es lo que sucede
de ordinario»[37], a partir de lo cual debe ser fundado el entimema o el
paradigma, es decir, el punto de comparación ha de ser verosímil en el
sentido de parecido a lo real, a fin de sustentar la prueba de un modo

---

[35] Vives, *El arte de hablar*, III, VII.

[36] Para Sánchez Salor, hay elementos suficientes para afirmar que la poética no
llegó nunca a ser una disciplina independiente de la retórica entre los siglos XVI y
XVII, pues los tratadistas de poética siguieron empleando una terminología propiamente retórica, y porque no hay noticia de la existencia de «cátedras de poética»
en esos años (Sánchez Salor, 1993, t. I, pp. 211-222).

[37] Aristóteles, *Retórica*, I, 2. No se trata de un concepto primitivo que se perfec-
cionaría después con el complejo concepto de verosimilitud de la *Poética*, pues
como se sabe esta obra es anterior a la *Retórica*; de modo que al parecer Aristóteles
era muy consciente de los dos ámbitos de reflexión en los que cabía el concepto y
del sentido que debía tomar en cada uno.

más efectivo pues, si un acusado debiera ser defendido de un asesinato argumentando defensa propia, podría traerse como el mejor ejemplo un caso similar juzgado en el pasado y cuyo veredicto haya sido también favorable a la causa del defendido, o en su defecto podría traerse un caso supuesto (es decir ficcional) pero perfectamente posible que mostrara por comparación la legitimidad de la causa defendida; lo que sin duda ahí no cabría sería incluir personajes o situaciones imposibles en el relato de ese ejemplo ficcional y pretender que sigue siendo similar a lo verdadero históricamente hablando, y que puede funcionar por tanto como prueba retórica completa y no como mera ilustración.

Quintiliano había señalado con toda propiedad el lugar de la verosimilitud en las pruebas ejemplares, justamente en su canónica definición del ejemplo: «lo que propiamente llamamos ejemplo, es decir, la mención de *hechos reales o presuntamente reales*, útil para persuadir de aquello que tú pretendes»[38], donde el sintagma «rei gestae, aut ut gestae» (literalmente: 'cosas sucedidas, o [presentadas] como si lo fueran') define las posibilidades ejemplares entre lo rigurosamente histórico y lo ficcional que parezca histórico, es decir, lo verosímil en sentido recto. Por supuesto que ello sólo significó asentar la preferencia latina por la historia como fuente de relatos ejemplares, lo que más o menos se mantuvo en la elocuencia cristiana aunque más en la preceptiva que en la práctica, preferencia que se volvería incluso más radical en el Renacimiento: baste recordar cómo Nebrija amputaría en su *Ars rethorica* la definición de Quintiliano, eliminando justamente el sintagma *aut ut gestae*, para proponer tajantemente: *exemplum est rei gestae utilis ad persuadendum id quod intenderis commemoratio*[39].

Pareciera pues que en la retórica latina, más que en la renacentista, se encuentran la claves para entender la verosimilitud ejemplar, pues si Quintiliano señalaría el lugar, la taxonomía de la *Rhetorica ad Herennium* plantearía las tres posibilidades ejemplares en cuanto a sus grados de ficcionalidad o historicidad (*fabula*, *historia* y *argumenta*), incluyendo el reconocimiento de una doble posibilidad de realización de los ejemplos no históricos: los unos verosímiles, y los otros, por oposición, deberán ser considerados inverosímiles en virtud de su lejanía relativa respecto a

---

[38] Quintiliano, *Institutio*, V, XI, 6. Cursivas mías.
[39] «El ejemplo es la evocación de hechos ciertos, útil para persuadir acerca de aquello que pretendes» (Nebrija, *Ars rethorica*, p. 17).

la verdad histórica; distinción que retomaría san Isidoro para fundar la principal taxonomía ejemplar medieval: «Existe también distinción entre "historia", "argumento" y "fábula". Historias son hechos verdaderos que han sucedido, argumentos, sucesos que no han tenido lugar, pero pueden tenerlo, fábulas, en cambio, son aquellas cosas que ni han acontecido ni pueden acontecer, porque son contrarias a lo natural»[40]. Es decir, san Isidoro, apoyado en la autoridad de la *Rhetorica ad Herennium*, reconoció la doble naturaleza de la ficción ejemplar al diferenciar entre los relatos ficcionales los ocurridos a personajes humanos, presentados como verdaderos, de otras formas igualmente frecuentes en las colecciones y sermones como los apólogos y las fábulas mitológicas; no obstante, también fue corriente por esos años y los posteriores la reducción de su clasificación (seguramente apegándose más a la definición de Quintiliano) a la mera dualidad *narratio authentica* y *narratio ficta*, incluyendo en esta última tanto los ejemplos verosímiles como los inverosímiles, aunque pretendiendo desterrar definitivamente los últimos.

De este modo, aunque se debe conceder que las fábulas mitológicas o los apólogos pueden ser consideradas verosímiles desde un punto de vista poético, es decir, que poseen coherencia interna en virtud de la necesidad con que sus elementos son dispuestos; sin embargo, desde un punto de vista histórico-moral deben ser consideradas inverosímiles pues no resultan en modo alguno similares a la verdad histórica, que es el punto de referencia de las comparaciones ejemplares. El asunto era sin duda polémico en la época, incluso en lugares insospechados, como puede verse en el hecho de que frente a la verosimilitud poética de los imposibles que defendía Cervantes, el Pinciano (a quien frecuentemente se asocia la obra cervantina) usa un sentido de verosimilitud entendida justamente como posibilidad, sin duda más cercano a la etimología de la palabra: «Digo que el poeta no se obliga a escribir verdad, sino verosimilitud, quiero decir posibilidad»[41]; también Francisco de Cascales podría discrepar con esa idea del imposible verosímil al ofrecer una dis-

---

[40] San Isidoro, *Etimologías*, I, 40 y I, 44, 5. Del mismo modo procede José Aragüés, cuando apela a una «acepción de *fabula* en tanto relato inverosímil, opuesto a la historia y al argumento, según la distinción establecida por S. Isidoro [...] De hecho, las fábulas esópicas son protagonizadas, en ocasiones, por dioses» (Aragüés, 1999, p. 52, n. 20).

[41] López Pinciano, *Philosophia antigua poetica*, IV, 2, 79.

tinción entre verosimilitud y necesidad que, podría decirse, atenta contra la sinonimia tan recurrida entre estos dos términos:

«Verisímil» es cuando pende una cosa de otra al parecer, aunque puede faltar aquello, como: está amarillo y descolorido, luego ama; anda peinado y oloroso, luego es lascivo. Esto, aunque puede salir verdad, también puede ser falsa conjetura. «Necesario» es cuando una cosa pende de otra: tiene leche, luego a parido; el sol luce, luego de día es[42].

Por lo demás, la distinción verosímil-inverosímil, parábola-fábula en las pruebas ejemplares, resulta pertinente a la luz del diferente uso probatorio que se da a cada uno de estos tipos de relatos, cuya base es precisamente su mayor o menor cercanía a la verdad histórica; en este sentido, reconociendo la categoría de las parábolas como ejemplos verosímiles (frente a la inverosimilitud de las fábulas mitológicas y los apólogos) tal como se viene haciendo en algunos estudios retóricos[43], es posible comprender la presencia de elementos sobrenaturales en las primeras, milagrosos, distintos en esencia a las maravillas que podría contener una fábula mitológica, pues ambas observan una relación diferente respecto a lo real. En este sentido, si las fábulas conservan un valor ejemplar mínimo, meramente ilustrativo, pues su inverosimilitud las hace muy débiles para servir de pruebas, las parábolas, aun cuando puedan contener elementos sobrenaturales, pueden tener el peso persuasivo del relato realista pues resultan similares a la noción de verdad histórica propia de los discursos religiosos, donde el milagro es plenamente aceptado.

Un demonio torturando a un cristiano, un alma en pena alertando sobre los penosísimos males del purgatorio o una vela milagrosa caben también en los ejemplos ficcionales, sin abandonar el prestigio de ser considerados asuntos similares o posibles en la historia verdadera y consuetudinaria. Relatos de este tipo son frecuentes en las parábolas usadas por predicadores de los siglos XVI y XVII sin que por ello deban ser considerados milagros, hechos sucedidos (a menos que se buscase probarlo),

---

[42] Cascales, *Tablas poéticas*, pp. 66-67.
[43] Conviene recordar que en la *Rhetorica ad Herennium* el término fábula se mantuvo asociado a la ficción inverosímil: «fabula est, quae neque veras neque veri similes continet res» (I, 13,13).

sino sólo ficciones que podrían suceder; no obstante distintos sin duda a las fábulas que consienten la presencia de dioses mitológicos o animales parlantes, pues éstas resultan incompatibles con la concepción de la verdad que compartirían un predicador y sus oyentes en esos años, de modo que resultaría una osadía mayúscula pretender que el predicador buscase simular la verdad de la existencia de Apolo mientras habla de Cristo resucitado, pues tan desproporcionado uso de la ficción sólo sería posible al amparo de la alegoría, como había dicho el Pinciano[44].

El orador sagrado es pues, como se ha dicho, un usufructuario de textos francos, no un poeta o escritor de ficción, de modo que para el estudio de su uso de estos textos (digamos literarios) corresponden conceptos distintos a los usados en el estudio de la creación poética, lo puede llevar también al reconocimiento de los límites del concepto de verosimilitud aristotélico que se ha venido empleando corrientemente en los estudios literarios.

EL PREDICADOR FRENTE A LA FICCIÓN

El reconocimiento de Martínez de la Parra respecto a la utilidad del ejemplo ficcional no significa en modo alguno que no haya sido también consciente de su mala reputación, asociado en la preceptiva a la mentira, por lo que se puede presumir que su uso debió representar para el mismo predicador una contradicción, como lo sería para Vives o Erasmo vituperar la ficción ejemplar y luego hacer uso de ella. Afortunadamente, para observar esta probable contradicción en Martínez de la Parra tenemos algunos elementos, gracias sobre todo a la proclividad del predicador por hacer patente sus opiniones o puntos de vista respecto a los temas que trata y sobre los modos en que lo hace. Este predicador jesuita recorre constantemente el camino entre dos posiciones antagónicas sobre la ficción: una que reconoce en ella

---

[44] Traigo de nuevo la cita: «hay muchas cosas en la poética, y palabras también, que parecen mentirosas y no lo son, porque las cosas en lo literal falsas, muchas veces se miran verdaderas en la alegoría» (López Pinciano, *Philosophia antigua poética*, II, 2, 93). En la Edad Media, en cambio, sí podría apreciarse una mejor convivencia entre elementos cristianos y mitológicos en un mismo plano, como lo resume en sí misma la representación de san Jorge matando un dragón.

un recurso útil para mantener la atención, y otra que la concibe como mentira y por ende pecado, incluso al punto de convertirla en el fundamento de los vicios y en el camino más seguro para llegar al infierno, como hace en una plática dedicada justamente a tratar «De la malicia y daños de la mentira», iniciando con una alegoría de la mentira como hija del diablo que busca esposo (I, 53). En general la mentira (grande o pequeña) es vituperada constantemente, aunque en ocasiones ello sólo consista en un reproche que incluso puede resultar contrario a su propio uso de pequeñas ficciones, como la que ilustra este breve ejemplo en el que santo Tomás caminaba con otro religioso «y este de repente, muy en ademan de admiración: mirad, dijo, mirad aquel buey que va volando. Levantó el santo la vista, y el otro a ese tiempo mismo la risa. Pues un buey, ¿creéis que pueda ir volando? Mesurose y respondiole: me pareció más fácil que volara un buey, que dijera una mentira un religioso» (II, 53).

No obstante, habría que reconocer que mentira y ficción pueden no ser exactamente lo mismo; es decir, se podría considerar que existe una diferencia etimológica que puede salvar la ficción de tan mala compañía, lo que anularía la contradicción entre vituperio y uso de la mentira, como la diferencia entre mentir y fingir que trae Juan de Caramuel en su *Primus calamus*: «Miente aquel que habla opuestamente a lo que piensa; dice falsedades aquel que enuncia las cosas de un modo distinto de como son; finge el que adorna»[45]; de este modo la ficción, a diferencia de la mentira, vendría a ser un hecho estético. Con todo, para Martínez de la Parra parece no haber tal diferencia, pues él mismo las iguala en su propio discurso, incluso en un mismo contexto de censura, como en la comparación de la misa con una comedia ya traída a cuento en otra ocasión:

> Ya, pues, oyentes míos, si al ver representar una fábula, una ficción, una mentira en una comedia, sin irnos nada, o que nos mueve a lástima la desgracia, nos irrita la cólera, la sinrazón o nos alegra el escape del enredo, o nos pesa del mal suceso; siendo al cabo todo un engaño, una mentira, una farsa y una papelera. ¿Cuáles son nuestros sentimientos, católicos, al ver con los ojos de la fe y al asistir a esta representación soberana, con que en la misa se nos representa el acto más lastimoso que jamás vieron, ni verán los siglos? (II, 24).

---

[45] Caramuel, *Primus calamus*, Ep. IV.

Frente a estas afirmaciones de común desprecio por la mentira y la ficción, se debe ponderar el reconocimiento que hace Martínez de la Parra de esta última como recurso útil para la persuasión: «Sirva la ficción a la verdad» dice en la plática dedicada a tratar de los requerimientos para una buena confesión (III, 17), justo antes de introducir el emblema de las cabezas de la hidra como ilustración. Quizás el momento que mejor se expone esta consideración paradójica de la ficción ejemplar por parte de este predicador, es uno de sus ejemplos cuya disposición parece una caja china, donde el personaje es nadie menos que el gran orador, Demóstenes, con el que da pruebas del uso pernicioso de la ficción. El ejemplo vitupera la ficción, sin embargo, aunque se presenta como histórico, es a todas luces sólo una anécdota que bien podría ser ella misma ficticia:

> Las tardes enteras en una comedia, las noches en el juego, y se gusta y se deja de mala gana. ¿Y un rato de la palabra de Dios enfada y cansa y se bosteza? Mirad: abogaba Demóstenes en defensa de un hombre que estaban por condenar a muerte. Y al ir diciendo reparó que los jueces estaban parlando. Prosiguió sin darse por entendido y, dejando lo que iba a decir, ingenió este cuento: fue el caso, señor, bien celebre, que un alquilador le alquiló a un pasajero un jumento para una jornada. Salieron juntos el dueño a pie, el otro en el jumento. Era ya el medio día, apretaba el sol y, no habiendo sombra ninguna, echose aquel a pie y metiose debajo de la sombra del jumento. Eso no, dijo el alquilador, que yo el jumento alquile, no su sombra. Esa sombra es mía y yo la he de gozar. No, decía el otro, pagué la sombra. Y he aquí armado el pleito, y que van al tribunal. A todo esto ya estaban muy gustosos y suspensos los jueces por oír en que paró. El diestro orador entonces, dando el golpe a la cátedra: *De asini umbra libet audire, viri causam de vita periclitantis audiri gravamini?* / ¿Es muy bueno que al pleito sobre un asno se pongan esas atenciones y que donde va la vida de un hombre enfade el oír su defensa? Más os digo yo oyentes míos: tanto gusto en atender mentiras, engaños y aun torpezas, y tanto tedio para oír hablar de Dios» (III, 7)[46].

Es sin duda significativo el hecho de que Martínez de la Parra ponga en boca de Demóstenes un regaño referido a la poca atención

---

[46] Este relato ya se encuentra en las *Fabulae* de Fedro (4, 1, 16), quien dice que es de Esopo, y seguramente sería bien conocida por los predicadores jesuitas, a juzgar por su inclusión en la *Historia del famoso predicador fray Gerundio de Campazas* (1758) de José Francisco Isla, S.J.

que cualquier auditorio suele otorgar a las cosas de mayor importancia y, en cambio, inmediatamente se interese por asuntos divertidos. El predicador, como Demóstenes, censura paradójicamente pues aunque regaña, alienta también el comportamiento censurado al encontrar utilidad al relato ejemplar de un modo artístico y muy atractivo.

Si existe, es imperceptible alguna preocupación del predicador por encontrar el justo medio entre ambas circunstancias, la censura y la utilidad del ejemplo ficcional; más bien sobrelleva la contradicción seguramente amparado en el hecho de que pocos son los casos en que, como el anterior, deba exponerse presentando los dos puntos de vista juntos. En general adopta con la firmeza que le caracteriza tanto una como otra posición, no reparando en la opuesta, o bien sólo expresa alguna duda sobre el origen del relato (verdadero o ficcional) sin descalificar su utilidad ilustrativa; en algún lugar incluso muestra una franca voluntad de no entrar en detalles al respecto, como en el siguiente ejemplo que no es más que una anécdota sobre un curandero que se atrevió irresponsablemente a tratar y hacer cirugía a un hombre herido por un toro: «¡Ea! no sé si es cuento, pero explicaré: diole a uno una grande herida un toro, echole fuera las tripas. Vino un curandero tan ignorante como atinado, cortó, cosió, hizo, deshizo. Pero a pocas horas murió el herido. Y el cirujano muy consolado dijo: si no se hubiera muerto era la mayor cura que se había hecho en el mundo. Así son, así son las curas de tal gente» (II, 37).

Martínez de la Parra es pues un predicador que parece distinguir muy bien las posibilidades que le ofrece un ejemplo histórico y otro ficcional: el primero le resulta una forma adecuada de probar o demostrar verdades morales de peso, sobre todo si se trata de una cuestión de difícil tratamiento dogmático, el segundo es útil para deleitar un poco al auditorio pero también para ilustrar o mostrar cuestiones sociales o políticas de difícil tratamiento, frente a lo cual debería ser cauteloso en evidenciar una postura personal. Sin embargo, también distingue muy bien los límites del ejemplo, cuya capacidad ilustrativa no se ajusta absolutamente a todo lo que un predicador debe ilustrar, como queda claro al intentar explicar la incomparable grandeza del bautismo, que hace a los hombres cristianos, legítimos hijos de Dios: «¡Oh, no me pidáis ejemplos, que no tiene ejemplo esta gracia! ¡Oh, no me pidáis semejantes, que no tiene esta gracia semejante!» (I, 3).

Capítulo 6

EJEMPLOS PARA LA REFORMA DE COSTUMBRES

Un texto que debe ponerse en relación no sólo con la predicación jesuítica, sino con toda la labor pastoral de la Compañía de Jesús, es por supuesto el de los *Ejercicios espirituales* de san Ignacio, pues en él se encuentra concentrada de un modo notable tanto la espiritualidad ignaciana y, por ende, jesuítica, como los modos en que se puede conducir al hombre al concepto de virtud que sustenta la Compañía. Con la obra de Martínez de la Parra, en concreto, comparte una misma idea práctica de la virtud cristiana, la que busca ofrecer un camino de progreso espiritual vinculado a la actividad diaria de los receptores del mensaje; por ello es que desde un principio se pueden reconocer las obvias raíces ignacianas en la predicación de Martínez de la Parra, como una constante persuasión hacia la reforma de costumbres ofrecida en una instrucción catequética y ejemplarizante.

Podría traerse aquí, incluso, un nuevo intento de definición de plática a la luz de su etimología, que conduciría directa e insospechadamente al significado de práctica de la virtud; y no sería la primera vez que ello se hiciera. Ya Arturo Jiménez ha formulado una definición en este sentido para los *Evangelios moralizados* de Juán López de Salamanca (s. XV), al considerar que «para conmover a un público con menos preparación que capacidad de admiración, a un predicador le resultaba más eficaz presentar "en la práctica" una escena evangélica que intentar explicarla»[1]. Se trata del mismo concepto que usaría san Vicente Ferrer en expresiones como «agora

---

[1] Jiménez, 1999, p. 178.

vengamos a la plática», con la que invitaría a sus oyentes a transitar de la
enseñanza por decir teórica a un caso práctico de aplicación; Juan López
de Salamanca, como buen discípulo de Ferrer, seguía la enseñanza de que
«una verdad abstracta puede explicarse mejor al público mediante su puesta en práctica con un caso concreto», como resume Arturo Jiménez[2].

Es una definición arriesgada, es cierto, pero perfectamente reconocida en cuanto a la historia y evolución de la palabra «plática», que proven-
dría de un latín tardío (*practice*), evolución a su vez de una voz griega que
equivalía justamente a 'práctica', es decir, lo contrario a la teoría; con el
tiempo la palabra fue significando también 'trato' o 'conversación', y
desde el siglo XV el verbo «platicar» se especializaría en esta nueva acepción[3]. Desde esta definición se podría apreciar lo central que resulta el
ejemplo en estas piezas oratorias, en tanto ocasión de presentar justamente un caso práctico de la virtud que se pondera o del vicio vitupera-
ble; de hecho, en el estudio citado Arturo Jiménez concibe la plática,
«junto al *exemplum* y la *similitudo*, un recurso para animar o amplificar un
discurso»[4]. En el caso de las pláticas de Martínez de la Parra sería, sin
embargo, llevar demasiado lejos esta definición, pues sin duda sus discursos son mucho más que una mera colección de ejemplos.

Pilar Gonzalbo ha estudiado las pláticas de Martínez de la Parra a la
luz de los *Ejercicios espirituales* de san Ignacio en su obra ya citada aquí
con anterioridad, que puede ser considerada tan indispensable en los
estudios de esta labor social y popular de los jesuitas, como para la
apreciación también de ese sentido práctico de virtud que estos impri-
mirían sobre aquellas. Gonzalbo propone entender la relación entre
Ejercicios y pláticas como una relación fin-medios, donde la persuasión
resulta un medio que conduce a la toma de una decisión, una elección,
en cuanto a la conducta personal; es decir, las pláticas tendrían en esta
lectura el propósito de ofrecer al oyente normas morales de aplicación
inmediata y utilidad social clara[5].

---

[2] Jiménez, 1999, p. 173. Si Juan López de Salamanca fue alumno de Vicente
Ferrer, Arturo Jiménez lo fue de Pedro Cátedra el que, precisamente, ha sido quien
más ampliamente ha estudiado la obra sermonística de san Vicente Ferrer.
[3] Ver el *Diccionario crítico etimológico castellano e hispánico* (DCECH), de J.
Corominas: *s.v.* PRÁCTICA.
[4] Jiménez, 1999, p. 173.
[5] Pilar Gonzalbo (1989) ajusta, por ejemplo, los tres binarios ignacianos al tema
del robo y la crítica social que se encuentra sin duda expuesta en las pláticas de

Desde este punto de vista toda conversión o reforma de costumbres implicaría un cambio de vida en comunidad: perdonar a los enemigos, devolver lo robado, etc., acciones todas ellas que sin duda abonaban a la buena marcha de la sociedad en su conjunto, pues en la doctrina jesuítica propuesta desde cátedras y púlpitos, como resume Gonzalbo, «ni más ni menos como diría Juan Jacobo Rosseau mucho después, la virtud se consideraba el principio necesario para cualquier forma de gobierno»[6]. En pláticas y sermones los jesuitas proponían pues una forma de virtud práctica, evidente y útil en términos sociales, similar también en muchos sentidos a la catequesis que había propuesto algunos años antes el también jesuita Jerónimo Ripalda, quien buscaba que el catecúmeno aprendiera la adecuada manera de relacionarse con sus iguales, con la autoridad, con los subalternos y, en suma, con la sociedad en su conjunto, de modo que pudiese adquirir una identidad propia asimilando las normas de comportamiento de la sociedad, lo que le ayudaría a aceptar su lugar en la rígida jerarquía virreinal.

Por supuesto que ello no haría de estos predicadores jesuitas ningunos paladines de la justicia, pues es de reconocer que su rango de acción resultaba sin duda limitado, aunque sí es posible suponer que con esta predicación los jesuitas podrían procurar una mayor armonía social, y para ello a veces era necesario reclamar justicia, aunque de ningún modo se pretendiera revolucionar las formas concretas de generación y reparto de la riqueza virreinal; o bien, como mejor lo dice Pilar Gonzalbo:

> A la Compañía de Jesús le tocó desarrollar su actividad en un ambiente de formulismos teóricos legitimadores, de conformismo general en el que rara vez sobresalían expresiones de rebeldía, y de orgullosa satisfacción por la presunta armonía entre la voluntad de Dios, los intereses de la monarquía y el enriquecimiento de los propietarios españoles[7].

Martínez de la Parra. Los tres binarios, o clases de respuestas humanas al llamado de Dios, serían los siguientes: a) el que pretende renunciar al mundo cuando esté muriendo, b) el que pretende servir a dos amos, es decir conservar el goce sin contravenir la ley, lo que el predicador considera un vicio muy propio de poderosos, y c) el que renuncia completamente al mundo y ofrece servicio completo a Dios. Todo ello, por supuesto, adecuado al estado que se guarda en la sociedad.

[6] Gonzalbo, 1989, p. 2.

[7] Gonzalbo, 1989, p. 2.

Era un tiempo en el que todavía se confiaba en el poder de la autoridad real como moderador de abusos (a la que en última instancia apelaba siempre el predicador) tanto como en la influencia de la reforma de costumbres que se pretendía desde las diversas instancias religiosas. De este modo, la predicación jesuítica resultaba necesariamente conservadora aunque a la postre de indiscutible utilidad, pues si no se logró del todo ayudar a la conformación de una sociedad más justa, sin duda sí se colaboró a hacerla menos injusta y menos agresiva para los desposeídos, lo que se consiguió predicando a los poderosos la «moderación en el uso de sus privilegios, mientras a los desposeídos se les mostraban los beneficios espirituales que llevaba consigo la carencia de bienes materiales»; es decir, no se trató de educar a unos y no a otros, sino de «orientar a cada quien de acuerdo con su posición social», como señala Gonzalbo[8].

Así, revisar los aportes de la espiritualidad ignaciana contenida en los *Ejercicios* y en el *Catecismo* de Ripalda resultaría un camino certero para buscar las claves de la reforma de costumbres a que aspiraba Martínez de la Parra con sus pláticas, sobre todo en cuanto al carácter práctico que atraviesa toda la obra y toda su idea de virtud; no obstante, aquí se ha seguido un camino distinto, pues se ha pretendido observar el modo en que dichos propósitos fueron articulados en términos retóricos, es decir, el modo en que se convirtieron en persuasión y el modo en que la argumentación ejemplar sirvió para tales fines.

ENSEÑAR Y DIVERTIR: UNA PEDAGOGÍA DE CORTE CLÁSICO

Acordes con la recomendación horaciana de instruir deleitando, las pláticas de Martínez de la Parra encuentran su principal función en el *docere* y, en menor medida, en el *delectare*, como corresponde a un «sermón instructivo», siguiendo la nomenclatura ya citada de García Matamoros: es decir, una pieza oratoria de estilo bajo y de propósito esencialmente didáctico. El tercero de los grados de persuasión de la retórica clásica, el *movere*, estaría presente sobre todo en el intento del predicador por impresionar afectivamente al auditorio mediante el uso

---

[8] Gonzalbo, 1989, p. 1.

de amenazas aterradoras, cuentos sobrenaturales y el uso inteligente de la *actio*, aunque ello siempre se vería subordinado al propósito fundamental de la enseñanza; en esto las pláticas se distinguen de los sermones de estilo sublime, como los panegíricos que se predicaban en ocasiones solemnes y ante auditorios refinados, donde el intento de conmover estaría mucho más presente que el de educar o divertir.

Diferente a la dilatación probatoria (o «contención oratoria» como la llamó Erasmo), de la que ya se ha tratado aquí, la pura amplificación ornamental tiene también un lugar en estas pláticas, dado que el uso del ejemplo en funciones meramente estéticas había sido, durante siglos, la consideración preceptiva privilegiada del mismo. Martínez de la Parra recuerda las enseñanzas agustinas al respecto y expone sus propias convicciones en más de una ocasión, como cuando escribe en el «Prologo al lector»: «Dilátome en algunos puntos, juzgo que lo debo a la claridad [...] Explíquese el origen de la tradición, declárase la razón de la verdad, tráigase el fundamento, la comparación, el ejemplo, dice mi gran maestro»[9], a lo que después añade:

> Esto, pues, y el ver en nuestro siglo tan estragados los gustos, que andan buscando razones aun al sustento más necesario de la mejor vida, me ha hecho procurar algún sainete, o con ejemplos y sucesos de historia, o con dichos y sentencias de filósofos, y alguna vez festivos; y porque la gravedad del púlpito y de tan sagrada materia no te parezca que desdice tan del todo, repito el precepto de Agustino, que para despertar al oyente, que ya bosteza, da este medio: *Renovare oportet eius animum dicendo aliquid honesta hilaritate conditum, et aptum rei, quae agitur, vel aliquid valde mirandum, o stupendum*[10]. Trazas son todas que busca ociosa la caridad para lograr por todos medios el provecho.

El predicador parece defenderse de una posible censura por usar ejemplos «para despertar al oyente», y recurre a la autoridad de un texto

---

[9] Se refiere a san Agustín.

[10] «Quod ubi senserimus, aut renovare oportet eius animum, dicendo aliquid honesta hilaritate conditum et aptum rei quae agitur, vel aliquid valde mirandum et stupendum»: «En cuanto nos demos cuenta de esto [de los bostezos del auditorio], conviene despertar su atención diciéndole algo adornado con una sana alegría y adaptado al argumento que estamos exponiendo, o también algo realmente maravilloso y deslumbrador» (san Agustín, *La catequesis de los principiantes*, 13, 19, 6).

paradigmático de san Agustín, *De cahtechizandis redibus* (La catequesis de los principiantes), dedicado justamente a ofrecer elementos al predicador que dirige sus sermones a un público poco cultivado. El uso ornamental de los ejemplos que propone Martínez de la Parra, como se ve, no representa un fin en sí mismo sino que se subordina a un propósito general y más elevado, que es el de conferir «eficacia» al ejemplo, hacerlo más provechoso, a fin de que cumpla su función ilustrativa y, por tanto, didáctica[11].

Por ello es que, ilustrando la enseñanza, abundan en estas pláticas comparaciones llenas de gracia, como una que dice tomar de Plinio: «De ciertas langostas que no cesan de chillar con un violentísimo ruido, dice Plinio[12] que no lo forman con la boca sino por el colodrillo, por allí salen los chillidos tan molestos. Así son muchos de los vuestros contra las honras», con el que trata el octavo mandamiento: «No levantarás falso testimonio ni mentirás» (II, 49); y también las hay de una hermosura notable, como aquella con que ilustra la idea de Dios como el supremo predicador, cuya obra natural es en sí misma un sermón:

> Sucédenos aquí con verdad pura lo que refiere Pierio[13] que sucede en las costas de la Gran Bretaña, en que a la margen de un río ciertos árboles que dan una frutilla insulsa y desabrida, cayendo estas frutas en el agua, a pocos días se convierten en pájaros blancos que se remontan a los aires. Si ello es así, nos puso Dios un retrato de lo que nos sucede en el bautismo, en cuyas aguas el alma que por el pecado era fruta de Adán amarga y maldita, allí animada sobre la pureza de la inocencia adquiere las alas dichosas para volar hasta los cielos. (III, Bautismo 2)

Esta comparación emblemática llena de poesía se inscribe en la tradición medieval que consideraba la creación misma como un espejo en el cual Dios da al hombre pruebas de su amor y le muestra un camino al cielo; se trata de la tradición que José Aragüés incluye en lo que llama «virtudes estéticas de la ejemplaridad»: «la propia lectura de la

---

[11] Es reiterada la justificación de la inserción de un ejemplo por su eficacia para lograr la enseñanza buscada: «Breve será el exemplo: pero eficaz».

[12] Probablemente en el capítulo XI de *Naturalis historia* de Plinio el viejo, que está dedicado enteramente a los insectos.

[13] Pierio Valeriano había impreso sus emblemas en su obra *Hieroglyphica* (Basilea, 1556).

creación en términos de hermosa copia de un *exemplum* divino pree-
xistente [...] un estricto sistema de semejanzas entre los entes naturales
y los espirituales»[14].

En suma, comparaciones, ejemplos (sobre todo ficcionales) y los
elementos propios de la *actio*, contribuyen a otorgar a las pláticas un
carácter de divertimento que acompaña la enseñanza. Por ejemplo los
apólogos, que suelen ser breves, confieren a la predicación un ritmo
ágil y placentero que sin duda contribuye a mantener la atención,
como el apólogo del lobo y los pastores que introduce para ilustrar la
obligación que tienen los predicadores de denunciar los abusos:
«Llevábase un lobo una mañana un cordero y, al punto, perros y pastores, ladridos, gritos, sigue, alcanza. Viéndose acosado el lobo, dejó el
cordero y ganó el monte» (II, 47). Casi es posible ver al predicador
acompañando con gestos este relato, siguiendo la velocidad de la acción
narrada con la agilidad del discurso y, acaso, el movimiento de las
manos. La relación de la predicación con la representación no es en
ningún modo fortuita, ello estaba perfectamente regulado y recomendado en todas las retóricas, antiguas y cristianas; incluso en el siglo XVII
se llegó a niveles exagerados y risibles de representación teatral del
relato en el púlpito, si creemos lo que dice el jesuita Valentín de
Céspedes en su disputa con su colega Ormaza, que ya ha sido aquí
citada con anterioridad:

> El predicador es un representante a lo divino, y sólo se distingue del far-
> sante en las materias que trata; en la forma, muy poco [...] A Fray Francisco
> de Lerma vi desquijarrar al león de Sansón, y dejar José la capa en manos
> de la gitana. Otro pintaba el sacrificio de Abraham y el derribar de las
> columnas; lo hacía con tal propiedad, viveza y gracia que prorrumpieron
> los oyentes en aplausos gritados, siendo necesario parar hasta que cesase el
> tumulto[15].

Ya Terrones del Caño había comparado el público del sermón con
el público de un teatro: «Sucede que, como la vista del púlpito le

---

[14] Aragüés, 2000, pp. 175-183. Además, con base en esta idea Aragüés titula su
más ambicioso estudio retórico del ejemplo, su *Deus concionator* (Dios predicador),
que remite a la concepción de que Dios predica con su creación.

[15] López Santos, 1946, p. 357.

recuerda al orador la vista de un gran teatro, de suyo se mueve a hablar con más elegancia»[16]; de modo parecido, aunque cargado de valoraciones contradictorias, Martínez de la Parra define la misa como una representación teatral: «Cuáles son nuestros sentimientos, católicos, al ver con los ojos de la fe, y al asistir a esta representación soberana con que en la misa se nos representa el acto más lastimoso que jamás vieron ni verán los siglos» (II, 24). Por supuesto que esta definición queda en el terreno de la mera representación, es decir, sólo en el hecho de que la misa es también una puesta en escena, puesto que para Martínez de la Parra la misa es representación y realidad a un tiempo, cosa difícil de mostrar como no sea con un ingenio bien afinado y con una voluntad de controversia de la que Martínez de la Parra hace gala:

> Pero antes que pasemos oigo ya que me proponen una duda: y es que el retrato es siempre cosa distinta de su original, el retrato del rey no es el mismo rey y va de uno a otro lo que va de lo vivo a lo pintado. Pues si el sacrificio de la misa es una representación y un retrato del sacrificio que nuestra vida Cristo ofreció por nosotros en la cruz ¿cómo puede ser en la misa el mismo Cristo el que se ofrece? [...] explícome con este ejemplo. Ahí anda una comedia que se intitula: La mayor hazaña del emperador Carlos V[17]. Es toda ella una historia de aquella generosa renuncia que hizo de la corona y del imperio para tratar de morir; cosa bien sabida. Hacen ahora esa comedia. ¿Y qué es eso? Pregunto. Es una representación nomás de lo que aquel emperador hizo. Es verdad, pero añado: ¿y si aquel emperador viviera ahora y él mismo por su persona quisiera salir a representar su papel? ¿Si así lo hiciera fuera esa sola representación? No, uno y otro tuviera. Fuera representación y fuera realidad. Realidad porque era el

---

[16] Terrones, *Instrucción de predicadores*, p. 77. Terrones parafrasea aquí una cita de Cicerón, quien en su *De oratore* había escrito: «Fit autem ut, quia maxima quasi oratoris scaena videatur contionis esse, natura ipsa ad ornatius dicendi genus excitemur»: «Pero como el principal escenario del orador parece ser la asamblea, ello naturalmente nos estimula a usar una clase de discurso más adornado» (II, 83, 338).

[17] En 1620, el sevillano Diego Jiménez de Enciso compuso e hizo circular dicha comedia, aunque al parecer no fue impresa sino hasta 1765, en Valencia, en la imprenta de la viuda de Joseph de Orga. Seguramente se trató de una comedia muy conocida, pues en 1656 Manuel de Pina, judío nacido en Lisboa y exiliado en los Países Bajos, escribió una parodia de dicha comedia con el mismo título. Por supuesto que Martínez de la Parra no se referiría a la parodia burlesca, en caso de que la conociera.

mismo Carlos V, por su propia persona, el que salía; y representación porque él mismo representaba aquella heroica acción que antes hizo» (II, 24).

Junto a la materia de las comedias como fuente de comparaciones ejemplares, Martínez de la Parra utiliza las poderosas posibilidades de la imagen, acorde a la bien conocida preferencia de los miembros de la Compañía de Jesús por los recursos plásticos, y acorde también al esquema ciceroniano que incluía la *imago* entre las especies ejemplares[18]. Por lo demás, el propio acto de fingir una disputa con su auditorio, es ya una representación de Martínez de la Parra, con lo que forma una galería, teatralidad dentro de la teatralidad, donde con una representación personal discute el tema de si la misa es o no mera representación y para ello trae a colación un ejemplo que trata de la representación de una comedia de la época.

Además de estas floridas virtudes deleitosas de la *actio* que explota Martínez de la Parra, puede traerse aquí su habilidad para convertir, mediante glosa, los más serios relatos en ocasión para el goce estético. A algunas parábolas evangélicas, por ejemplo, suele el predicador dar un tratamiento del tipo señalado, pues las glosa y reescribe más de acuerdo a su estilo personal que respetando el bíblico; así, inicia el sermón del segundo viernes de Cuaresma con un pasaje del Evangelio de Juan como *thema*: «In his iacebat multitudo magna languentium, caecorum, claudorum, & aridorum»[19]; y luego, como si de un cuento se tratase, inicia: «Érase en Jerusalén una prodigiosa piscina [...]», a lo que sigue glosa y comentario del pasaje evangélico hasta que, con bastante gracia, cuenta:

> Ahora, pues, muévense de repente las aguas; pero el ciego, como no las ve mover, mientras le avisan, mientras lo cree, mientras llama al gomecillo, mientras lo lleva, ¡saz! ganole ya la vez el leproso, que como no tenía su mal en la vista la logra ya, y ya sale sano, y se despide cuando el ciego llega y se queda suspirando a la orilla. ¿Qué se ha de hacer? Hasta otra ocasión, hasta otra. Vuelven a moverse las aguas, y el cojo o tullido, aunque las ve

---

[18] Cicerón, *De Inventione*, I, 49.

[19] Se trata de una cita del Evangelio de Juan, en su Cap. 5, 3: «In his iacebat multitudo magna languentium caecorum claudorum aridorum expectantium aquae motum» («En estos yacía una multitud de enfermos, ciegos, cojos y paralíticos, que esperaban el movimiento del agua»), con que inicia la narración de la milagrosa curación del paralítico de Betesda.

mover, mientras acude a las muletas, mientras las acomoda, por más prisa que se da, retardado su movimiento ¡saz! ganole la ocasión el éctico [*sic*][20], que cuanto más delgado se huella más ligero, y sale ya sano de su achaque dejando el hospital cuando el cojo llega a suspirar solo. Hasta otra vez, paciencia [...] (I, 23).

La enumeración, la gradación, las interjecciones y aun la *actio* que se pueda deducir si leemos el texto como representación, apuntan a una actualización del relato bíblico que excede con mucho el austero estilo evangélico.

Como se indica en su título (*[...] explicación de la doctrina cristiana*), la obra de Martínez de la Parra tiene como principal objetivo la enseñanza de la doctrina, la cual naturalmente va más allá de la instrucción cate-quística, pues un concepto amplio del adoctrinamiento cristiano, como se ha dicho, implicaba trabajar por la reforma de costumbres, por la extir-pación de los vicios y, en suma, por el fomento de la virtud en su signifi-cado más extenso: religioso, moral e incluso cívico o político. El uso de ejemplos referido a esta función didáctica tiene como propósito, por supuesto, encarecer el conocimiento de la doctrina, pero también el fomento de la devoción, el castigo simbólico de los pecados atizando el miedo al infierno y en general a lo demoníaco y, además, la denuncia de ciertos vicios sociales que desde entonces azotaban la Ciudad de México.

Para el escarmiento simbólico de los vicios, como adelante se verá, suele usar el predicador una forma de persuasión dura, cercana al con-vencimiento por temor; en cambio, para el fomento de la devoción se muestra mucho más blando, usando verbos como «promover» o «alen-tar» y empleando casi exclusivamente relatos hagiográficos. Para esti-mular el uso de nombres cristianos a la hora de bautizar a los hijos, por ejemplo, Martínez de la Parra dice «cada uno y cada una lo mire [su nombre] con su propio santo, mientras yo les promuevo a esta devo-ción el ejemplo del emperador Othón» (I, 2), uno de cuyos caballeros, por llamarse Bonifacio, se sintió inspirado a emular al santo de su nom-bre llegando a ser con el tiempo San Bonifacio Obispo: émulo, a partir del nombre, de la virtud y de la dignidad póstuma de su santo. Y del mismo modo en que acá «promueve» una devoción, en el siguiente caso la «alienta», aunque de un modo un tanto heterodoxo: «Y para

---

[20] «Tísico» (*RAE, s.v.* «Hético»).

poner aliento a esta tan justa devoción [la de asistir a las procesiones de *Corpus Christi*], no quiero que sea el ejemplo de los serafines ni de los santos, no me digan, que ni son tan espirituales ni tan santos. Un bruto ha de ser el que nos ponga confusión y vergüenza» (I, 7). Se trata de la historia de un perro callejero fidelísimo en esta y otras devociones, llamado Tudesco, que va a procesiones, asiste puntual y en primera fila a misa e incluso ataca y muerde a quienes no se arrodillan al paso del Santísimo Sacramento.

En cuanto al escarmiento de los vicios, si Martínez de la Parra sabe colorear sus pláticas con variados recursos ornamentales, si sabe deleitar con el ritmo ágil de las fábulas y apólogos o si —es posible suponer— sabe representar de un modo fino su predicación, también sabe atemorizar con relatos terribles y con presencias aterradoras, para lo que arma una didáctica deliberadamente sobrecogedora: «Ni os parezca este mucho rigor, si ponderáis las muchas almas que se lleva el diablo por esta ignorancia de la doctrina. / Oídme un caso extraño a este propósito», dice a modo de introducción de un ejemplo que cuenta el caso de un obispo que recibe el encargo, por parte del demonio, de llevar un mensaje a un sínodo; se trata de un recado de agradecimiento a los obispos por su colaboración en engrosar la población del infierno pues siendo tan laxos en la predicación, no han hecho sino ayudar al diablo[21]. El obispo llevará una prueba para que su mensaje sea creído, y esta es que el demonio le ha manchado la cara de negro, una mancha imborrable hasta después de cumplido el encargo y que sólo puede ser limpiada con agua bendita. El caso es contado como histórico, de modo que el predicador pretende que resulte efectivamente atemorizante: «Llenó de espanto a toda Francia este suceso. Y ahora fieles, ¿a quién daré yo las gracias de parte del demonio?» (I, 21).

La base de esta dura pedagogía que busca el escarmiento por temor, es la amenaza del castigo eterno y la posibilidad mucho más cercana de sufrir una experiencia sobrenatural aterradora[22]. Se trata de una didáctica muy frecuentada en la época, usada en discursos religiosos de

---

[21] Recuérdese que la reforma de la predicación hecha por el Concilio de Trento había otorgado a los obispos la obligación y el privilegio de la predicación, que frecuentemente era delegada en oradores más diestros o más dispuestos a ese oficio.

[22] Para Estela Roselló, esta inducción del miedo formó parte de un proceso más amplio que incluía la posibilidad posterior del perdón, formando un horizonte de

diverso signo cuando se pretendía justamente un fin correctivo: «Que
he de traer escarmientos, que he de citar ejemplos, que son innumerables los cristianos que se han condenado y se condenan por este callar
desventurado en la confesión» (III, 17) dice Martínez de la Parra tratando el tema de los requisitos para una confesión válida. Por supuesto
que para este propósito resultan mucho más «eficaces» aquellos ejemplos más grandilocuentes en el prodigio, más difíciles de creer (y por
tanto, como se ha visto, más autorizados) y más aterradores pues, como
dice el predicador, persuadiendo sobre la necesidad de persignarse:
«que en cada una de estas cosas pudiera referir innumerables milagros
de la señal de la cruz. Pero por sernos más temeroso el peligro de las
tempestades y rayos, para que nos alentemos con la señal de la cruz,
refiero sólo este prodigioso suceso»: se trata de la historia de un joven
hereje inglés que se mofaba constantemente de la señal de la cruz, hasta
que le cayó un rayo aunque, milagrosamente, sin matarlo, sino que sólo
le dejó «por el vestido todo pintadas unas cruces de fuego que, for-
mándole labor muy agraciada, le decían que agradeciese a aquellas cruces no haberlo hecho cenizas las llamas» (I, 10); el joven, efectivamente
agradecido, no sólo se convirtió a la fe católica sino que incluso se reti-
ró a un monasterio.

Los ejemplos que incluyen casos sobrenaturales, en efecto, además
de parecer óptimos para cumplir la función de educar con base en el
temor parecen ser también los más eficaces para luchar contra la confusión o los errores en materias de fe: «¿Qué? ¿Ha de andar Dios haciendo milagros por nuestras ignorancias y errores? Oh, cómo siento no
poder ya referir aquí muchos ejemplos prodigiosos para desterrar este
engaño» (II, 11). Sin embargo, no siempre esta intención atemorizante
es enteramente efectiva; en ocasiones el predicador elige sucesos que
son mucho menos atroces de lo que pretende, incluso tal vez involunta-
riamente jocosos, como el que anuncia de un modo que parecería ilustrar su conciencia sobre las virtudes pedagógicas del terror: «Oh si
pudiera decir con cuán atroces castigos ha descargado Dios todo su

---

posibilidades entre la culpa inducida temerosamente y la redención ofrecida por la
religión, fundando con ello la posibilidad de la «negociación» que haría posible en
buena medida la paz del virreinato (Roselló, 2006, pp. 100 ss.). Sin duda que esto
apunta al uso de la doctrina religiosa también como instrumento de carácter cultural, en el sentido de provisión de satisfactores morales a la población.

enojo contra los que blasfemos se han atrevido, pero de muchos escojo este suceso por más específico». Contra lo que pudiera suponerse, se trata de un ejemplo que resulta incluso risible, sobre la angustiante defensa que un mosquito hace de la honra divina ante un hombre que, por haber perdido en las cartas, pretende retar a Dios en la persona de cualquiera que se atreva a defenderlo. El hombre sale a la calle armado hasta los dientes, todo vociferante y pidiendo que alguien tome el partido de Dios para vencerlo y con ello mostrar su inexistencia, pero en lo más acalorado de su furia un mosquito se le mete entre los agujeros del morrión y comienza a picarlo tan duramente que el otrora desafiante caballero se ve obligado a irse despojando una a una de las armas hasta quedar desnudo y con el rostro en tierra, frente a la concurrencia que miraba sorprendida:

> Arrojose en la tierra, clavó todo el rostro en el polvo por ver si se libraba de su enemigo. ¡Ah valentonazo! ¿Estas eran las bravatas? ¿Qué es aquel de matar tan sin Dios? ¿Un mosquito así te derriba? ¿Así te postra? ¿Así te vence? Pero aun así no le dejaba, hasta que el desventurado, conociendo su error, retrató a gritos, y oyéndolo todos, sus blasfemias (II, 14).

En cuanto al combate de ciertos vicios sociales, expresión política de una idea de virtud cristiana, no suele ser Martínez de la Parra menos duro que en su empeño por desterrar los errores en materia de fe. Para ilustrar el castigo que merece el robo, por ejemplo, utiliza comparaciones terribles, evidencia de una visión de la aplicación de la justicia sin duda contundente, pues comienza la plática dedicada a la explicación de los mandamientos séptimo y décimo («No hurtarás, no codiciarás los bienes ajenos») con una afirmación sentenciosa: «El infame nombre del hurto, mejor lo explica en pocas palabras la ronca voz de un pregonero, que la puede ponderar la más viva energía del más elocuente predicador [...] Y para predicarlo mudo, mejor le sirve de púlpito a un verdugo la horca» (II, 44). Implícita está aquí, por lo demás, la descripción de un recurso que Martínez de la Parra usa constantemente en su predicación, que es la de proponer patéticamente a la imaginación una enseñanza moral, pues traer la imagen del patíbulo al púlpito resultaría sin duda plásticamente impresionante; de algún modo este proceder y opinión del predicador recoge la de Aristóteles, quien en su *Rhetorica* había buscado fundar el valor didáctico de la elocuencia sobre la base de la imaginación, pues en su definición la retórica implica para el receptor un modo de «contemplar lo persuasivo»[23].

INSTRUCCIÓN RELIGIOSA Y REFORMA DE COSTUMBRES

La dimensión social de la predicación de Martínez de la Parra tiene como base un concepto amplio de virtud, dedicado sobre todo a reformar las costumbres de la población criolla de la Ciudad de México; con este propósito reformador hizo uso de historias y cuentos capaces de ilustrar las enseñanzas y de interesar lo suficiente como para mantener la atención del auditorio, incluso la propia realidad social mexicana le sirvió en más de una ocasión como ejemplo. El tema México en la predicación de Martínez de la Parra está presente de un modo singular, pues aunque no siempre forma parte del motivo central del ejemplo o la comparación, puede constituir un elemento si bien adicional también importante, pues hace transitar la enseñanza hacia otra aplicación subordinada que viene a ser, por el modo en que este proceder se repite, un propósito paralelo: la denuncia de los vicios sociales en la Ciudad de México. Ello puede verse en una plática en la cual, exponiendo los beneficios que se derivan de la piadosa costumbre de persignarse, cuenta un milagro de san Romanense[24] en el que de limosna a un pordiosero da una bendición con la señal de la cruz, lo que resulta suficiente para que al susodicho le nacieran tales ganas de trabajar que jamás le fue menester pedir limosna de nuevo, a lo que el predicador añade: «¡Válgame Dios! Y si hubiera en México quien tuviera esta gracia de hacerles la cruz a tantos ociosos, que de ellos se remediara. Pero como todos les hagan la cruz echándolos de sus casas, ellos se aplicarían al trabajo» (I, 10).

Para persuadir acerca de los poderosos beneficios de la señal de la cruz no resultaba en absoluto necesario que el predicador hiciera esta

---

[23] Para Aristóteles (*Retórica*, 1355[b]), el modo en que es posible elevar la retórica a categoría de arte, más allá de su consideración tradicional de mera *Tecnos* con que se le desdeñaba, pasa por conferir al auditorio la facultad de participar activamente en el acto de la persuasión.

[24] Probablemente san Romano, santo primitivo que, a pesar de su nombre, curiosamente pertenece a la iglesia griega.

extensión hacia el problema de la mendicidad en la Ciudad de México, sino que ésta parece ser un guiño que se vale incluso del juego de palabras derivado de «hacerles la cruz», que sirve tanto para bendecir como para expulsar seres indeseables. No obstante, ya traído a cuento, conviene agregar que al parecer la mendicidad fue un problema temprano en la capital de la Nueva España pues, como dice Norman Martin «no es de extrañar que muy pocos años después de la conquista, la Corona se manifestara enemiga decidida de la ociosidad y la vagancia»[25]; situación que tal vez nunca fue solucionada pues todavía para la segunda mitad del siglo XVIII unos dos y medio millones de personas padecían alguna forma de indigencia, según el mismo Martin en un artículo publicado posteriormente[26].

Sin duda asociar la pereza con la pobreza significa una implícita toma de posición de parte de Martínez de la Parra en el debate sobre la mendicidad que se venía dando desde el siglo XVI, no sólo en España sino en buena parte de Europa, donde se veían crecer cinturones de miseria por la inmigración de pobres campesinos a los centros urbanos, lo que implicó un reacomodo significativo en la estructura de la sociedad española, ajuste que colocaba la dicotomía fundamental pobres-ricos en el centro de una transformación del sistema de valores en que se cimentaba la jerarquía. Desde la Edad Media el cristianismo había fortalecido una concepción de la pobreza en la que el pobre resultaba ser un símbolo de Cristo y, por tanto, ocasión de santidad para sí mismo y los otros. Sobra decir que esta doctrina operó en un sentido inmovilista, pues por un lado promovía la resignación de los pobres a su pobreza y por otro era un argumento útil para convencer a los ricos de donar dinero a las órdenes religiosas que se ocupaban de los pobres; ambos procedimientos colocaban al pobre y a la pobreza como elementos importantísimos del orden medieval continuado en España hasta por lo menos el siglo XVII, pues eran a la vez justificación y soporte del rico y la riqueza[27].

[25] Martin, 1957, p. 37.
[26] Citando el legajo 484 del AGI, sección México, Martin sostiene que «El virrey duque de Linares informa al rey, 31 de octubre de 1713, que la mayor parte de la población de la Ciudad de México se componía de gente miserable y pobres. Muchos vivían de limosnas, del hurto o del petardo» (Martin, 1985, p. 108, n. 38).
[27] Ver al respecto Cruz, 1999.

Con el crecimiento de las ciudades y la inmigración masiva del campo se creó un desequilibrio importante en la relación pobre-rico y pobre-estado, lo que obligó al debate en las más altas esferas pues se precisaban políticas públicas que ofrecieran soluciones. Domingo de Soto, teólogo de Carlos V en el Concilio de Trento, sosteniendo todavía la tesis medieval proponía la obligación moral de los pobres de aceptar voluntariamente su pobreza, la obligación política del estado de garantizar la libertad para ejercer la mendicidad y la conservación de la caridad como paliativo de la pobreza; frente a cuyas propuestas surgieron no pocas voces, entre las que se puede nombrar la del humanista Juan de Robles que pugnaba por la eliminación de la pobreza mediante el trabajo asalariado, lo que además de parecer más justo contaba con el apoyo cierto de la incipiente burguesía del norte de la Península, cuyos talleres requerirían de mano de obra, si barata mejor. De este modo el pensamiento de Erasmo, que proponía una mayor secularización del cristianismo, una reforma política y social acorde con ello y, finalmente, la instauración de un estado universal y pacífico, comenzó a escucharse en España; por supuesto que Carlos V, atento sobre todo a la última sugerencia erasmiana, permitía el debate.

Con licencia para el anacronismo (la que otorgaría la persistencia del problema) se podría decir que un siglo después Martínez de la Parra no apostaría por la caridad para solucionar la mendicidad, lo que sin duda lo acercaría a las posiciones humanistas de aquel debate, aunque a diferencia de aquellos el predicador jesuita sigue pensando que la pobreza es sólo efecto de la pereza, con lo que se coloca a gran distancia de, por ejemplo, Vives, quien en un tratado que escribió para la ciudad de Brujas asoció la pereza no a la pobreza sino, por el contrario, a la riqueza, lo que resulta sin duda profundamente liberal «habiendo crecido el género humano, unos no tenían de qué alimentarse, mientras que otros, entregados a la holganza, vivían del trabajo de los demás»[28].

De este modo, en las pláticas de Martínez de la Parra la introducción de las referencias a México como elementos más o menos incidentales (aunque hecha mediante un procedimiento que parece más bien sistemático) significa la inclusión de un nuevo escenario ejemplar

---

[28] Vives, 1997, p. 10.

con la adhesión de una causa subordinada a la principal; en algunos casos se trata de una mera insinuación, aunque suficiente para vincular la enseñanza religiosa con la intención didáctico-social. Así sucede en un largo relato hagiográfico con el que pretende ilustrar la magnificencia de la fe como virtud teologal, el predicador sugiere con una mera exclamación nuevos propósitos ejemplares que conducen al señalamiento del escándalo como mal social en la Ciudad de México: en Arrás, gran ciudad de Flandes, una peste funesta fue curada con una vela encendida que la Virgen donó a fin de que con su cera fuese bendecida el agua de la ciudad; la luz de la vela es símbolo de la fe que cura todas las pestes del alma y que puede ser tan poderosa y longeva como la misma vela de la virgen, la cual seguía ardiendo en Arrás después de más de quinientos años desde que sucedió la curación prodigiosa. Tal vez pudiera resultar extraño incluir aquí alguna reflexión sobre el escándalo en México, pero el predicador aprovecha una mínima oportunidad que le da el hecho de que la virgen decidió dar su vela a dos amigos que se habían distanciado:

> y díjole a cada uno que de su parte fuese a Lamberto, obispo de aquella ciudad, y le dijese que para el siguiente sábado en la noche la aguardase en la iglesia, prevenida una grande vasija de agua, porque en ella le quería dar el universal remedio para la peste que tanto los afligía. Fue cada uno de aquellos con su embajada, hállanse juntos delante del obispo, que conoció al punto la causa de haberlos escogido la Señora, para que haciéndose amigos se quitara primero de la ciudad su escándalo, si había de tener la ciudad remedio: que males públicos de ordinario los envía Dios por los escándalos. ¡Ah, México! (I, 14).

En verdad que pueden encontrarse lugares en los cuales pareciera que para Martínez de la Parra cualquier pretexto resulta bueno para incluir una alusión a México y sus vicios; entre ellos, los que refieren a la señal de la cruz son recurrentes, como el siguiente que viene con la explicación de la oración que acompaña el persignarse, para lo que el predicador propone una parábola que ilustra uno de los significados de la palabra «señal»: como identificación del cristiano. Un hombre pide a un desconocido que acuda con su mujer y le pida una alhaja preciosa para solventar un asunto, pues él se encuentra impedido por el momento para hacerlo, y para ello le entrega un objeto que sirva de señal para que su mujer sepa que es cierto lo que pide aquel desconocido, de modo que este «Va, entrega la señal, y por aquella señal conocida le da al punto lo que pide»; y luego sin que tenga mucha relación con la causa a probar agrega «pero no hay que hacerlo muchas veces, que aquí tienen muchas mañas los ladrones de México» (I, 9).

Pero si hubiésemos de buscar un ejemplo que lo fuese también de esta intención paralela de educar en la virtud social, mediante la denuncia de los vicios de la ciudad, tal vez lo encontraríamos en el siguiente que incluye además una propuesta de solución a estos males, pues en él se intenta persuadir sobre la necesaria educación de los hijos:

> Como México, debía de estar viciada la república de Atenas, cuando juntados sus senadores a dar medios para procurar su reforma (menos ya desdichada la república donde así se juntaba consejo, no sólo para dar arbitrios de hacienda sino para buscar mejoras de costumbres) fueron dando sus pareceres, y uno de ellos más sesudo, después de estárselos oyendo a todos, arrojó en medio una manzana toda podrida, y luego: ¿qué remedio os parece, les dijo, podrá haber para que esa manzana que veis tan podrida toda quede otra vez sana, hermosa y dulce? Difícil pregunta. Una manzana podrida volverla del todo sana ¿cómo puede ser? Quedáronse suspensos todos y el prosiguió: pues mirad, con sacarle las pepitas que tiene en el corazón, sembrarlas, cuidarlas y cultivarlas, dentro de pocos años, de esa manzana tan podrida, gozaremos manzanas dulces, frescas, sanas, hermosas. Así es, dijeron todos, pues si así es, añadió, póngase el cuidado que se debe en la crianza de los hijos y dentro de pocos años gozaremos toda la república mejorada (II, 32).

Una confianza más grande en el poder de la educación para solucionar los graves problemas sociales del virreinato no podía ser cultivada en mejor lugar que en el seno de la Compañía de Jesús, cuya labor educadora fue sin duda fundamental para la formación de cultura cívica en la Ciudad de México y en general en toda la Nueva España.

Aquí los ejemplos sirven al predicador como ilustraciones de algunos vicios cometidos en el ejercicio de la autoridad (como incluso el fraude ejercido desde el poder), del mismo modo que como apoyos didácticos a los consejos sobre la buena vida en familia y en general sobre la conducción adecuada de la vida en sociedad. Entre todos estos ejemplos los hay que señalan con índice acusador, del mismo modo en que hay otros que sólo muestran el mejor modo de llevar la vida en común, como la muy conocida fábula del niño, el viejo y el asno, que muestra cómo debe tenerse la opinión pública como cosa variable, de modo que resulte necesario ajustar el camino personal a las propias convicciones y no a los juicios ajenos: iba un viejo montado en su burro con el hijo pequeño siguiéndole a pie, y unos caminantes que los ven dicen «mire el viejo ruin, qué repantingado sin tener lástima del pobre muchacho que va a pie» (II, 49), comentario que bastó para que intercambiara el viejo lugares con el muchacho, sólo para que nuevos caminantes pudieran decir «¿hay tal necedad de viejo? ¿Que se vaya cansando a pie y muy sentado el muchacho?»; con esto el viejo decide que vayan los dos en el burro, pero muy pronto otros caminantes igualmente los censuran y «empiezan con grande risa: ¿quieren matar a ese pobre jumento? ¿Dos? ¿Dos juntos? ¿No tienen verguenza?». Cuando pasaron, el viejo y el niño se fueron a pie arriando el burro, lo que despertó de nuevo la hilaridad de los caminantes: «¿hay tal tontera? ¿Que podían estos aliviar su camino y que dejen ir al jumento vacío pudiéndolo cargar?». Al fin el viejo, desesperado, decide atar al burro por las patas e irlo jalando, lo que por supuesto suscitó la mofa de nuevo, así que el viejo concluye «ahora, hijo, de todo han de decir y de todo han de juzgar, vamos como nos pareciere mejor».

No todos los ejemplos cuyo tema o tratamiento refiere a esta preocupación social dicha son tan ligeros y libres de implicaciones peligrosas para el predicador, por el contrario, hay momentos en que cuestiones política o socialmente delicadas son ilustradas con relatos que implican críticas a instituciones o autoridades, aunque frecuentemente se trata de ejemplos que no guardan compromisos con la verdad histórica, pues en estos casos Martínez de la Parra parece preferir la ilustración con base en fábulas y parábolas, aunque no siempre. Sin duda, como ya se ha dicho, el carácter no verdadero de los relatos permitía al predicador una mayor distancia respecto al vicio denunciado, de modo que su compromiso resultaría menor que si ejemplarizara con hechos realmente sucedidos, pues ello podría constituir una argumentación de índole judicial porque de ese modo el ejemplo vendría a ser más prueba que ilustración de la comisión de un delito, tomando en cuenta que el ejemplo histórico precisa de nombres, fechas y, muchas veces, de la autorización institucional.

Además, el tono ligero de estas fábulas podría suavizar cualquier interpretación inconveniente de parte de algún auditorio susceptible;

dicho tono, por lo demás, resulta bien alejado del riguroso tratamiento o solemnidad que en otro lugar da a los ejemplos hagiográficos o los milagros. Aquí Martínez de la Parra se permite una gran ligereza al narrar y decir, por ejemplo, «llegó [la zorra] a la puerta de la cueva y halla dentro el leonazo muy tendido», narrando el apólogo de la zorra que se ve obligada a visitar al rey león enfermo. Se trata de cuentos más bien breves que confieren al discurso un carácter de crítica un tanto jocosa, como en aquella plática en que introduce el apólogo ya mencionado del lobo y los pastores para ilustrar la obligación que tenían los predicadores de denunciar los abusos, donde después de narrar graciosamente la persecución del lobo por los pastores cuenta que, por la noche, los pastores deciden sacrificar una pieza del rebaño de su señor y darse un festín, el lobo lo sabe, llega y les dice: «Esta mañana conmigo tanto ruido por un cordero, y ahora con tanta quietud os estáis vosotros comiendo un ternero?» (II, 47).

Cabe señalar que en los dos casos anteriores el predicador usó el apólogo para ilustrar vicios morales relacionados con la justicia social: la denuncia de los señores que explotan a sus vasallos en el apólogo del león y la zorra, y sobre la complicidad de los predicadores para con estos vicios en el del lobo y los pastores; señalamiento sin duda valiente si se recuerdan los cuidados de Terrones del Caño cuando lamentaba: «Si reñimos a los viciosos o poderosos, apedréanos, cobramos enemigos, no medramos y aun suelen desterrarnos»[29] como sucedió a Las Casas, a Vieira y posteriormente a la propia Compañía en su conjunto. Para una mejor comprensión de los diferentes propósitos didácticos contenidos en esta dimensión cívica de las pláticas de Martínez de la Parra, es posible clasificar dichos propósitos en tres grandes temas: la familia, la propiedad y la autoridad, conjuntando sobre todo en los dos últimos la enseñanza y la denuncia.

Lecciones sobre la familia

Una parte importante de la reforma de costumbres que Martínez de la Parra pretendía con su predicación, se cumplía al persuadir sobre la serie de virtudes necesarias para llevar adelante una buena vida fami-

---

[29] Terrones, *Instrucción de predicadores*, p. 36.

liar, puesto que la familia puede ser considerada un pilar de la estructura social novohispana además de cumplir con muchas de las funciones de asistencia social que hoy podrían corresponder al estado. Tanto era así que la corona española había articulado un marco legal con el objetivo de «que la familia sirviese de herramienta de disciplina social en el poblamiento de América», como dice Javier Sanchiz[30], dando forma a una jerarquizada sociedad donde aquélla era el punto de partida de la sociabilidad y la perpetuación de la riqueza, de modo que legislación y predicación siguieron de la mano en la intención civilizatoria contenida en la educación cristiana, como queda claro en la siguiente descripción de la relación entre la familia y su marco legal durante el siglo XVI que hace Magdalena Chocano:

> La Corona quiso que la formación de familias sirviera de herramienta de disciplina social promoviendo que fueran a establecerse en América familias enteras. La segunda audiencia de México que gobernó en 1530-1535 trató de fomentar el matrimonio de los solteros e instó a los españoles casados que tenían a sus esposas en España a que regresaran allá a reunirse con ellas[31].

Esta singular importancia jurídica y cívica de la familia durante los dos primeros siglos de colonización, y la articulación de la predicación con este concepto, queda patente en el hecho de que el Concilio de Trento se ocupó también del matrimonio de un modo importante, pues ahí mismo fue declarado ni más ni menos que un sacramento: en la sesión XXIV del once de noviembre de 1563 se asentó que el mismo era sagrado, perpetuo e indisoluble, con lo que se le dotó de una reglamentación y validez que lo distanciarían de otras prácticas civiles y de relaciones humanas de la época.

Para ilustrar tanto vicios deplorables como virtudes a imitar en la vida familiar, Martínez de la Parra acude lo mismo a fábulas y parábolas que a ejemplos históricos, siendo las primeras de una belleza notable mientras que entre las segundas hay algunas participantes de un humor tal vez involuntario, como el siguiente donde se cuenta sobre un singular remedio contra las disputas familiares. Aunque la norma de

---

[30] Sanchiz, 2003, p. 346.
[31] Chocano, 2000, p. 95.

conducta dictaba la mesura en el ejercicio de la autoridad por parte de los padres de familia y la sumisión por parte de esposa e hijos, resulta fácil anticipar que no sería este el comportamiento constante, que pleitos y discusiones aderezarían la vida conyugal, lo que traería al predicador a ofrecer con parábolas remedios a estos males no tan privados; de este modo, en una plática dedicada a tratar «del amor, y respeto, que entre sí se deben los casados», cuenta el ejemplo de una mujer que tenía un marido intolerable: jugador, bebedor y pendenciero, al punto en que «había todas las noches gran pleito, y se alternaban con las voces las manos» (II, 35). La mujer buscó el consejo de «un hombre prudente» quien le dio un agua prodigiosa que debía usar de un modo peculiar: debía tomar un trago y tenerlo en la boca desde que llegaba su marido, y mantenerlo en ella mientras le servía, lo que en verdad resultó buen remedio pues cesaron los pleitos y las discusiones, así que cuando el agua se acabó hubo la mujer de buscar más en casa del consejero, quien le dice: «Pues mujer [...], sábete que esa agua no es otra que agua de la tinaja; sino que, como teniéndola en la boca te hace callar y tu no le respondes, por eso tu marido se sosiega y calla». Curioso remedio que no condena los vicios del marido sino sólo la insumisión de la esposa.

En otro ejemplo del mismo tema, que involucra no sólo el buen gobierno de la familia sino el político también, muestra inequívoca del vínculo que existía entre ambas dimensiones de la autoridad, el predicador narra un episodio de la vida de Papyrio Pretextato, que dice tomar de Macrobio[32]. Papyrio era hijo de un senador romano que hubo de engañar a su madre al pretender esta saber qué se había discutido en el senado, una vez que el hijo acompañó allá a su padre; el joven, por no divulgar lo que bien sabía era secreto, le dijo a su madre

---

[32] Se trata de un ejemplo que aparece tanto en el discurso siete como en el 35 del *Flos Sanctorum*, aunque si el predicador dice tomarlo directamente de Macrobio, tendría que estar en los *Saturnales*, donde desafortunadamente aún no lo he podido localizar. Algún lector del ejemplar del 1724 de la obra de Martínez de la Parra, que conserva la John Carter Brown Library, apostilló un par de fuentes más para este ejemplo: «Casos raros [de la confesión], f. 166» y «Tertulia de la Aldea, 2.° fol. 328»: el primero es un confesionario muy conocido del siglo XVII que el mismo Martínez de la Parra utiliza en varias ocasiones; el segundo es un libro muy popular del siglo XVIII que apareció por entregas desde 1768 y que llegó a imprimirse completo sólo hasta 1775-1776.

que se discutía el derecho a la poligamia masculina, lo que hizo que la matrona levantara media ciudad en voz de las mujeres para irrumpir en la sesión del día siguiente con la propuesta de que sería mejor la poligamia femenina. Los senadores, pasada la sorpresa inicial, comenzaron a burlarse, el engaño se descubre y las matronas quedan avergonzadas. La intención del ejemplo es censurar el vicio del chisme y la curiosidad desmedida, que en el siglo XVII como en la Antigüedad era atribuido casi de manera natural a las mujeres, y cuyas nefastas consecuencias no sólo vendrían a ser domésticas (III, 52).

Para ilustrar un camino de solución a los pleitos familiares, particularmente conyugales, Martínez de la Parra acude a una fábula muy bella tomada de los *Preceptos conyugales* de Plutarco, que inicia: «Apostaron una vez el viento y el sol a cuál más mañoso salteador le quitaba de los hombros la capa a un pobre caminante, que por lo descubierto de un llano iba expuesto a sus inclemencias» (III, 7); el viento desató sus furias y soltó sus huracanes no logrando sino que el caminante más se aferrara a su capa, de modo que «ni bastando porfías ni violencias, después de gran batalla dejó burlado al viento con sus furias»; en cambio el sol se limitó a calentar poco a poco, sin violencias, «creciendo sus bochornos, mudo combatiente pero eficaz, sosegado pero más poderoso, sin ruido pero más activo», de modo que muy pronto el caminante no sólo se quitó la capa, sino aun se aflojó la ropa por ver si así aminoraba el calor. A lo que el predicador concluye:

¿Qué? ¿No está en lo furioso, no en lo violento la fuerza que llega hasta quitarle a un hombre la capa? No. ¿Pues a quién digo yo esto? ¿A un marido que en lo rústico del genio pone en violentas furias su mando? ¿O a una mujer que en lo terco de un natural voluntarioso piensa con necias porfías atropellar lo justo de su sujeción? A uno y a otro se lo dice con bien moral enseñanza Plutarco, sea la mujer o sea el marido.

Y así como la paz en el matrimonio resultaba fundamental para el buen curso de las relaciones familiares y, a la postre, sociales, la reglamentación de las obligaciones filiales era por supuesto considerada importante para la buena marcha de la sociedad; por ello es que tales obligaciones son tratadas también profusamente en las pláticas de Martínez de la Parra. Las relaciones entre padres e hijos estaban normadas no sólo por el derecho sino que se subordinaban también a una noción de orden natural donde el afecto y el respeto se elevaban al grado de virtud universal; ello puede observarse tanto en las mandas y legados a favor de los hijos, que estudia Javier Sanchiz[33], como en el ejemplo que cuenta Martínez de la Parra en aquella plática dedicada justamente a ilustrar el modo en que corresponde a los hijos socorrer a los padres:

> Aquellos dos prodigiosos hijos Anapia y Anfinomo, que bajando un río de fuego del monte Etna, cargando el uno a su padre, a su madre el otro, por más que corren los vienen alcanzando las llamas; pero a tanta piedad atónitas, dividiéndose a dos alas de fuego, no tocándoles su voracidad, en un cerco de luz, dejó a la posteridad eternizada a tanta maravilla la admiración, y coronada así de luces la piedad (II, 30)

Sin embargo, al parecer el buen trato entre padres e hijos no era lo único que podría verse en las relaciones familiares novohispanas del siglo XVII, hay razones para creer que la autoridad de los padres no siempre llegaba a buen puerto, que los hijos serían en ocasiones los mayores enemigos de sus progenitores, competidores enfrentados por cuestiones económicas, o bien que los padres serían obstáculo a los legítimos deseos de sus hijos pues, como dice Sanchiz:

> No es extraño, pues, que en estos casos las tensiones paterno–filiales se tradujeran en numerosos pleitos. Padres e hijos peleaban por alimentos, pero también se disputaban como extraños los mayorazgos. Era raro que los padres hicieran cesión formal de sus rentas vinculadas antes de su muerte; preferían reservarse la administración directa de los mayorazgos y pasar a sus hijos los alimentos correspondientes. Cuando así lo hacían salvaguardaban bien sus intereses haciendo recaer pesadas obligaciones en sus sucesores[34].

Frente a esto, con una divertida parábola Martínez de la Parra pinta un cuadro que probablemente se pudo ver entre las familias de la Ciudad de México por esos años. Es la historia de un hombre muy

---

[33] «Las mandas y legados a favor de los hijos, acompañados o no de declaraciones de afecto, nos remiten al amor de los padres hacia sus hijos como parte de un "orden natural" en las relaciones familiares». (Sanchíz, 2003, p. 338).

[34] Sanchíz, 2003, p. 357.

rico llamado Juan Canaja que tenía dos hijas a quienes había casado con muy buena dote; los yernos, por ganarse el favor del viejo, no paraban en regalos y agasajos, hasta que lograron que éste repartiera entre los dos cuanto tenía, después de lo cual, cambiaron en desprecio el anterior amor. La ruindad no sólo venía de ellos, sino que las mismas hijas, ya viéndose ricas, diéronse a maltratar al viejo pues ya nada podía darles, excepto un escarmiento, pues don Juan se dio maña para engañar a sus hijas y yernos consiguiendo un préstamo de un amigo, se encerró con el dinero en su cuarto y comenzó a contarlo con mucho ruido de monedas, hasta que despertó la curiosidad de su familia. A partir de allí, creyéndolo dueño todavía de un tesoro escondido, volvieron los halagos y regalos, y se aumentaron cuando al viejo se le ocurrió decir «ahí son veinte y cinco mil pesos que los tenía apartados para mi vejez, mas ¿ya para qué los quiero? En haciendo mi testamento los dejaré al que de mis hijos me hubiere asistido mejor. Dijo y quedose serio. Y no fue menester más»: de ahí en adelante sólo buena vida conoció el viejo hasta el final. Al momento de la muerte don Juan Canaja reunió a sus hijas y yernos, y señalando una caja donde estaría guardado el tesoro con el testamento les mandó abrirla sólo hasta después de su entierro; así lo cumplieron, pero al abrir la caja «hállanla vacía del todo, y en ella sólo un palo bien rollizo y un papel en que estaba esto escrito: Yo, Juan Canaja, dejo por testamento que le den con este palo muchos palos al padre que, descuidado de sí, le entrega todo su caudal a sus hijos, fiado en que lo socorrerán ellos» (II, 30).

En una situación extrema, las enemistades entre padres e hijos podrían llevar incluso al asesinato, si hemos de creer al predicador cuando trae a la plática un hecho sucedido en Castilla y consignado por Alejandro Faya: un rico labrador tenía sólo un heredero a quien amaba sobre todas las cosas, y que estudiaba en uno de los colegios para estudiantes externos de la Compañía en Segovia. Para desgracia de este padre, que esperaba en su hijo la prolongación de su honra y su riqueza, éste decide ingresar como novicio en la Compañía y lo pidió tan insistentemente que logró el permiso con la mayor tristeza del viejo; sin embargo, no soportando el padre su frustración acude finalmente al noviciado y «representole al hijo su vejez sin ánimo, su madre sin consuelo, su hacienda sin heredero. Y tanto le dijo que venciendo [en el hijo] el amor natural dejó la religión». El padre volvió consolado a casa, pero en compañía de un hijo frustrado, que muy pronto volvió a la religión pero ahora en los hábitos de San

Francisco, de donde el padre lo volvió a sacar, y para asegurar su lugar familiar determinó casarlo; sin embargo, antes de que pudiera arreglarse todo lo concerniente a la boda, ya en franca rebeldía el hijo decidió casarse a su gusto y con una mujer diferente a la designada por el padre, lo que inició una penosa vida familiar de enfrentamientos que no podía terminar bien. Sucedió que enojados como estaban, un día el padre ordenó al hijo que le acompañase a trabajar en sus viñas y salieron ambos al campo, pero ya en el camino el hijo pretendía regresar sólo por no obedecer y el padre comenzó el pleito, primero a los gritos luego con las manos, llegando a un desenlace fatal: «el viejo, por hacer fuerza, al darle un palo cayó en el suelo y sobre él el hijo, que con la podadera que llevaba en la mano le cortó a su padre la cabeza. Súpolo la justicia, prendiéronlo, y pagó el hijo en una horca». De lo que concluye el predicador «este es el paradero de padres que así resisten a Dios por sus gustos y conveniencias. Este es el fin de los hijos que así dejan a Dios por sus padres» (II, 34). De donde debe deducirse que finalmente toda autoridad viene de Dios, y que toda estructura familiar —como la social en su conjunto— debe orientarse sólo al cumplimiento de la voluntad divina.

Lecciones sobre el respeto a los bienes ajenos

Las constantes referencias al robo o el fraude, algunas de ellas durísimas como aquella que dice ser más persuasiva para los ladrones la horca que la predicación, hacen pensar en que estos delitos eran una gran preocupación para Martínez de la Parra, y probablemente en general para juristas y predicadores de la época, tal vez porque se trataría de un vicio bastante difundido entre los habitantes de la Ciudad de México ya en el siglo XVII, como asegura Virgilio Fernández[35]. Martínez de la Parra no sólo censura la apropiación indebida de un bien, como caso de robo simple y llano, sino también otras formas de despojo más violentas como el hurto, o más complejas como el fraude, la usura o el incumplimiento de deudas de cualquier tipo, incluso en los casos en que estos abusos eran practicados desde el poder. Para este predicador parece no haber diferencia conceptual entre estos delitos, por ejemplo entre el robo y el hurto, pues todos ellos son considerados sin más

---

[35] Fernández, 1993, pp. 579-586.

pecados contra el séptimo mandamiento, olvidando la vieja distinción jurídica, presente en las partidas castellanas desde finales de la baja Edad Media, que reconocía en el robo un despojo sin violencia y en el hurto uno violento; ello tal vez se explica por el hecho de que dicha diferencia conceptual, de raigambre románica, desaparecería de las concepciones jurídicas a partir del siglo XVI, como dice José Sánchez-Arcilla[36].

De este modo, el concepto amplio de robo que manejaba Martínez de la Parra le permitía hacer caber en la reprobación de este vicio la corrupción de las autoridades, como cuando tratando de explicar las diferentes circunstancias en que este pecado (y delito) podía ser cometido, cuenta el ejemplo de «una vieja simple [que] oyó decir que para sacar un pleito que traía era menester untar al juez las manos», la pobre mujer entendió aquello en forma literal y llegándose al juez le ungió con abundante aceite ambas manos; el juez, después de reír de la simplicidad de la mujer, le dice que no puede juzgar con las manos llenas de aceite, que le debe traer varias varas de paño para limpiarlas y así su asunto saldrá bien. Esta simulación y robo hacen exclamar al predicador «Y las [manos] que son así, ¿qué importa que se llamen limpias si tienen las uñas aguzadas en la rapiña?» (II, 44).

A diferencia de la ya señalada discrepancia que en cuanto a la determinación de las causas de la pobreza podría Martínez de la Parra tener con Vives (pues mientras que para el predicador jesuita la causa principal era la pereza del pobre, para el humanista lo era la del rico que prefiere gozar de ella en lugar de comunicar su riqueza, como había escrito en *El socorro de los pobres*), en cuanto al robo sí se acerca a las concepciones del humanista pues su censura de este vicio, lejos de plantearlo como propio de pobres, transita hacia la peligrosa crítica del ejercicio del poder, como se acaba de ver. Aunque también vale decir que el predicador practica en este aspecto el equilibrio, pues si hay en sus ejemplos jueces corruptos, también los hay salomónicos capaces de dar una sentencia justa a los robos de otros, como aquel de la parábola que usa para ilustrar otra de las formas del robo, la de los ricos que no pagan a sus criados, donde con ingenio muestra la injusticia de tal omisión: un servidor se quejaba ante un juez de su señor por no haber recibido su

---

[36] Sánchez-Arcilla, 2001, pp. 43-109. Se trata de un buen estudio específico del robo en la Ciudad de México, aunque de una época posterior al tiempo en que Martínez de la Parra predicara.

paga en seis años, el caballero alegaba que nada le debía pues el acusador no había hecho nada en esos seis años además de seguirle, «tenéis razón, sentencio el juez con harto juicio, no le paguéis. Pero pues ha sido nada andar tras de vos seis años, mando que hagáis vos eso que os parece nada: que andéis otros seis años tras de vuestro criado». Por supuesto que el caballero pagó al punto, y el predicador concluye «¡Ah, poderosos! Vuelvo a decir ¡Ah, alcaldes mayores! ¡Ah, jueces! ¡Oh, y que no sea que por una eternidad andéis tras de un indio cuya paga ahora os parece nada!» (II, 44).

Por supuesto que no es posible decir que Martínez de la Parra haya tenido por objeto enfrentar en general a la autoridad, asociándola con pecados contra el séptimo mandamiento, pues así como sugiere que todo despojo, por imperial que sea, no deja de ser un robo, también tiene buen cuidado en ilustrar la justicia que un buen rey sabe impartir sobre funcionarios y gobernadores; es decir, como en la lopesca *Fuente Ovejuna*, la figura real encarnaría la esperanza de justicia de los menesterosos y del pueblo en general, aun cuando en niveles inferiores la autoridad se hubiese corrompido. En la ya traída plática titulada «Universidad del hurto en varias clases, facultades y sutileza para hacer daño al prójimo» incluye muchos ejemplos breves donde gobernantes castigan (ahorcan o matan) a jueces y letrados que habían traicionado la ley a favor de los ricos; en esa misma plática cuenta también el ejemplo de un gobernador que trataba a cualquier precio que un hombre pobre le vendiese una viña que era todo su sustento, el gobernador supo esperar a que el hombre muriera para así, cohechando dos testigos, ir al sepulcro de aquel pobre, desenterrarlo y, poniéndole una talega de dinero en las manos, pedir: «Sedme testigos, les dijo, que fulano ha recibido de mí el precio de su viña y que poniéndosela en su mano no contradijo» (II, 46). Con tales testigos logran que ciertos jueces den una sentencia favorable a su causa, pero la viuda acude al rey (Filipo de Francia) quien, conmovido por los ruegos, toma en sus manos el caso y logra descubrir la verdad tomando declaración por separado a los testigos, después de lo cual aplica un castigo terrible: «el rey hizo que aquel impío gobernador lo enterraran vivo».

En general, de casi todos los ejemplos que tratan las formas del robo resulta un castigo doloroso, aunque no siempre, en alguno el correctivo viene a ser sólo la risa, como en uno muy gracioso y pretendidamente histórico sobre los que retienen injustamente lo ajeno y que inicia

«¡Ah conciencias de gamuza! Y con qué serenidad y que sin escrúpulo se confiesan, pero estas retenciones injustas las callan. ¡Oh, que confesiones!». El breve relato cuenta cómo Julio César se presentó a la subasta de los bienes de un conocido estafador de Roma, pretendiendo comprar la cama «¿la cama, señor? Le dicen ¿para qué? Porque cama en que un hombre cargado de tantas deudas podía dormir sin duda tiene alguna virtud de infundir sueño. Yo la he de comprar» (II, 45).

Así pues, de la restitución de la hacienda ajena, del fraude, de la usura y de otros muchos tipos de robo trata el predicador en sus ejemplos; incluso sobre esta última hace una breve clasificación y llega a llamar a los que aconsejan a los gobernantes la usura como política estatal «arbitristas del infierno» (II, 47), con lo que sin duda se adelantó a criticar lo que Enrique Semo llamó «el despotismo tributario», en particular hacia el indio, pues para este autor no cabe duda de que el indio (y su producción) eran indispensables para la economía virreinal, ya que «hasta los frailes mejor intencionados llegaron a considerar que sin algún tipo de coerción sobre los trabajadores indios, la economía de la república de los españoles se vendría abajo»[37]. De ser esto correcto, en Martínez de la Parra tendríamos una muestra de predicación contra la tendencia general hacia la explotación fiscal y laboral del indio.

Lecciones sobre la autoridad

Como se ve, Martínez de la Parra resulta un crítico resuelto de la autoridad viciosa, actitud frecuentemente imputada a los miembros de la Compañía de Jesús y que les granjearían no pocos enemigos. «Ya sabrán el apólogo de la zorra», dice antes de contar cómo ésta acude a ver al león, su rey, enfermo y en cama, pero no se atreve a entrar al cuarto a saludarlo como es debido. «Entra acá, le dice el león, que no es ese modo de visitar a un enfermo» e insiste en saber las razones de su

---

[37] Semo considera además que «el tributo real no era ni mucho menos la única carga tributaria que pesaba sobre el comunero. A principios del siglo XVII un indio pagaba ocho reales y media fanega de maíz (unos cuatro reales) de tributo real, un real para Fábrica y Ministros y cuatro reales de Servicio Real. / A esto deben agregarse los impuestos locales, las exacciones legales e ilegales de autoridades españolas e indígenas y los frecuentes impuestos especiales» de donde se deduce que la carga fiscal del indio podía ser en verdad pesada (Semo, 1977, pp. 55 y 91).

proceder, a lo que responde la zorra «Mira, yo te lo diré ya que porfías: porque desde aquí estoy viendo que las huellas de los que han entrado todas van hacia allá, y no veo ninguna huella de que hayan salido»; por eso el predicador dice a los señores «¡Ah, leonazos tragadores! ¡Ah, tigres golosos! Si están viendo las huellas ¿quién ha de querer serviros?» (II, 36)[38].

Para este jesuita del siglo XVII las jerarquías tienen un fin moral, de modo que si los servidores o esclavos tenían obligaciones rigurosas, no por ello los amos eran libres de explotarlos al punto de llevarlos a la muerte por hambre o cansancio, como efectivamente podía suceder. Por supuesto que esto era para el predicador un mal social en varios sentidos, no sólo por la evidente falta de justicia que la explotación implicaba, sino también porque a la postre podía resultar perjudicial para la buena marcha de la república pues los servidores podrían, atentos a los riesgos del sometimiento al poderoso, preferir sólo cumplir en lo mínimo, como había hecho la zorra al ir a ver a su rey sólo por cumplir: «estaba el leon enfermo, fuéronle à ver como à su Rey todos los brutos; súpolo en esto la zorra, y fue a cumplir con su visita».

A pesar de la excusa que el carácter ficcional de algunos de los ejemplos usados con este propósito denunciante pueda otorgar a la predicación de Martínez de la Parra, la mera ilustración de estos vicios sociales constituye una crítica en sí misma y, por supuesto, a sus responsables; se trata pues de una censura que va más allá del mal social que pueda ocasionar la comisión de una abuso individual, sino que puede llegar a criticar las formas mismas en que la autoridad se constituye. Como sucede en una parábola dedicada a mostrar la vanidad de las honras derivadas del ejercicio de la autoridad, donde juzga de necios a quienes buscan el poder por el poder: «un poderoso estando a la muerte hizo su testamento con una cláusula extraña y rara: porque dijo que instituía por heredero de su hacienda toda, que era mucha, al hombre que se hallara más necio; y para esto les tomó juramento a sus albaceas de que lo cumplirían así» (I, 11), de modo que los albaceas recorren el

---

[38] Seguramente era ya en la época una fábula muy conocida, a juzgar por el modo en que la introduce. Estaba en la traducción de Esopo del siglo XV, citada anteriormente, de donde con seguridad transitaría a colecciones de ejemplos o sermonarios; de uno de ellos, o de la misma traducción, la tomaría Martínez de la Parra.

mundo buscando al hombre más necio, y lo encuentran en una ciudad donde se tenía la extraña costumbre de ahorcar a los gobernantes al término de su mandato, que era siempre de un año. «Y así no tendréis ya quien sea vuestro gobernador», dice uno de los albaceas, equivocándose por completo, pues luego encontraron una enorme fila de candidatos para el cargo, pues otra de las condiciones de la costumbre era que el gobernador era libre, durante ese año, de hacer lo que le viniere en gana, e incluso «vieron a uno que con grandes ansias, diligencias, regalos y dineros pretendía el gobierno»; ese fue sin duda el hombre más necio que encontraron. Aunque se trate de una alegoría (el hombre que busca ser gobernador representa a todo hombre que busca cualquier honra, la cual a la postre significa siempre una horca «que infamemente ahoga y que vilmente mata»), el cuento implica también una crítica a las formas en que puede conseguirse el poder y a la posible libertad que un gobernante pueda tener durante su mandato para ejercer su autoridad a capricho.

Finalmente, hay que decir que a pesar de todos sus cuidados, en la denuncia de estos vicios pudo Martínez de la Parra haber caído en terreno peligroso más de una vez, pues alguno de sus ejemplos se movió muy cerca de la crítica a la autoridad más alta, presentando un desliz respecto a este cuidado de la investidura real, como el siguiente ejemplo histórico con probables implicaciones peligrosas para la Corona:

> Muy colérico Alejandro Magno mandaba colgar de una antena a un pirata que en un navichuelo andaba robando las costas, y díjole él: ¿De modo que a mí, porque en un solo navío ando haciendo una u otra presa, me tienes tú y me condenas por ladrón, y a ti porque con una armada numerosa andas robando todo el mundo te apellidan emperador? No tuvo que responder Alejandro (II, 44).

Riesgosa y sincera manera sin duda esta de asociar el robo individual e ilegal con el despojo legal de un estado sobre territorios en principio ajenos. Sin embargo son más bien pocos los casos en que Martínez de la Parra se atreve a tanto, y con un ejemplo histórico, aunque ello no deja de ser una muestra del talante crítico que se podía infundir al uso de ejemplos en la predicación, es decir, una muestra del uso político de la prueba inductiva en la predicación religiosa del siglo XVII novohispano.

CONCLUSIÓN

Para cerrar, conviene recordar que en la Nueva España la retórica no fue asunto de interés sólo para los predicadores, pues durante siglos fue la disciplina que proporcionó las reglas sobre la utilidad, los recursos y en general sobre el sentido estético y práctico del uso bien conducido del discurso, lo que implicaba por supuesto también los usos poéticos del lenguaje. Fue de tal importancia su enseñanza en el virreinato que llegaron para tal efecto maestros de primera línea como fray Juan de Gaona o el reconocido humanista Francisco Cervantes de Salazar: Gaona, quien a quince años de la toma de Tenochtitlan fue el primer maestro de retórica en el recién fundado Colegio de la Santa Cruz de Tlatelolco (dedicado a los hijos de la caída aristocracia indígena) había sido alumno distinguido de la Universidad de París y brillante maestro en Burgos y en Valladolid; mientras que el salmantino Cervantes de Salazar, «un maestro ávido de fortuna que había enseñado la misma materia en la Universidad de Osuna»[1], inauguró la cátedra de retórica en la Real y Pontificia Universidad de México, fundada en 1553.

La recuperación pues de textos armados bajo esta preceptiva resulta de primordial importancia en la labor de reconstrucción de la historia literaria y política novohispana, además por supuesto del estudio de los recursos impresos que tendría a la mano un predicador del siglo XVII en la Nueva España (preceptivas, instrumentos para hacerse de pruebas, sermones modélicos, etc.), pues se trata de documentos que reproducen o difunden las ideas sociales y estéticas de la época, las reglas de la elocuencia y, como se ha dicho, los usos políticos y poéticos del lenguaje. Son de

---

[1] Osorio, 1989, pp. 135-171.

interés particular los ejemplarios y los sermonarios, pues los primeros nutrirían de relatos la imaginación de los creadores de estas piezas oratorias (y de sus receptores) dando pauta a la inserción de nuevos elementos tanto para la literatura de tradición oral como para el ejercicio retórico del relato ilustrativo o ejemplo, de tan honda y longeva presencia en las letras hispanas; además, por supuesto, con su batería de relatos ellos colaborarían a la formación de una imaginación propia novohispana, aunque también compartida por todos los pueblos hijos de la cultura hispánica y en general europea. Las colecciones de piezas oratorias, por su parte, constituyen el mejor lugar donde es posible encontrar expresadas tanto la preceptiva como la práctica retórica de la época, pues se trata de la actualización concreta de las normas de elocuencia vigentes; del mismo modo, ellos fueron también fuentes para la transmisión de relatos ejemplares pues ya se vio cómo en muchos casos los sermonarios fueron usados como ejemplarios. En cualquier caso, sólo por la abundancia de sermonarios impresos durante esos años, y de ejemplarios circulantes, haría ya indispensable su estudio y reconocimiento para una historia del libro y de la literatura en el México virreinal.

El texto que aquí se ha estudiado pretende ser un aporte en este sentido, contextualizado en el hecho de que hacia fines del siglo XVI, y sobre todo durante el XVII, la predicación religiosa en la Nueva España se alejaría del propósito que la había movido durante los primeros años de la colonización, para adoptar el de reforma de costumbres de una población urbana creciente y de un auditorio cada vez más exigente y complejo, lo que condujo a una evolución de la retórica cristiana hacia formas discursivas más versátiles y potencialmente independientes de los contextos litúrgicos, donde el ejemplo como forma de prueba inductiva fue fundamental. Aquí fue notable la labor de la Compañía de Jesús, cuya llegada a México coincidió con el cambio de objetivos en la predicación y cuya preparación retórica, formación humanística y vocación pedagógica marcaron en gran medida la pauta de una nueva orientación social de la elocuencia religiosa; de modo que es justamente en el uso retórico de relatos ejemplares, por parte de predicadores jesuitas como Martínez de la Parra, donde mejor puede apreciarse esa dimensión social de la predicación, empeñada en una labor de formación de conciencia cívica.

Conviene volver a recordar que la elocuencia sagrada, digna here-
dera de la preceptiva retórica antigua, servía a estos predicadores no
sólo para cumplir objetivos religiosos: la propagación del Evangelio o
la instrucción religiosa, sino que en ciertos casos, atendiendo un concepto ético-religioso más bien amplio, la persuasión se encaminó a trabajar por una reforma de costumbres integral de la feligresía, en el
encomio de la virtud y la disuasión del vicio, trascendiendo con frecuencia el mero ámbito de la moral individual para intentar moralizar
la sociedad en su conjunto, lo que hizo de la predicación religiosa un
elemento valioso en la tarea de formación de virtudes cívicas, sobre
todo en las nacientes ciudades de la América hispana.

Por ello es que el estudio del uso de ejemplos en los discursos de
estilo humilde supone la consideración de una dimensión ideológica,
además de la preceptiva, pues en su articulación para cumplir el propósito de reforma de costumbres es posible observar las prioridades persuasivas de predicadores empeñados en formar ciudadanía a la par que
buenos cristianos, e incluso empeñados en denunciar ciertos vicios
cometidos por las autoridades o personas poderosas bajo un concepto
prematuro de lo que hoy ha venido siendo llamado «pecado social»[2].
Del mismo modo, el estudio del ejemplo supone también (y quizás en
primera instancia) la consideración de una dimensión cultural de la
predicación, entendida en términos antropológicos como fundación
de elementos de identidad, tanto como en términos estéticos de formación de gusto artístico y nutrición de acervos literarios colectivos.
En este sentido, como ha sido dicho, observar la inserción de relatos
ejemplares en discursos persuasivos dirigidos al pueblo supone vincular
la cultura novohispana en formación con la vieja tradición ejemplar,
cuyos motivos se remontan tanto a la Antigüedad grecolatina como al
mundo oriental, pues esta predicación con el ejemplo significó la difusión de acervos importantísimos del relato oral (que campeaba en
Europa desde la Edad Media) en tierras americanas cuya formación
hispánica era de recentísimo cuño, heredando con ello tales acervos a

---

[2] Concepto reconocido en toda su magnitud por la encíclica de Juan Pablo II
del 30 de diciembre de 1987: *Sollicitudo Rei Socialis* (Sobre la cuestión social), que
actualizaba y reformaba la encíclica de su predecesor Paulo VI: *Populorum progressio*
(El desarrollo de los pueblos) del 26 de marzo de 1967.

la posteridad y pasando a ser antecedentes tanto del cuento popular como de la narrativa literaria mexicana.

El estudio del ejemplo en la predicación ofrece pues la oportunidad no sólo de ilustrar algunas de las formas en que esta cumplía sus funciones religiosas, sociales e incluso políticas, sino también el modo en que ella podía llegar a ser un hecho estético y cultural fundamental, pues da pie al conocimiento de los pormenores estilísticos de la oratoria sagrada de estilo humilde en cuyo seno se formaba el gusto y buena parte de los valores estéticos del pueblo llano, en mayor medida que cualquier otro acceso a bienes de cultura que el ciudadano del siglo XVII en la Ciudad de México podría tener. No obstante, los estudios del ejemplo en la Nueva España son más bien escasos, entre los que se pueden citar el trabajo de Günter Vollmer, quien en 1989 publicó un artículo sobre una traducción al náhuatl de las fábulas de Esopo; y el de Daniéle Dehouve, quien en el año 2000 publicó un ensayo sobre varios *exempla* extraídos de otros tantos ejemplarios impresos en lengua náhuatl. Desafortunadamente ambos estudios son dedicados a la primera etapa de la predicación solamente, es decir aquella orientada a la evangelización de la población indígena propiamente (lo que no obstante constituye un problema de estudio de características ricas y singulares que involucra la traducción y la adecuación de los ejemplos a contextos culturales distintos al hispánico). Además, ambos estudios han sido preparados desde ópticas ajenas a la literatura o la retórica, pues mientras el primero parte de una perspectiva historiográfica y, en ese sentido, usa los textos en cuestión como elementos de reconstrucción histórica y no constituyen por tanto un objeto de estudio en sí mismos, con el segundo ocurre algo similar pues la perspectiva es etnográfica y por ende subordina la observación de los textos a un propósito de explicación cultural más ambicioso.

En suma, aunque la predicación fue una actividad fundamental para la formación de cultura, la reforma de costumbres y la denuncia de vicios e injusticias sociales durante los años del virreinato español en México, su estudio en cuanto a estos aspectos no ha merecido una suficiente atención a pesar de que se trató de la mejor y más rica exposición continuada del arte retórico en la Nueva España, eje de construcción de ciudadanía tanto como de la expansión del cristianismo, y que no estuvo exenta de los riesgos y disputas propios del uso público de la palabra. Un estudio adecuado de ella, y en particular de los relatos ejemplares que ahí se utilizan, pasa por la recuperación del primigenio oficio didáctico que podría tener la literatura, sobre todo la narrativa, y puede encaminarse al aporte de elementos para ampliar el conocimiento de los orígenes del cuento mexicano, tanto de la tradición oral como de la escrita. Este trabajo ha sido un intento de caminar en ese sentido.

BIBLIOGRAFÍA

ABBOT, D., *Rhetoric in the New World. Rhetoric theory and practice in Colonial Spanish America*, Columbia, University of South Carolina Press, 1996.

ACOSTA, J., *De procuranda indorum salute. Pacificación y colonización*, ed. L. Pereña *et al.*, Madrid, Consejo Superior de Investigaciones Científicas, 1984.

ALBERRO, S., *Del gachupín al criollo. O cómo los españoles de México dejaron de serlo*, México, El Colegio de México, 1997.

— *El águila y la cruz. Orígenes religiosos de la conciencia criolla. México, siglos XVI-XVII*, México, El Colegio de México-Fondo de Cultura Económica, 1999.

ALBERTE, A., «Retórica medieval cristiana», *Analecta Malacitana*, 6, 2000. (http://www.anmal.uma.es/anmal/numero6/Alberte.htm).

— *Retórica medieval. Historia de las artes predicatorias*, Madrid, Centro de Lingüística Aplicada Atenea, 2003.

ALEGRE, F., *Historia de la Provincia de la Compañía de Jesús de Nueva España*, ed. E. Burrus y F. Zubillaga, Roma, Institutum Historicum S.J., 1960.

ALFONSO X, *Las siete Partidas*, Madrid, Imprenta Real, 1807.

ANDRADE, A., *Itinerario historial que debe guardar el hombre para caminar al cielo*, Madrid, Imprenta Real, 1648.

AQUINO, T., *Suma Teológica*, tr. F. Barbado Viejo *et al.*, Madrid, Biblioteca de Autores Cristianos, 1954-1960.

ARAGÜÉS J., «De tipología ejemplar (I). El Laberinto de los nombres» en *Tipología de las formas narrativas breves románicas medievales (III)*, ed. J.M. Cacho Blecua y M.J. Lacarra, Zaragoza / Granada, Universidad de Zaragoza / Universidad de Granada, 2004, pp. 25-77.

— *Deus concionator: mundo predicado y retórica del exemplum en los Siglos de Oro*, Amsterdam, Rodopi, 1999.

— «*Exempla inquirere et invenire*. Fundamentos retóricos para un análisis de las formas breves lulianas» en *La literatura en la época de Sancho IV*, ed. C. Alvar y J.M. Lucía, Alcalá de Henares, Universidad de Alcalá, 1996, pp. 289-311.

— «"Falses semblances", ejemplarismo divino y literatura ejemplar a la luz de Ramón Llull» en *Actas del VIII Congreso Internacional de la AHLM*,

Santander, Asociación Hispánica de Literatura Medieval, 2000, pp. 175-183.

— «Historia y oratoria para la pervivencia renacentista del *exemplum*. A propósito del *Fructus Sanctorum* de Alonso de Villegas» en *Actas del III Congreso de la Asociación Hispánica de Literatura Medieval (Salamanca, 3 al 6 de octubre de 1989)*, ed. M.I. Toro Pascua, Salamanca, Universidad de Salamanca, 1994, pp. 117-128.

— «Humanismo y literatura ejemplar (Del pretendido rechazo al *exemplum* en la obra de Vives, Erasmo y Melchor Cano)» en *Juan Luis Vives (Valencia, 1492-Brujas, 1540). Actas del Simposio celebrado con motivo del V centenario del nacimiento (Valencia, 5 a 9 de octubre de 1992)*, ed. M. Mourelle, Madrid, Grugalma, 1993, pp. 121-147.

— «*Modi locupletandi exempla. Progymnasmata* y teorías sobre la dilatación narrativa del *exemplum*», *Evphrosine*, 15, 1997, pp. 415-434.

— «Otoño del Humanismo», *La Perinola: revista de investigación quevediana*, 7, 2003, pp. 21-60.

— «Preceptiva, sermón barroco y contención oratoria», *Criticón*, 84-85, 2002, pp. 81-99.

ARELLANO, I., «San Francisco Javier y *Las glorias del mejor siglo*, comedia jesuítica del P. Céspedes» en *San Francisco Javier entre dos continentes*, ed. I. Arellano, A. González y A. Herrera, Madrid / Frankfurt, Universidad de Navarra / Iberoamericana-Vervuert, 2007 (*Biblioteca Indiana*; 7), pp. 11-33.

ARISTIZABAL, T. y SPLENDIANI, A.M., *Proceso de beatificación y canonización de San Pedro Claver*, Bogotá, Centro Editorial Javeriano, 2002.

ARISTÓTELES, *Arte retórica*, tr. A. Ramírez Trejo, México, Universidad Nacional Autónoma de México, 2002.

— *Metafísica*, tr. (y ed. trilingüe) V. García Yebra, Madrid, Gredos, 1990.

— *The Art of Rhetoric*, tr. J. H. Freese [into English], Cambridge / London, Harvard University Press / William Heinemann Ltd., 1991.

— *Poética*, tr. V. García Yebra, Madrid, Gredos, 1974.

ARROM, J.J., «Prosa novelística del siglo XVII: un "caso ejemplar" del Perú virreinal» en *Prosa hispanoamericana virreinal*, ed. R. Chang-Rodríguez, Barcelona, Barrás, 1978, pp. 77-100.

AUERBACH, E., *Lenguaje literario y público en la baja latinidad y en la Edad Media*, tr. L. López Molina, Barcelona, Seix-Barral, 1969.

BAILEY, G., «La contribución de los jesuitas a la pintura italiana y su influjo en Europa, 1540-1773» en *Ignacio y el arte de los jesuitas*, ed. G. Sale, Bilbao, Mensajero, 2003, pp. 123-165.

BATAILLON, M., *Erasmo y España. Estudios sobre la historia espiritual del siglo XVI*, tr. A. Alatorre, México, Fondo de Cultura Económica, 1966.

BATAGLIA, S., «L'esempio medievale», *Filologia Romanza*, 6, 1959, pp. 45-82.

BATLLORI, M., «Some international aspects of the activity of the Jesuits in the New World», *The Americas*, 14, 1958, pp. 432-436.

BELARMINO, R., *Declaracion copiosa de la doctrina Christiana: para instruir los idiotas, y niños en las cosas de nuestra santa fe catholica*, tr. [del italiano] L. de Vera, Barcelona, Imprenta de Gabriel Graells y Gerardo Dotil, 1610.

BENASSY-BERLING, M. C., «Un prédicateur à Mexico au temps de Sor Juana Inés de la Cruz: le Père Juan Martínez de la Parra S.J. et son livre *Luz de verdades catolicas y exposicion* [sic] *de la Doctrina Christiana*», *Caravelle*, 76-77, 2001, pp. 401-409.

BERCEO, G., *El libro de los milagros de Nuestra Señora*, ed. J. Montoya, Granada, Universidad de Granada, 1986.

— *Milagros de Nuestra Señora*, ed. J. M. Cacho Blecua, Madrid, Espasa-Calpe, 1990.

BERISTÁIN DE SOUZA, M., *Biblioteca hispanoamericana septentrional*, México, Fuente Cultural, 1947.

BEUCHOT, M., *Retóricos de la Nueva España*, México, Universidad Nacional Autónoma de México, 1996.

BOOTH, W. C., *The rhetoric of fiction*, Chicago, The University of Chicago Press, 1983.

BRAVO, F., «Arte de enseñar, arte de contar. En torno al *exemplum* medieval» en *La enseñanza en la Edad Media. X Semana de Estudios Medievales. Nájera, 2 al 6 de agosto de 1999*, ed. J. I. de la Iglesia Duarte, Logroño, Instituto de Estudios Riojanos, 2000, pp. 303-327.

BRAVO, M. D., «La fiesta pública: su tiempo y su espacio» en *Historia de la vida cotidiana en México, t. II: La ciudad barroca*, coord. Antonio Rubial, ed. Pilar Gonzalbo, México, El Colegio de México / Fondo de Cultura Económica, 2003, pp. 431-456.

BREMOND, C., «L'*Exemplum* médiéval est-il un genre littéraire?» *Les Exempla Médiévaux: Nouvelles Perspectives*, ed. J. Berlioz y M.A. Polo de Beaulieu, Paris, Honoré Champion, 1998 (*Nouvelle Bibliothèque du Moyen Âge*; 47), pp. 21-28.

CABRERA DE CÓRDOBA, L., *De historia, para entenderla y escribirla*, ed. S. Montero, Madrid, Instituto de Estudios Políticos, 1948.

Canones et decreta, sacrosancti oecumenici, et generalis concilii Tridentini, Salmanticae, por Ioannem de Canoua, 1564.

CASCALES, F., *Tablas poéticas*, ed. B. Brancaforte, Madrid, Espasa-Calpe, 1975.

CERVANTES, M., *Don Quijote de la Mancha*, ed. F. Rico, Madrid / México, Real Academia Española / Asociación de Academias de la Lengua Española / Alfaguara, 2004.

CICERÓN, M. T., *De Inventione*, tr. B. Reyes Coria, México, Universidad Nacional Autónoma de México, 1997.

— *De Oratore*, tr. A. Gaos Schmidt, México, Universidad Nacional Autónoma de México, 1995.

CÓRDOBA, M., «*Ars praedicandi* (ed. F. Rubio)», *La ciudad de Dios. Revista Agustiniana*, 172, 1959, pp. 327-348.

COROMINAS, J. y PASCUAL, J. A., *Diccionario crítico etimológico castellano e hispánico*, Madrid, Gredos, 1980.

COSTA, J., *De conscribenda historia libri duo*, Zaragoza, Ex officina Laurentij Robles, 1591.

CRUZ, A., *Discourses of Poverty: Social Reform and the Picaresque in Early Modern Spain*, Toronto, University of Toronto Press, 1999.

— y M. E. PERRY (ed.), *Culture and control in Counter-Reformation Spain*, Minneapolis, University of Minnesota Press, 1992 (*Hispanic Issues*; 7).

CURCIO-NAGY, L., *The great festivals of colonial Mexico City*, Albuquerque, University of New Mexico Press, 2001.

CHINCHILLA, P., *De la compositio loci a la república de las letras. Predicación jesuita en el siglo XVII novohispano*, México, Universidad Iberoamericana, 2004.

CHOCANO MENA, M., *La América Colonial (1492-1763). Cultura y vida cotidiana*, Madrid, Síntesis, 2000.

DÍAZ DEL CASTILLO, B., *Historia verdadera de la conquista de la Nueva España*, ed. J.A. Barbón, México, El Colegio de México / Universidad Nacional Autónoma de México, 2005.

DURÁN, A., *Estructura y técnicas de la novela sentimental y caballeresca*, Madrid, Gredos, 1973.

EDWARDS, O.C., *A history of preaching*, Nashville, Abingdon Press, 2004.

ESPINOSA ESPÍNOLA, G., «Las órdenes religiosas en la evangelización del Nuevo Mundo» en *España medieval y el legado de Occidente*, México, SEACEX / INAH, 2005, pp. 249-257.

ESTEVE BARBA, F., *Historiografía indiana*, Madrid, Gredos, 1964.

FERNÁNDEZ, V., «Aproximación a la delincuencia en el México del siglo XVII a la luz de algunos documentos del Archivo General de Indias», *Anuario de Investigaciones*, 1, 1993, pp. 579-586.

FITZPATRICK, E.A., *St. Ignatius and the Ratio Studiorum*, New York and London, McGraw-Hill, 1933.

FRANKL, V., *El «Antijovio» de Gonzalo Jiménez de Quesada y las concepciones de realidad y verdad en la época de la Contrarreforma y del Manierismo*, Madrid, Cultura Hispánica, 1963.

FRASER MITCHELL, W., *English pulpit oratory. From Andrewes to Tillotson*, New York, Russel and Russell, 1962.

FÜLÖP-MILLER, R., *The power and secret of the Jesuits*, tr [into English] F.S. Flint and O.F. Tait, New York, The Viking Press, 1930.

GALLEGOS ROCAFULL, J., *El pensamiento mexicano en los siglos XVI y XVII*, México, Universidad Nacional Autónoma de México, 1951.

GARCÍA BERRIO, A., *Formación de la teoría literaria moderna*, Madrid, Cupsa, 1977.

GARRETT JONES, J., *Tales and Teachings of the Buddha: The Jataka Stories in Relation to the Pali Canon*, London, George Allen & Unwin, 1979.

GEERTZ, C., *The interpretation of cultures: Selected essays*, New York, Basic Books, 1973.

GÓMEZ, J.C., «Adaptaciones de la retórica eclesiástica: fray Luis de Granada y fray Diego Valadés» en *Temas de retórica hispana renacentista*, ed. J. Rebollo Arribas *et al.*, México, Universidad Nacional Autónoma de México, 2000, pp. 67-98.

GONZALBO, P., *Historia de la vida cotidiana en México, t. II: La ciudad barroca*, coord. Antonio Rubial, México, El Colegio de México / Fondo de Cultura Económica, 2003.

— *La educación popular de los jesuitas*, México, Universidad Iberoamericana, 1989.

GOUREVITCH, A., *Les catégories de la culture médiévale*, Paris, Gallimard, 1983.

GRACIÁN, B., *Agudeza y arte de ingenio*, en *Obras completas*, ed. M. Arroyo Stephens, Madrid, Biblioteca Castro / Turner, 1993, t. II.

GRANADA, L., *Retórica eclesiástica*, Barcelona, a costa del obispo de Barcelona, *ca.* 1770.

GRANT, R., *Miracle and natural law in Graeco-Roman and early Christian thought*, Amsterdam, North-Holland, 1952.

GREEN, J.R., «La retórica y la crónica de Indias: el caso de Bernal Díaz del Castillo» en *Actas del VIII Congreso de la AIH*, ed. D. Kossoff *et al.*, Madrid, Istmo, 1986, t. I, pp. 645-651.

GRUZINSKI, S., «El *Corpus Christi* de México en tiempos de la Nueva España» en *Celebrando el cuerpo de Dios*, ed. A. Molinié, Lima, Pontificia Universidad Católica del Perú, 1999, pp. 151-173.

GUTIÉRREZ CASILLAS, J., *Diccionario Bio-Bibliográfico de la Compañía de Jesús*, México, Tradición, 1977.

HARO CORTÉS, M., «La ejemplaridad de lo maravilloso en la cuentística homilética castellana medieval» en *Fantasía y literatura en la Edad Media y los Siglos de Oro*, ed. N. Salvador, S. López-Ríos y E. Borrego, Madrid / Frankfurt, Universidad de Navarra / Iberoamericana-Vervuert, 2004 (*Biblioteca Áurea Hispánica*; 28), pp. 197-216.

HERGET, W., «Preaching and publication. Chronology and style of Thomas Hooker's sermons», *Harvard Theological Review*, 65, 1972, pp. 231-239.

HERREJÓN, C., *Del sermón al discurso cívico. México, 1760-1834*, Zamora, El Colegio de Michoacán, 2003.

HERRERO, F., *La oratoria sagrada en los siglos XVI y XVII*, Madrid, Fundación Universitaria Española, 1998.

HIPONA, A., *De la doctrina cristiana* en *Obras*, tr. B. Martín, Madrid, Biblioteca de Autores Cristianos, 1957, t. XV.

— *La catequesis para principiantes* en *Obras*, tr. J. Oroz Reta, Madrid, Biblioteca de Autores Cristianos, 1988, t. XXXIX.

— *La Ciudad de Dios* en *Obras*, tr. J. Morán, Madrid, Biblioteca de Autores Cristianos, 1965, t. XVII.

HORACIO, *Arte poética*, tr. M. Mañas, Cáceres, Universidad de Extremadura, 1999.

HOWARD GREEN, D., *Medieval listening and reading. The primary reception of German literature 800-1300*, Cambridge, Cambridge University Press, 1994.

Index auctorum et librorum prohibitorum [...], Roma, Ex Officina Salviana, 1559.

Instrucciones que los Virreyes de Nueva España dejaron a sus sucesores. Añádense algunas que los mismos trajeron de la corte [...], México, Imprenta Imperial, 1867.

JACOBSEN, J., *Educational foundations of the Jesuits in Seventeenth Century New Spain*, Berkeley, University of California Press, 1938.

JIMÉNEZ MORENO, A., *Sociedad y literatura en la producción homilética de la segunda mitad del siglo XV: La predicación de Juan López de Salamanca*, Tesis doctoral, Salamanca, Universidad de Salamanca, 1999.

KAPPLER, C., *Monstruos, demonios y maravillas a fines de la Edad Media*, tr. J. Rodríguez Puértolas, Madrid, Akal, 1986.

KENNEDY, G., *Classical Rhetoric and Its Christian and Secular Tradition from Ancient to Modern Times*, Chapel Hill, University of North Carolina, 1999.

KOHUT, K., «Retórica, poesía e historiografía en la obra de Juan Luis Vives, Sebastián Fox Morcillo y Antonio Lull», *Revista de Literatura*, 52, 1990, pp. 345-374.

KRAMER, H. y SPRENGER, J., *Malleus Maleficarum (el martillo de los brujos)*, tr. E. D'Elio, Barcelona, Círculo Latino, 2005.

KRÖMER, W., *Formas de la narración breve en las literaturas románicas hasta 1700*, tr. J. Conde, Madrid, Gredos, 1979.

LACARRA, M.J., «Algunos miraglos que nuestro Señor fizo por nuestro padre sancto Antonio: presentación del texto y aproximación tipológica», *Crisol*, 4, 2000, pp. 215-241.

— *Cuentística medieval en España: los orígenes*, Zaragoza, Universidad de Zaragoza, 1986.

— *Cuentos de la Edad Media*, Madrid, Castalia, 1989.

— «El libro de los gatos: hacia una tipología del "enxiemplo"» en *Formas breves del relato*, ed. Yves-René Fonquerne y Aurora Egido, Zaragoza, Universidad de Zaragoza, 1986, pp. 19-34.

— «Persia y España en el diálogo de las civilizaciones» en *Historia, religión, cultura*, Madrid, Ediciones Clásicas, 2002, pp. 119-127.

LAS CASAS, B., *Del único modo de atraer a todos los pueblos a la verdadera religión*, ed. A. Millares, tr. A. Santamaría, México, Fondo de Cultura Económica, 1942.

LAUSBERG, H., *Manual de retórica literaria. Fundamentos de una ciencia de la literatura*, tr. J. Pérez Riesco, Madrid, Gredos, 1966.

LE GOFF, J., *Lo maravilloso y lo cotidiano en el occidente medieval*, tr. A. L. Bixio, Barcelona, Gedisa, 1985.

LEMOINE, M., «Rhétorique et philosophie religieuse» en *Rhétorique et Poétique au Moyen Âge*, ed. Alain Michel, Turnhout, Brepols, 2002, pp. 13-28.

LIDA, M.R., *El cuento popular hispanoamericano y la literatura*, Universidad de Buenos Aires, Buenos Aires, 1941.

LOPETEGUI, L. Y ZUBILLAGA, F., *Historia de la Iglesia en la América española. Desde el Descubrimiento hasta comienzos del siglo XIX. México. América Central. Antillas*, Madrid, Biblioteca de Autores Cristianos, 1965.

LÓPEZ MUÑOZ, M., «La *actio* en la retórica eclesiástica neolatina», *Rhetorica*, 22, 2004, pp. 147-167.

LÓPEZ PINCIANO, A., *Philosophia antigua poetica*, ed. A. Carballo Picazo, Madrid, Consejo Superior de Investigaciones Científicas, 1973.

LÓPEZ SANTOS, L., «La oratoria sagrada en el Seiscientos», *Revista de Filología Española*, 30, 1946, pp. 353-368.

LOYOLA, I., *Ejercicios espirituales*, ed. J. Groh, Barcelona, Abraxas, 1999.

MADRE DE DIOS, A., *Tesoro escondido en el Santo Carmelo mexicano. Mina rica de exemplos y virtudes en la historia de los Carmelitas descalzos de la Provincia de la Nueva España*, ed. E. Báez, México, Universidad Nacional Autónoma de México, 1986.

MARISCAL, B., «"Entre los juncos, entre las cañas": Los indios en la fiesta jesuita novohispana», *Anales de Literatura Española*, 13, 1999, pp. 51-62.

MARTÍ, A., *La preceptiva retórica española en el Siglo de Oro*, Madrid, Gredos, 1972 (*Tratados y monografías*; 12).

MARTIN, N., *Los vagabundos en la Nueva España*, México, Jus, 1957.

— «Pobres, mendigos y vagabundos en la Nueva España, 1702-1766», *Estudios de Historia Novohispana*, 8, 1985, pp. 99-126.

MARTÍNEZ DE LA PARRA, J., *Luz de verdades catholicas, y explicacion de la doctrina cristiana, que siguiendo la costumbre de la casa professa de la Compañia de Jesus de México, todos los jueves del año ha explicado en su iglesia el padre Juan Martinez de la Parra, professo de la misma Compañía*, México, Diego Fernández de León, 1692 (t. I) y Sevilla, Juan Francisco de Blas, 1696-1699 (tt. II y III).

— *Pláticas doctrinales sobre los sacramentos del agua bendita y pan bendito*, México, Imprenta del Real y mas antiguo Colegio de San Ildefonso, 1754.

MEDINA, J.T., *La imprenta en México. (1539-1821)*, Santiago de Chile, Impreso en casa del autor, 1907-1911.

MENÉNDEZ PELAYO, M., *Historia de las ideas estéticas en España*, Madrid, Consejo Superior de Investigaciones Científicas, 1974.

MIÑANA, R., *La verosimilitud en el Siglo de Oro: Cervantes y la novela corta*, Newark, Juan de la Cuesta, 2001.

MONTERO DÍAZ, S., «La doctrina de la historia en los tratadistas españoles del Siglo de Oro», *Hispania*, 4, 1941, pp. 3-39.

MONTOYA, J., *Las colecciones de milagros de la Virgen en la Edad Media (El milagro literario)*, Granada, Universidad de Granada, 1981.

MORA, C., «Vidas, milagros y casos en la *Corónica moralizada* de Fray Antonio de la Calancha», *Iberoromania*, 58, 2003, pp. 62-82.

MURILLO, D., *Discursos predicables sobre todos los evangelios de la Quaresma; desde el Domingo de Pascua hasta la Feria tercera de Pascua de Resurrección*, Zaragoza, por Carlos Lavayen y Juan de Larumbe, 1605.

MURPHY, J., *La retórica en la Edad Media*, tr. G. Hirata, México, Fondo de Cultura Económica, 1986.

NIEBUHR, R., *Faith and History*, New York, Charles Scribner's Sons, 1949.

NIEREMBERG, E., *Practica del cathecismo romano*, Madrid, por Joseph Fernández de Buendía, 1639.

OESTERREICHER, W., «Types of orality in text» en *Written voices, spoken signs. Tradition, performance, and the epic text*, ed. E. Bakker y A. Kahane, Cambridge, Harvard University Press, 1977, pp. 190-214.

O'MALLEY, J., *Praise and Blame in Renaissance Rome*, Durham, Duke University, 1979.

O'NEILL, C. y DOMÍNGUEZ, J.M., (dirs.), *Diccionario histórico de la Compañía de Jesús*, Roma / Madrid, Institutum Historicum, S.J. / Universidad Pontificia Comillas, 2001.

ONG, W., *Oralidad y escritura. Tecnologías de la palabra*, tr. A. Scherp, México, Fondo de Cultura Económica, 1987.

— *Rhetoric, romance, and technology. Studies in the interaction of expression and culture*, Ithaca and London, Cornell University Press, 1971.

OSORIO, I., *Historia de las bibliotecas novohispanas*, México, Secretaría de Educación Pública, 1986.

— *Conquistar el eco. La paradoja de la conciencia criolla*, México, Universidad Nacional Autónoma de México, 1989.

PÁEZ DE CASTRO, J., «De las cosas necesarias para escribir historia (ed. E. Esteban)», *La Ciudad de Dios*, 28, s.f., pp. 601-610 y 29, s.f., pp. 27-37.

PALAFOX, E., *Las éticas del exemplum. Los Castigos del rey don Sancho IV, El Conde Lucanor y el Libro de buen amor*, México, Universidad Nacional Autónoma de México, 1998.

PARÉ, A., *Monstruos y prodigios*, tr. I. Malaxechevarría, Madrid, Siruela, 1987.

PEDRO A., *Disciplina clericalis*, ed. M. J. Lacarra y E. Ducay, Zaragoza, Guara, 1980.

PÉREZ ALONSO, M.I. (ed.), *La Compañía de Jesús en México. Cuatro siglos de labor cultural*, México, Jus, 1972.

PÉREZ DE LEDESMA, G., *Censura de la eloquencia para calificar sus obras y señaladamente las del púlpito*, Zaragoza, a costa de Matías de Lizau, 1648.

PORQUERAS MAYO, A., *Temas y formas de la literatura española*, Madrid, Gredos, 1972.

POUPENEY HART, C., «La crónica de Indias entre "historia" y "ficción"», *Revista Canadiense de Estudios Hispánicos*, 15, 1991, pp. 503-515.

PRAZ, M., *Imágenes del Barroco: estudios de emblemática*, tr. J. M. Parreño, Madrid, Siruela, 1989.

PUPO-WALKER, E., *La vocación literaria del pensamiento histórico en América. Desarrollo de la prosa de ficción: siglos XVI, XVII, XVIII y XIX*, Madrid, Gredos, 1982.

QUINTILIANO, M.F., *De institutio oratoria*, tr. A. Ortega Carmona, en *Quintiliano de Calahorra- Obra completa*, t. II, Salamanca, Publicaciones Universidad Pontificia, 1996.

RAMUS, P., *Gramere (1562). Grammaire (1572). Dialectique (1555)*, Genève, Slatkine Reprints, 1972.

RICARD, R., *Estudios de literatura religiosa española*, Madrid, Gredos, 1964.

— *La conquista espiritual de México*, tr. Á.M. Garibay, México, Jus, 1947.

Rhetorica ad Herennium, tr. S. Núñez, Madrid, Gredos, 1997 (*Biblioteca Clásica Gredos*; 244).

RHUA, P., *Cartas de Rhua lector en Soria sobre las obras del Reverendísimo señor Obispo de Mondoñedo dirigidas al mesmo*, Burgos, por Juan de Junta, 1549.

ROSELLÓ, E., *Así en la tierra como en el cielo: Manifestaciones cotidianas de la culpa y el perdón en la Nueva España de los siglos XVI y XVII*, México, El Colegio de México, 2006.

ROTTERDAM, E., *Elogio de la locura*, tr. A. Rodríguez Bachiller, México, Universidad Nacional Autónoma de México, 2000.

RUBIAL, A., *La santidad controvertida. Hagiografía y conciencia criolla alrededor de los venerables no canonizados en Nueva España*, México, Universidad Nacional Autónoma de México / Fondo de Cultura Económica, 1999.

RUIZ PÉREZ, P. (ed.), *Gramática y Humanismo. Perspectivas del Renacimiento español*, Madrid, Libertarias, 1993.

— «La expulsión de los poetas. La ficción literaria en la educación humanista», *Bulletin Hispanique*, 97, 1995, pp. 317-340.

SAN JOSÉ, J., *Genio de la historia*, ed. H. Santa Teresa, Vitoria, El Carmen, 1957.

SÁNCHEZ-ARCILLA BERNAL, J., «Robo y hurto en la ciudad de México a fines del siglo XVIII», *Cuadernos de Historia del Derecho*, 8, 2001, pp. 43-109.

SÁNCHEZ SALOR, E., «La poética ¿disciplina independiente en el Humanismo renacentista?» en *Humanismo y pervivencia del mundo clásico. Actas del I Simposio sobre Humanismo y pervivencia del mundo clásico* II, ed. J. M. Maestre y J. P. Barea, Cádiz, Universidad de Cádiz, 1993, t. I, pp. 211-222.

SANCHIZ, J., «La nobleza y sus vínculos familiares» en *Historia de la vida cotidiana en México, t. II: La ciudad barroca*, coord. A. Rubial, ed. P. Gonzalbo, México, El Colegio de México / Fondo de Cultura Económica, 2003, pp. 331-366.

SANCHO IV, *Castigos e documentos para bien vivir ordenados por el rey don Sancho IV*, ed. A. Rey, Bloomington, Indiana University, 1952.

SANTA MARÍA, G., *El predicador apostólico y obligaciones de su sagrado ministerio*, Sevilla, por Tomás López de Haro, 1684.

SARANYANA, J.I., et al., *Teología en América Latina. Desde los orígenes a la Guerra de Sucesión (1493-1715)*, Madrid / Frankfurt, Iberoamericana-Vervuert, 1999.

SÉNECA, L.A., *Epistolas morales*, tr. J. M. Gallegos Rocafull, México, Universidad Nacional Autónoma de México, 1951.

SEMO, E., *Historia del capitalismo en México. Los orígenes [1521-1763]*, México, Era, 1977.

SEVILLA, I., *Etimologías*, tr. J. Oroz Reta y M. Marcos Casquero, Madrid, Biblioteca de Autores Españoles, 2000.

SMITH, H.D., *Preaching in the Spanish Golden Age. A study of some preachers of the reign of Philip III*, Oxford, Oxford University Press, 1978.

SOLÓRZANO PEREIRA, J., *Política indiana [Disputatio de indiarum iure]*, tr. M. Arroyo Stephen y D.Ynduráin, Madrid, Fundación José Antonio Castro, 1996.

SWINBURNE, R., *The concept of miracle*, New York, Macmillan, 1970.

TENORIO, M.L., *De panes y sermones: El milagro de los «panecitos» de Santa Teresa*, México, El Colegio de México, 2001 (Jornadas; 136).

TERRONES DEL CAÑO, F., *Instrucción de predicadores*, ed. F. G. Olmedo, Madrid, Espasa-Calpe, 1946.

TILLIETE, J.Y., «*L'Exemplum* rhétorique: questions de définitions» en *Les Exempla Médiévaux: Nouvelles Perspectives*, ed. J. Berlioz y M.A. Polo de Beaulieu, Paris, Honoré Champion, 1998 (*Nouvelle Bibliothèque du Moyen Âge*; 47), pp. 43-65.

TUBACH, F.C., *Index exemplorum. A Handbook of medieval religious tales*, Helsinki, Suomalainen Tiedeakademia / Akademia Scientiarum Fennica, 1969 (*Fellow Folklore Communications*; 204).

VALADÉS, D., *Retórica cristiana*, tr. T. Herrera, México, Universidad Nacional Autónoma de México / Fondo de Cultura Económica, 1989.

VAN MOOS, P., «*L'exemplum* et les *exempla* des prêcheurs» en *Les Exempla Médiévaux: Nouvelles Perspectives*, J. Berlioz y M.A. Polo de Beaulieu, Honoré Champion, Paris, 1998 (*Nouvelle Bibliothèque du Moyen Âge*; 47), pp. 67-81.

VEGA, L., *Obras poéticas*, ed. J.M. Blecua, Barcelona, Planeta, 1969.

VENIER, M.E., «La *Rhetorica Christiana* de Diego Valadés», *Caravelle*, 76-77, 2001, pp. 437-442.

VICTORIA MORENO, D. Y M. ARREDONDO HERRERA (eds.), *El Santo Desierto de los carmelitas de la Provincia de San Alberto de México*, México, Biblioteca Enciclopédica del Estado de México, 1978.

VIEIRA, A., *Aprovechar deleitando. Nueva idea de pulpito christiano política; delineada en cinco sermones varios, y otros discursos [...]*, corregido, y enmendado en esta segunda impresión, Zaragoza, por Juan de Ybar, 1661.

— «Sermão da visitação de Nossa Senhora. Pregado no Hospital da Missericórdia da Baia, na ocasião em que chegou áquela cidade o Marquês de Montalvão, Vice-rei do Brasil» en *Obras escolhidas*, ed. A. Sérgio e H. Cidade, Lisboa, Livraria sá da costa, 1954, Vol. X.

VIRGILIO, *Eneida*, tr. R. Bonifaz Nuño, México, Universidad Nacional Autónoma de México, 2006.

VIVES, J.L., *Del arte de hablar*, tr. J. M. Rodríguez Peregrina, Granada, Universidad de Granada, 2000.

— *El socorro de los pobres. La comunicación de bienes*, tr. L. Fraile Delgado, Madrid, Tecnos, 1997.

— *Obras*, Madrid, Espasa-Calpe, 1931 (*Nueva Biblioteca Filosófica*; 49).

— *Obras completas*, Madrid, Aguilar, 1947.

WELTER, T., *L'Exemplum dans la Littérature Religieuse et Didactique du Moyen Âge*, Paris-Toulouse, Occitania, 1927.

WHITE, H., *El texto histórico como artefacto literario*, tr. V. Tozzi y N. Lavagnino, Barcelona, Paidós, 2003.

ZAYAS, M. G., *Introducción al estudio de la oratoria sagrada novohispana en la segunda mitad del siglo XVIII y primera del XIX*, Barcelona, Universidad de Barcelona, 1991.

ZINK, M., *La prédication en langue romane avant 1300*, Paris, Champion, 1982 (*Nouvelle Bibliothèque du Moyen Age*, 4).

ZUBILLAGA, F., *Monumenta mexicana*, Roma, Institutum Historicum Societatis Iesu, 1956-1991.